D0783762

MAXIMALE
SPORTPRESTATIES

MAXIMALE SPORTPRESTATIES

ERGOGENE MIDDELEN EN METHODEN

MELVIN H. WILLIAMS

www.uitgeverijelmar.nl

Colofon

Maximale sportprestaties is een uitgave van:
Uitgeverij Elmar B.V., Rijswijk – 2001

Oorspronkelijke titel: The ergogenics edge
Vertaling: Hans Wassink
Lay-out: Pam van Vliet, BNO, Delft
Omslagontwerp: Wil Immink, Sittard

ISBN 90389 09918

NUGI 468

INHOUD

VOORWOORD

We zijn allemaal uitgerust met natuurlijke atletische vermogens. De aard van die atletische vermogens is voor een groot deel afhankelijk van de genen die we van onze ouders hebben meegekregen; genen bepalen onze lengte, onze lichaamsvorm, ons spiervezeltype, ons vermogen spierarbeid te verrichten, onze mentale kracht, en nog een heleboel andere aangeboren eigenschappen die bijdragen tot ons succes in sport. Onze erfelijke uitrusting helpt bepalen tot welke sportprestaties we in staat zijn. Iedere gezonde atleet kan een goede 100 meter sprinten, maar slechts zeer weinigen zijn in staat een tijd onder de 9.9 seconden neer te zetten.

Niet iedere sporter heeft het genetisch potentieel olympisch kampioen te worden, maar elke sporter kan wel zijn maximale genetisch potentieel realiseren door de juiste fysiologische, psychologische en biomechanische training. De afgelopen 40 jaar verrichtten inspanningsfysiologen en sportwetenschappers onderzoek dat de sporter inzicht heeft gegeven in de fysiologische, psychologische en biomechanische achtergronden van zijn sportprestatievermogen, vaak in een poging zijn trainingsprogramma's te verbeteren en grenzen te verleggen. Sporters van alle wedstrijdniveaus hebben in hun trainingsprogramma's kosten noch moeite gespaard om de concurrent voor te blijven of een nieuw persoonlijk of wereldrecord neer te zetten. Adequate en correcte training zijn de meest effectieve manieren voor een sporter om topprestaties mogelijk te maken.

Sporters van alle wedstrijdniveaus vragen zich misschien af of er speciale hulpmiddelen zijn die hun prestatievermogen naast de training iets extra's geven. Sporters speuren naar middelen of technieken die hen een voordeel geven (zogenaamd loopvoordeel), of de mogelijkheid hun grenzen te verleggen. Uit vraaggesprekken met topatleten blijkt, dat ze vlak voor de wedstrijd zo gebrand zijn op winnen, dat ze in wezen bereid zijn alles te doen of te nemen, als het ze maar niet echt fataal wordt. Subtop- en amateursporters hebben dezelfde instelling, en gebruiken allerlei voedingssupplementen in de hoop dat het hun sportprestatievermogen zal verbeteren.

Speciale stoffen of behandelingen die worden gebruikt om fysiologisch, psychologisch of biomechanisch voordeel te behalen in sport worden ergogene middelen genoemd, of ook wel sportergogenica; het ergogeen verwijst naar een toename in het vermogen arbeid te verrichten.

Ik heb op verschillende niveaus ervaring met sportergogenica. In mijn studietijd gebruikte ik als sporter voedingssupplementen, zoals eiwitpreparaten, om spiermassa aan te zetten voor American Football. Als marathon- en ultramarathonloper heb ik legale farmacologische ergogene middelen als koffie gebruikt om mijn uithoudingsvermogen te vergroten. Als coach op zowel middelbare school als universiteitsniveau heb ik psychologische ergogene technieken gebruikt om het sportprestatievermogen van mijn sporters positief te beïnvloeden (hoewel ik moet toegeven dat ik toentertijd helemaal niet wist dat het ergogene technieken waren). Als sportwetenschapper doe ik al meer dan 30 jaar onderzoek naar ergogene middelen, waaronder nutritionele, farmacologische, psychologische en fysiologische sportergogenica.

In 1983 verkeerde ik in de gelukkige omstandigheid voor Human Kinetics het boek *Ergogenic Aids in Sport* te redigeren. Er stonden artikelen in van een aantal van de meest vooraanstaande Amerikaanse sportwetenschappers, en was voornamelijk gericht op collega's uit de sportwetenschappen. Later stimuleerde Rainer Martens, de directeur van Human Kinetics, mij het boek *Beyond Training: How Athletes Enhance Performance Legally and Illegally* te schrijven, een boek over ergogene middelen dat minder technisch van aard was en niet alleen bedoeld voor sporters en hun begeleiders op topsport- en amateurniveau, maar ook voor de recreatiesporter die een zo goed mogelijke prestatie wil neerzetten, of dat nu op de 10 km is of in een mini-triathlon of een andere tak van sport. *Beyond Training* verscheen in 1989, maar sindsdien is er behoorlijk wat wetenschappelijk onderzoek verricht, en dat is de reden voor publicatie van dit boek, waarin de laatste wetenschappelijke bevindingen zijn verwerkt.

Hoofdstuk 1 introduceert het concept van sportprestatiefactoren (SPF), en geeft een overzicht van die erfelijke eigenschappen die de grenzen van het sportprestatievermogen en het succes in sport beperken.

Hoofdstuk 2 verkent de manieren waarop verschillende ergogene middelen mogelijk een bijdrage leveren aan specifieke SPF.

Hoofdstuk 3 richt zich op de ontwikkeling van explosieve kracht, of energieproductie, en geeft een overzicht van hoe ergogene middelen mogelijk de energie en explosieve kracht opvoeren.

Hoofdstuk 4 behandelt de ontwikkeling van mentale kracht, en bevat tevens een algemene bespreking van psychologische ergogenica als middel om de mentale kracht te vergroten.

Hoofdstuk 5 concentreert zich op het gebruik van natuurkunde om een mechanisch voordeel te behalen, en bespreekt de toepassing van biomechanische en mechanische ergogenica.

Hoofdstuk 6 biedt de mogelijkheden de SPF die voor een specifieke tak van sport van belang zijn te identificeren (zie tabel 6.2), en geeft een lijst van ergogene middelen en technieken (zie tabel 6.3) die, theoretisch gezien, de specifieke SPF kunnen vergroten.

Hoofdstuk 7 behandelt het belang van onderzoek voor de bepaling van de effectiviteit van vermeende ergogenica, en belicht zaken als veiligheid, legaliteit en de ethische kanten van het gebruik van de verschillende ergogene middelen.

Hoofdstuk 8 vormt het hart van het boek, en biedt informatie over de aard van de verschillende ergogene middelen, waaronder de volgende punten.

- Classificatie en gebruik: Wat is het en hoe wordt het gebruikt?
- Sportprestatiefactoren: Welke sporters behalen mogelijk voordeel door het gebruik ervan?
- Theorie: Wat is de veronderstelde werking van het middel?
- Effectiviteit: Werkt het? Kan het het prestatievermogen negatief beïnvloeden, dat wil zeggen, is het mogelijk ergolytisch in plaats van ergogeen?
- Juridische aspecten: Mag het middel legaal worden ingezet tijdens de training of de wedstrijd?
- Ethische aspecten: Zijn er ethische vraagstukken verbonden aan het gebruik?
- Aanbevelingen: Zijn er voldoende gronden om het middel aan te bevelen voor gebruik voor de training of wedstrijden?

Elke sport heeft zijn eigen specifieke SPF, afhankelijk van de vereiste fysieke power, mentale kracht en mechanische voordelen. Voor sommige sporten heb je een hoge mate van explosieve kracht nodig, en voor andere sporten misschien veel minder. In sommige takken van sport doen sporters hun voordeel met een verhoogde psychische opwinding, terwijl voor andere sporten ontspanning juist weer voordelig is. In sommige takken van sport is vergroting van het mechanisch voordeel doorslaggevend, terwijl dat bij andere sporten veel minder speelt. Ergogene middelen en technieken zijn ontworpen om de sportspecifieke SPF te verbeteren. Sommige middelen zijn effectief, andere niet. Er zijn letterlijk honderden ergogene middelen in de handel die claimen sporters uit allerlei niveaus voordeel te bieden. Helaas zijn veel van die claims voornamelijk gebaseerd op theoretische overwegingen, en niet het resultaat van gedegen onderzoek.

Dit boek is bedoeld als een wetenschappelijk verantwoorde gids die kan helpen de ergogene middelen te identificeren die voordelig zouden zijn voor het verhogen van de sportspecifieke SPF. Aan bod komen zo goed als alle ergogene middelen, van A tot Z, die de afgelopen twintig jaar zijn onderzocht, en waarvan de effectiviteit en gezondheid, alsook de juridische en ethische aspecten, in kaart zijn gebracht. Na analyse van elk van deze punten, wordt een aanbeveling gedaan.

Een van de belangrijkste uitgangspunten van de aanbeveling is de effectiviteit van het middel, dat wil zeggen, of het in de praktijk ook levert wat in theorie is verondersteld. Bepaling van de effectiviteit van ergogene middelen moet gebaseerd zijn op degelijk wetenschappelijk onderzoek. Ik beveel geen enkel ergogeen middel aan, tenzij uit wetenschappelijk onderzoek is gebleken dat het mogelijk effectief kan zijn. En al is die effectiviteit bewezen, dan nog kunnen zaken als veiligheid, en de juridische en ethische aspecten verbonden met gebruik reden zijn voor terughoudendheid in of afzien van aanbeveling. Wanneer een ergogeen middel schade kan toebrengen aan de gezondheid, dan mag gebruik daarvan niet worden aanbevolen, hoe effectief het middel ook moge zijn. Naar mijn mening ook, moet het gebruik van de ergogene middelen die door de nationale sportorganisaties en het Internationaal Olympisch Comité op de lijst van verboden middelen zijn geplaatst, door de sporter worden beschouwd als onethisch. In dit boek zullen dus geen aanbevelingen worden gedaan middelen te gebruiken die op de dopinglijst staan, ook al is de sportgemeenschap in het verbod van bepaalde middelen mogelijk niet unaniem.

De appendix bevat een lijst met verboden middelen. Niet alle middelen of technieken konden worden opgenomen, en voor een volledige lijst verwijzen we hier naar het NeCeDo (www. necedo. nl). Wees erop bedacht, dat de meeste sportorganisaties een beleid voeren met betrekking tot het gebruik van ergogene middelen, vooral dopinggeduide middelen. Leer de lijst van dopinggeduide middelen voor jouw specifieke tak van sport kennen.

Elk jaar verschijnen er nieuwe voedingssupplementen op de markt die worden aangeprezen als ergogeen. Veel van deze supplementen bevatten ingrediënten of combinaties van stoffen die in dit boek worden besproken. Door de ingrediënten in deze sportvoedingssupplementen te vergelijken met de informatie die hier wordt geboden, zul je beter in staat zijn om ze naar waarde te schatten.

Opmerking

Het doel van dit boek is te dienen als een wetenschappelijk betrouwbare bron van informatie. De informatie is zo opgesteld, dat het sporters in staat stelt verantwoorde keuzen te maken in het al dan niet gebruiken van ergogene middelen. Voor tot gebruik overgegaan wordt, moet de sporter zich eerst goed informeren over zaken als effectiviteit en gezondheid van het bewuste middel, en of een middel legaal is of ethisch verantwoord. In dit boek wordt geen enkel ergogeen middel aanbevolen dat ineffectief, schadelijk, illegaal of onethisch is. De beslissing om gebruik te maken van effectieve, veilige en legale ergogene middelen wordt aan het morele oordeel van de sporter zelf overgelaten.

Dankbetuigingen

Ik wil hier graag mijn oprechte dank betuigen aan de vele studenten en collega's die de afgelopen 30 jaar hebben bijgedragen aan mijn onderzoek naar ergogene middelen, en aan de sportwetenschappers van over de hele wereld die gedegen onderzoek hebben verricht naar de talloze ergogene middelen. Het is dankzij hun onderzoek dat we in staat zijn over het gebruik van ergogene middelen een zinnig advies te geven. Dank ook aan Sharon Jones, mijn wetenschappelijk medewerker, voor de vele uren speurwerk naar relevante publicaties. Mijn bijzondere dank is gericht aan Rainer Martens die me heeft gemotiveerd voor Human Kinetics diverse boeken over ergogene middelen te schrijven, aan Ted Miller voor zijn aanmoediging en ideeën voor de opzet van dit boek, en aan Kent Reel voor zijn medewerking en waardevolle ondersteuning in de productie van dit boek. Mijn oprechte waardering gaat ook uit naar Stephen Moore, tekstredacteur, en Rebecca Crist, assistent-redacteur, voor het geweldige werk dat zij hebben verricht; dit geldt ook voor Denise Lowry en Robert Reuther, van de vormgeving, en Boyd LaFoon, van de foto-redactie, die de ideeën in dit boek met beeld kracht heeft bijgezet.

1

Factoren die de sportprestatie beperken

De mens is van nature een spelend wezen. Kinderen rennen, springen en gooien zonder erover te hoeven nadenken. Concurreren in het spel is eveneens een fundamentele menselijke eigenschap, en kinderen proberen elkaar al spelend de loef af te steken door harder te lopen, hoger te springen en verder te gooien dan hun speelgenootjes.

Naarmate we ouder worden, spelen we verfijnder spelletjes, die we *sport* noemen, en waarvan competitie het belangrijkste doel is. Het woord *competitie* wordt op verschillende manieren gedefinieerd. Met betrekking tot sport, wordt competitie gedefinieerd als een strijd voor overwinning, een streven zo goed mogelijk te presteren en het beter te doen dan de tegenstander.

De maatschappij waardeert dominantie in sport al vanaf de vroegste georganiseerde spelen. Succesvolle atleten, van de Olympische Spelen tot de moderne sportwereld, hebben faam en fortuin geoogst. Tegenwoordig staan topsporters op de covers van internationale tijdschriften als *Time* en *Newsweek;* olympische helden prijken op de pakken havermout en cornflakes waarmee we de dag beginnen; en piepjonge topsporters worden in een handomdraai miljonair.

Vanwege de vele voordelen die verbonden zijn met sportief succes, zijn sporters, meestal onder begeleiding van ervaren trainers, voortdurend bezig hun prestaties te verbeteren. Waar trainers in het verleden voornamelijk vertrouwden op ervaring en observatie om de sportprestatie te verbeteren, hebben begeleiders van topsporters tegenwoordig de beschikking over een team van sportwetenschappers; waarmee niet gezegd wil zijn dat ervaring en observatie onbelangrijk zijn geworden. Maar deze specialisten kunnen belangrijke fysiologische, psychologische en biomechanische analyses leveren waar de sporters hun voordeel mee kunnen doen.

VERBETERING VAN HET SPORTPRESTATIEVERMOGEN

Enkele uitzonderingen daargelaten, geven de prestaties op sportgebied van de afgelopen 100 jaar een beeld van voortdurende vooruitgang. Nog niet eens zo lang geleden werden de 1500 meter hardlopen in vier minuten, de 2.10 meter hoogspringen en de 4.50 meter polsstokhoogspringen beschouwd als ultieme sportprestaties. Recent hebben topsporters op de 1500 meter een tijd onder de 3:45 neergezet (zie figuur 1.1.), boven de 2.40 meter gesprongen en bij het polsstokhoogspringen de 6 meter grens dik gepasseerd. Soortgelijke topprestaties zijn behaald bij tal van sporten, op zowel nationaal als internationaal niveau. Bij de amateurs wordt tegenwoordig beter gepresteerd dan op de Olympische Spelen van 30 jaar geleden.

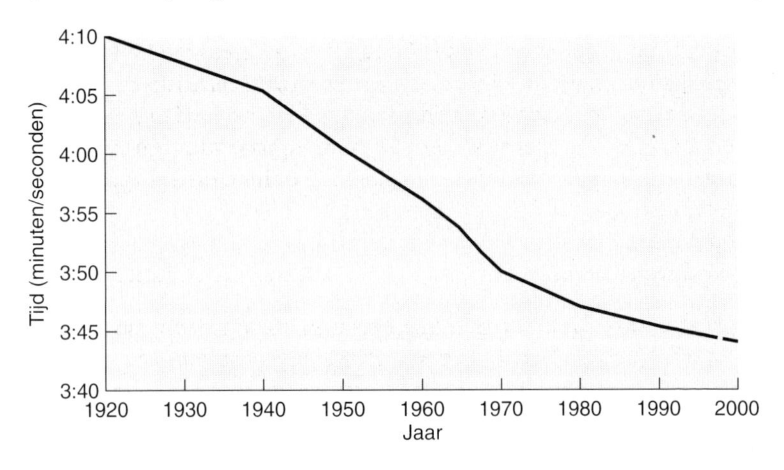

Figuur 1.1 – Het wereldrecord op de 1500 meter hardlopen is sinds 1920 sterk dalende

Sportprestaties worden nog steeds verbeterd, en dat heeft allerlei oorzaken. Een grotere bevolking en betere mogelijkheden op sportgebied doen de genenpool van potentiële topsporters toenemen. Betere begeleiding en betere trainingsmethoden verhogen de fysiologische conditie, mentale training en biomechanische technieken van de tegenwoor-

Het Olympische motto is *citius, altius, fortius,* wat 'sneller, hoger, sterker' betekent.

dige topsporter. Betere voeding en medische behandeling helpen de sporter effectiever te trainen. Technische verbeteringen in faciliteiten en sportuitrusting bieden mechanische of biomechanische voordelen. Zowel individueel als collectief gezien, zijn dit de belangrijkste oorzaken dat records steeds opnieuw verbroken worden.

GRENZEN VAN HET SPORTPRESTATIEVERMOGEN

Kent het sportprestatievermogen grenzen? Zo ja, waar liggen die grenzen dan? Ik geloof dat de ultieme begrenzing van het sportprestatievermogen ligt in het onvermogen volledig greep te krijgen op de productie, controle en het efficiënte gebruik van energie, want energie is de basis van alle beweging en vooruitgang in sport.

Twee factoren spelen een belangrijke rol in de energieproductie en benutting in sport: *genetische begaafdheid* en *training*. Nu kunnen we erfelijk wel gezegend zijn, maar om succesvol te zijn in sport moeten we de controle over en het vermogen tot energieproductie en het efficiënt gebruik daarvan maximaliseren. Zelfs al zijn we voor topsporter in de wieg gelegd, dan nog moeten we keihard trainen om ons potentieel te realiseren.

> Het natuurlijke vermogen van Lance Armstrong, een van de beste wielrenners uit Amerika, demonstreerde hij op zijn 15e jaar, toen bleek dat zijn aërobe vermogen behoorde tot de 1-2 procent van de beste atleten ter wereld.
>
> *– Jay Kearney, inspanningsfysioloog en hoofd wetenschappelijk medewerker USOC*

Ingrijpen in het erfelijk potentieel van een sporter om de sportprestatie op te voeren is een terrein dat nog nauwelijks betreden is. Het zogenaamde Human Genome Project (een internationaal onderzoeksprogramma ontworpen om de functies van alle erfelijke eigenschappen in kaart te brengen) zal echter binnen enkele jaren zijn afgerond, en dan wordt identificatie van de genen die verantwoordelijk zijn voor de expressie van fysiologische, psychologische en biomechanische karakteristieken die van doorslaggevend belang zijn voor sportsucces mogelijk, en zelfs waarschijnlijk.

Daarentegen is de toepassing van sportwetenschappelijk onderzoek op training de afgelopen 30 jaar als een paddenstoel uit de grond geschoten. *Inspanningsfysiologen* hebben diverse trainingsmethoden en voedingspraktijken onder de loep genomen om het sportprestatievermogen te verbeteren; *sportpsychologen* hebben psychologische technieken ingezet om mentale struikelblokken te verwijderen; en fysiologen gespecialiseerd in de werking van motor-units, en *bewegingswetenschappers* hebben onderzocht hoe sportvaardigheden worden aangeleerd en uitgevoerd. Veel van dit onderzoek is gericht op het weghalen of verlagen van barrières die het sportprestatievermogen belemmeren.

Drie algemene barrières voor het optimale sportprestatievermogen waarover enige controle mogelijk is, zijn barrières van fysiologische, psychologische en biomechanische aard. *Fysiologische barrières* beperken het vermogen energie te produceren. *Psychologische barrières* beperken het vermogen controle uit te oefenen op de energieproductie. *Biomechanische barrières* beperken het vermogen energie efficiënt te gebruiken. Deze barrières kunnen voor een deel in elkaar overlopen. Een psychologische barrière voor prestatie kan een optimale benutting

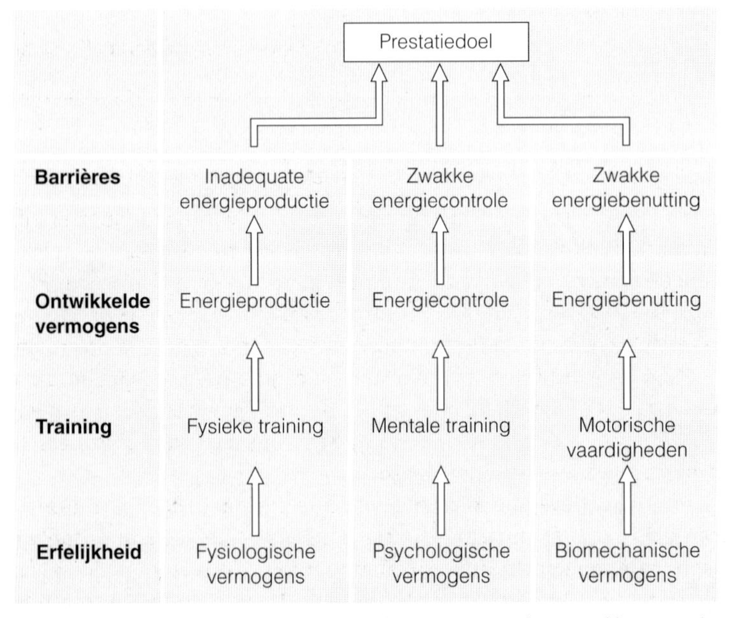

Figuur 1.2 Inadequate energieproductie, zwakke energiecontrole, en zwakke energiebenutting zijn barrières voor het bereiken van gestelde prestatiedoelen.

van de energie bijvoorbeeld in de weg zitten via fysiologische processen en kan zo een beperking betekenen voor optimale biomechanische benutting van energie.

In de komende hoofdstukken volgt een uitgebreidere bespreking van de productie, benutting en controle van energie en de vermoeidheidsverschijnselen die daarmee gepaard gaan. Op dit moment volstaat het helder stellen van de beperkingen van fysiologische, psychologische en biomechanische aard voor het menselijk prestatievermogen. Figuur 1.2 biedt een overzicht van enkele van deze barrières.

Hoewel je je erfelijke aanleg niet kunt veranderen (in de keuze van ouders had je geen zeggenschap), kun je je sportieve aanleg door training natuurlijk wel proberen te optimaliseren. Misschien mis je een bepaalde natuurlijke aanleg voor een tak van sport, maar door correcte training is het toch mogelijk het niveau of gestelde doel te bereiken. Correcte training is de meest effectieve manier om vooruit te komen in sport.

> Als je wilt deelnemen aan de Olympische Spelen, dien je je ouders zorgvuldig te kiezen.
>
> *– Per Olaf Astrand – wereldberoemd inspanningsfysioloog*

SPORTSUCCES EN TRAINING

Sportsucces is een subjectieve zaak. Neem bijvoorbeeld sporters die een marathon (42.2 km) lopen. Voor de ene sporter is alleen al het volbrengen van een volledige marathon een topprestatie. Voor een andere sporter is succes misschien het winnen van een medaille voor de jongste deelnemer aan een marathon. Voor weer een andere sporter betekent succes goud op de olympische marathon of de eerste zijn die in Boston over de finish gaat. Soortgelijke vergelijkingen kunnen ook worden gemaakt met betrekking tot andere sporten, van beginners tot internationale wedstrijddeelname.

Om je sportieve talenten volledig uit te buiten, dien je je training te optimaliseren. Of je nu traint voor je eerste marathon of gaat voor olympisch goud, de sporttrainingsprincipes blijven in wezen gelijk. Bij het United States Olympic Training Center probeert men in het trainingsprogramma fysiologische, psychologische en biomechanische obstakels uit de weg te ruimen door concentratie op drie aspecten van het

Figuur 1.3 Om een atleet van olympisch kaliber te worden moet een sporter gezegend zijn met bepaalde erfelijke eigenschappen, en moet hij of zij deze maximaliseren door middel van intensieve training.

sportprestatievermogen: explosieve kracht, mentale kracht, en het behalen van mechanisch voordeel. *Explosieve kracht* draait om energieproductie, *mentale kracht* om energiecontrole, en *mechanisch voordeel* om het efficiënt benutten van energie. Elke sport stelt zijn eigen voorwaarden aan de productie, controle en benutting van energie; deze voorwaarden noemen we hier *sportprestatiefactoren.*

SPORTPRESTATIEFACTOREN (SPF)

Er worden wereldwijd honderden verschillende wedstrijden in allerlei takken van sport gehouden. Op de Olympische Spelen 1996 waren er 271 finalisten, de daarop volgende Paralympics voor gehandicapte sporters niet eens meegerekend. Elke tak van sport, van boogschieten tot zeilen, vereist deelnemers die bepaalde eigenschappen bezitten om succesvol te kunnen zijn. We noemen deze eigenschappen hier *sportprestatiefactoren (SPF).*

Wetenschappers hebben een scala aan sporten geanalyseerd vanuit fysiologisch, psychologisch en biomechanisch perspectief om de SPF voor elke aparte tak van sport te bepalen. Erfelijke aanleg en correcte training zijn de belangrijkste voorwaarden voor de SPF van een sporter.

Hoewel sommige SPF, zoals lengte, moeilijk te veranderen zijn, stellen wetenschappers dat SPF als spierkracht door correcte training sterk verbeterd kunnen worden.

Wetenschappers hebben op een aantal manieren geprobeerd de SPF in een classificatiesyteem onder te brengen, waarbij de ene manier wat gedetailleerder is dan de andere. Spierkracht bijvoorbeeld kan eenvoudig als kracht worden beschreven, of in specifieke onderverdelingen als statische kracht, explosieve kracht en kracht van het boven- en onderlichaam. Er zijn dozijnen basis SPF in kaart gebracht, maar ik heb ze in drie algemene categorieën ondergebracht: (a) fysieke kracht, (b) mentale kracht, (c) mechanisch voordeel, met diverse onderverdelingen zoals opgesteld in tabel 1.1. Een uitgebreide bespreking van de relatie van SPF tot deze drie algemene categorieën volgt in de hoofdstukken 3, 4 en 5.

TABEL 1.1

SPORTPRESTATIEFACTOREN

Fysieke power (energieproductie)
- Explosieve kracht en power
- High power en snelheid
- Conditionele power
- Aërobe power
- Aëroob uithoudingsvermogen

Mentale kracht (neuromusculaire controle)
- Opwinding
- Ontspanning

Mechanisch voordeel (efficiëntie)
- Toename spieren/lichaamsmassa
- Vermindering lichaamsvet/lichaamsmassa

Zoals gezegd, is correcte training de meest effectieve manier voor een sporter om het sportprestatievermogen op te voeren. Training kan de fysieke power en mentale kracht vergroten, en een mechanisch voordeel geven. Sporters kunnen echter op zoek gaan naar methoden die de training vervangen of geschikter zijn dan training om hun fysieke power, mentale kracht of mechanisch voordeel te vergroten; in zulke gevallen maken zij gebruik van middelen die het sportprestatievermogen kunnen vergroten, zoals ergogene middelen.

2

Sportprestatiebarrières doorbreken met ergogene middelen

De wetenschappelijke literatuur omschrijft substanties die sporters gebruiken om hun sportprestatievermogen te verbeteren als ergogene middelen, of *sportergogene middelen*. De term *ergogeen* is afgeleid van de Griekse woorden *ergon* (arbeid) en *gennan* (genereren, produceren). Met ergogeen middel wordt dan iets bedoeld dat prestatieverhogend werkt. Het bedrijfsleven heeft de wetenschap van de *ergonomie* uitgebreid ingezet om de arbeidsprestatie op te voeren. Deze ergonomische ontwikkelingen lopen van het efficiënt ontwerpen van computers om het gebruik ervan minder inspannend te maken tot verhoogde arbeidsproductiviteit in de autoindustrie door gebruik van robots.

Al vanaf het vroegste begin van georganiseerde sportwedstrijden, hebben atleten ergogene middelen gebruikt om te proberen de natuurlijke grenzen van hun sportprestatievermogen (erfelijke aanleg en training) te verleggen. In het oude Griekenland en Rome probeerden atleten dit vooral via de voeding. Zo geloofden ze, bijvoorbeeld, dat bepaalde organen van dieren bepaalde eigenschappen bezaten, zoals moed, die vooral zou zetelen in het hart van een leeuw.

Het consumeren van die organen zou de begeerde eigenschap dan overdragen op de eter. Meer dan 100 jaar geleden echter, experimenteerden tal van sporters – zoals boksers, marathonlopers, honkballers en voetballers, wielrenners, olympische sporters en sporters uit andere takken van sport, met stimulerende middelen als alcohol, koffie en cocaïne om hun sportprestatievermogen te vergroten. De afgelopen jaren is er in het sportwetenschappelijk onderzoek geweldig veel vooruitgang geboekt, vooral op het gebied van sportvoeding, sportpsychologie, sportbiomechanica, en zelfs op het gebied van de sportfarmacologie, hetgeen heeft geleid tot de ontwikkeling van honderden ergogene middelen die allemaal claimen het sportprestatievermogen te vergroten.

Het doel van de meeste ergogene middelen is het vergroten van het sportprestatievermogen, door verbetering van de fysieke power (energieproductie), mentale kracht (energiecontrole), of mechanisch voordeel (energiebenutting), waardoor vermoeidheid wordt voorkomen of uitgesteld. Tabel 2.1 geeft een overzicht van de specifieke methoden hoe ergogene middelen het sportprestatievermogen zouden kunnen vergroten.

TABEL 2.1

VERGROTING VAN HET SPORTPRESTATIEVERMOGEN DOOR FYSIEKE POWER, MENTALE KRACHT EN MECHANISCH VOORDEEL

Vergroting fysieke power

1. Toename van de spiermassa om de energieproductie te vergroten.
2. Toename in metabole processen die in de spiercel energie opwekken.
3. Verhoging van de energievoorraad in de spier voor groter uithoudingsvermogen.
4. Verbetering van toevoer van energievoorraden naar de spieren.
5. Tegenwerken van de opeenhoping van stoffen in het lichaam die een optimale energieproductie belemmeren.

Vergroting mentale kracht

1. Toename van psychologische processen die de energieproductie maximaliseren.
2. Afname van factoren die een optimaal psychisch functioneren belemmeren.

Vergroting mechanisch voordeel

1. Verbetering van de biomechanica van het menselijk lichaam ter verhoging van de efficiëntie door afname van de lichaamsmassa, voornamelijk lichaamsvet.
2. Verbetering van de biomechanica van het menselijk lichaam ter vergroting van de stabiliteit door toename van de lichaamsmassa, voornamelijk spiermassa.

Sporters kunnen gebruik maken van de ergogene methoden uit elk van de drie gebieden van tabel 2.1, meestal met een specifiek doel voor ogen. Ze kunnen bijvoorbeeld koolhydraatsupplementen gebruiken om hun fysieke power te vergroten door een toename van de energievoorraad in de spieren; ze kunnen gebruik maken van hypnose om hun mentale kracht te verbeteren door het uitschakelen van negatieve gedachten; ze kunnen aërodynamische wielerkleding dragen om mechanisch voordeel te behalen door een afname van de luchtweerstand. Sommige ergogene middelen die in de sport worden gebruikt kunnen een meervoudig effect bewerkstelligen. Anabole of androgene steroïden, bijvoorbeeld, kunnen de fysieke power vergroten door een toename van de spiermassa, de mentale kracht vergroten door verhoging van de agressie, en mechanisch voordeel bieden door een toename van het lichaamsgewicht, hetgeen allemaal kan bijdragen tot verbetering van de sportprestatie in een specifieke tak van sport, zoals sumo of een andere vorm van worstelen.

CLASSIFICATIE VAN ERGOGENE MIDDELEN IN DE SPORT

Ergogene middelen in de sport kunnen op verschillende manieren geclassificeerd worden. In *Beyond Training: How Athletes Enhance Performance Legally and Illegally* noemde ik vijf categorieën: (a) nutritionele, (b) farmacologische, (c) fysiologische, (d) psychologische en (e) mechanische/biomechanische (hulp) middelen.

Sommige ergogene middelen zijn eigenlijk trainingstechnieken: een ergogeen middel uit de psychologie, bijvoorbeeld, is visualiseren of transcendente meditatie. Net als in fysieke training, moeten sporters deze specifieke psychologische vaardigheden trainen om de mentale kracht te vergroten. Mechanische of biomechanische ergogene middelen zijn ook een vorm van training. Het verbeteren van biomechanische vaardigheden door gebruik van mechanische hulpmiddelen, zoals handzwemvliezen bij zwemmen, vereist serieuze training om de energiebenutting te verhogen. Verder zijn ook sportkleding en sportuitrusting ontworpen om mechanisch voordeel te behalen, maar de sporter moet er in de praktijk mee werken om het voordeel optimaal te benutten. Omdat het trainen van psychologische, biomechanische en mechanische vaardigheden, en werken met speciale kleding en uitrusting ook als ergogene middelen die het sportprestatievermogen verbeteren gezien kunnen worden, bespreek ik ze in de hoofdstukken 3 en 4 uitgebreider.

Voor het doel dat ik in dit boek voor ogen heb, zal ik alleen als sportergogeen middel substanties beschouwen die in het lichaam worden opgenomen (of verwante technieken om de opname van zulke substanties te verhogen) om de fysieke power en/of mentale kracht te vergroten, en mechanisch voordeel te behalen, voornamelijk via een of meer van de processen die opgesomd zijn in tabel 2.1. Deze substanties kunnen ingedeeld worden in drie categorieën – nutritionele, farmacologische en fysiologische ergogene middelen.

Nutritionele sportergogenica

Nutritionele sportergogenica hebben voornamelijk tot doel de spiermassa te vergroten, de spieren van energie te voorzien, en de energieproductie in de spieren op te voeren. Hoewel de meeste op voeding gebaseerde ergogene middelen ontworpen zijn om de fysieke power te vergroten, kunnen sommigen ook bijdragen aan de mentale kracht en het mechanisch voordeel.

Uit een gezonde en gevarieerde voeding kunnen meer dan 50 nutriënten worden gehaald, die allemaal op de een of andere manier bijdragen aan de energieproductie. Je zou verbaasd staan als je wist hoeveel verschillende functies deze essentiële nutriënten vervullen om te helpen de energieproductie in het lichaam te reguleren. In essentie echter, werken deze nutriënten voor wat de energieproductie betreft op drie onderscheiden manieren: (a) sommige nutriënten functioneren als energiebron; (b) sommige nutriënten reguleren de processen die zorgen voor de energieproductie in het lichaam; en (c) sommige nutriënten leveren elementen voor de groei, ontwikkeling, en de structuur van de verschillende energieproducerende lichaamsweefsels (zie figuur 2.1.)

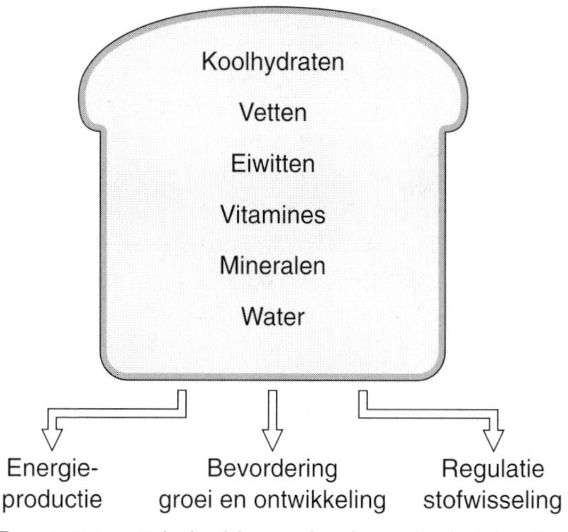

Figuur 2.1 De nutriënten uit de dagelijkse voeding dienen drie basisfuncties in het lichaam.

Volwaardige voeding is van essentieel belang voor een optimaal sportprestatievermogen. Als je één nutriënt mist die belangrijk is voor de energieproductie tijdens je training, dan zal je prestatievermogen eronder lijden. In het algemeen gesproken, hoef je daar bij een volwaardige en gevarieerde voeding niet bang voor te zijn.

In principe kun je alle nutriënten of voedingsstoffen die je nodig hebt voor een optimaal sportprestatievermogen halen uit een goede en gevarieerde voeding. Deze voedingsstoffen kunnen in zes verschillende categorieën worden ingedeeld: koolhydraten, vetten, eiwitten, vitamines, mineralen en water. In het algemeen dienen koolhydraten voornamelijk als energiebron. Vetten leveren natuurlijk ook energie, maar ze vormen ook een onderdeel van de structuur van de meeste cellen. Eiwitten hebben verschillende functies, en zijn noodzakelijk voor (a) weefselopbouw, groei en ontwikkeling; (b) opbouw van enzymen die de energieproductie reguleren; en (c) energieleverancier, onder bepaalde omstandigheden. Vitamines werken voornamelijk als regulatoren van een heel scala stofwisselingsprocessen, en dat doen ze in samenwerking met enzymen. Veel mineralen zijn ook betrokken bij de regulatie van stofwisselingsprocessen, maar sommigen vormen ook een onderdeel van de structuur van het lichaam. Ten slotte, maakt water het grootste deel uit van het lichaamsgewicht en helpt het allerlei processen in het lichaam te reguleren. Tabel 2.2 geeft een overzicht van de nutriënten die op dit moment als essentieel voor het leven worden beschouwd.

Alle nutriënten zijn op de een of andere manier bij de energieproductie betrokken, maar sommige nutriënten zijn in het bijzonder van belang voor sporters bij wie de energieproductie tijdens een training of wedstrijd geweldig verhoogd is. Eiwit vormt bijvoorbeeld het fundament voor de spieropbouw, koolhydraten zijn de belangrijkste energieleveranciers van de spieren, en ijzer is essentieel voor het transport van voldoende zuurstof naar de spiercellen.

Tabel 2.3 geeft een overzicht van die nutriënten waarnaar in verband met het sportprestatievermogen onderzoek is verricht; ze worden verder besproken in hoofdstuk 8.

Farmacologische sportergogenica

Farmacologische sportergogenica zijn middelen die zijn ontworpen om te fungeren als hormonen of neuroendocriene stoffen die van nature in het lichaam voorkomen. Net als sommige nutritionele sportergogenica, vergroten farmacologische sportergogenica mogelijk de explosieve kracht door invloed uit te oefenen op diverse stofwisselingsprocessen die belangrijk zijn voor de sportprestatie. Amfetaminen bijvoorbeeld, kunnen de effecten van epinefrine (adrenaline) nabootsen, een hormoon dat tijdens inspanning wordt afgegeven en de bij de energieproductie betrokken stofwisselingsprocessen stimuleert. Farmacologische sportergogenica oefenen mogelijk ook invloed uit op de mentale kracht en het mechanisch voordeel.

Farmacologische sportergogenica hebben bij sportbonden voor de meeste onrust gezorgd. *Doping,* of het gebruik van verboden prestatieverhogende middelen door sporters vormt al meer dan honderd jaar een probleem in de sport, maar het was pas na de Tweede Wereldoorlog dat het gebruik ervan wijdverbreid raakte onder profsporters. Doping drong daarna geleidelijk door bij de amateurs, en tegenwoordig lijkt ook de breedtesport zwaar aangetast.

Een 14-jarige Zuid-Afrikaanse hardloper werd onlangs positief bevonden op anabole steroïden, en was daarmee de jongste atleet ooit beschuldigd van het gebruik van farmacologische sportergogenica.

Hoewel sommige middelen effectieve sportergogenica zijn, kan het gebruik ervan de gezondheid ernstig schaden. De medische commissie van het Internationaal Olympisch Comité (IOC) stelt dat het gebruik van doping zowel de sport- als medische ethiek overtreedt en daarom verboden is. De meeste sportorganisaties, zoals het IOC, het Amerikaanse Olympisch Comité (USOC) en de National Basketball Association (NBA) voeren een antidopingbeleid. Elke bij een sportbond aangesloten sporter moet zich op de hoogte stellen van de verboden middelen en het beleid daaromtrent.

De meeste bonden volgen in hun beleid de regels van het IOC, die het grootste deel van de middelen genoemd in tabel 2.4 op de verboden lijst hebben gezet. De meeste van deze middelen en methoden worden behandeld in hoofdstuk 8, en een uitgebreidere lijst wordt achterin dit boek gegeven (appendix).

Tabel 2.2
Voor de mens essentiële nutriënten

Koolhydraten			
	Vezel		
Vetten (essentiële vetzuren)			
	Linolzuur	a-Linoleenzuur	
Eiwitten (essentiële eiwitten)			
	Histidine	Fenylalanine	
	Isoleucine	Threonine	
	Leucine	Tryptofaan	
	Lysine	Valine	
	Methionine		
Vitamines			
	Wateroplosbaar	*Vetoplosbaar*	
	Thiamine (B1)	A (retinol)	
	Riboflavine (B2)	D (calciferol)	
	Niacine	E (a-tocoferol)	
	Pyridoxine (B6)	K (fylloquinone)	
	Pantotheenzuur		
	Foliumzuur		
	B12		
	Biotine		
	Ascorbinezuur (C)		
Mineralen			
	Groot	*Sporenelementen*	
	Calcium	Chroom	Molybdeen
	Chloride	Kobalt	Nikkel
	Magnesium	Koper	Selenium
	Fosfor	Fluor	Silicone
	Kalium	Jodium	Tin
	Natrium	IJzer	Vanadium
	Zwavel	Mangaan	Zink
Water			

Tabel 2.3

Sportergogenica uit voeding

Koolhydraten

Koolhydraatsupplementen

Vetten

Vetsupplementen
Omega-3 vetzuren
MTC's (middellange-keten-vetzuren)

Eiwitten/aminozuren

Eiwitsupplementen
BCAA's (ketenvorm aminozuren)
Arginine, lysine, ornithine
Tryptofaan
Aspartaten

Vitamines

Antioxidanten
Pantotheenzuur
Thiamine (B1)
Foliumzuur
Riboflavine (B2)
B12
Niacine
Ascorbinezuur (C)
Pyridoxine (B6)
Vitamine E

Mineralen

Boron
Fosfaten
Calcium
Selenium
Chroom
Vanadium
IJzer
Zink
Magnesium

Water

Vochtsupplementen

Plantenextracten

Anabole fytosterolen
Yohimbe
Ginseng

Gevarieerd

Bijenpollen
Design voedingssupplementen
HMB (bèta-hydroxy-bèta-methylboterzuur)
Multvitamines/mineralen
Vitamine B15

Tabel 2.4

Belangrijkste farmacologische middelen en methoden op de IOC-lijst van dopinggeduide middelen, met enkele voorbeelden.

Dopinggeduide middelen
- Stimulantia (amfetamine, cocaïne, efedrine)
- Narcotica (narcotische analgesia)
- Anabolica (anabole steroïden, clenbuterol)
- Diuretica
- Peptide-, glycoproteïnische en analoge hormonen

Verboden methoden
- Bloeddoping
- Farmacologische, chemische en fysieke manipulatie

Middelen met bepaalde restricties
- Alcohol
- Cafeïne
- Marihuana
- Lokale anaesthetica
- Corticosteroïden
- Bèta-blokkers
- Specifieke bèta-2 agonisten (clenbuterol)

Fysiologische sportergogenica

Fysiologische sportergogenica zijn middelen of technieken speciaal ontworpen om de natuurlijke processen betrokken bij explosieve kracht te versterken. Voorbeelden zijn bloeddoping, erythropoëtin (EPO), en zuurstofinhalatie. Fysiologische sportergogenica zijn niet per se dopinggeduide middelen, maar kunnen in bepaalde gevallen wel als zodanig worden beschouwd. Er zijn er diversen door het IOC verboden, dus kunnen we naar hen verwijzen als zijnde *fysiologische dopinggeduide middelen,* of *nonfarmacologische doping.*

Andere fysiologische sportergogenica kunnen worden omschreven als nutritionele sportergogenica. Carnitine en creatine komen van nature voor in onze voeding, maar zij zijn non-essentieel omdat ze in het lichaam uit andere nutriënten kunnen worden samengesteld. Over het algemeen zijn deze non-essentiële nutriënten nauw verbonden met bepaalde fysiologische processen die belangrijk zijn voor het sportprestatievermogen.

Tabel 2.5 geeft een overzicht van een aantal van deze fysiologische sportergogenica die wetenschappelijk onderzocht zijn op hun mogelijke sportprestatiebevorderende effecten. (Zie ook hoofdstuk 8)

In de volgende drie hoofdstukken behandelen we fysieke power of explosieve kracht, mentale kracht en mechanisch voordeel uitgebreider, en geven we een aantal algemene mogelijkheden aan hoe nutrionele, farmacologische, en fysiologische sportergogenica zouden kunnen worden gebruikt om specifieke sportprestatiefactoren te verbeteren.

Tabel 2.5

Fysiologische sportergogenica

Celstofwisseling	
Carnitine	Creatine
Coënzym Q10	Natriumbicarbonaat
Hormonale/neurotransmitter activiteit	
Choline	Groeihormoon
DHEA (dehydroepiandrosteron)	Testosteron
Human chorionic gonadotropin (HcG)	
Zuurstoftransport	
Bloeddoping	Inosine
Erythropoietin (EPO)	Zuurstof
Glycerol	

3

Energie en explosieve kracht opvoeren

Om sport te bedrijven heb je energie nodig, en energie kan in zes natuurlijke vormen voorkomen (zie tabel 3.1). Een belangrijk principe van energie is, dat het van de ene vorm kan worden omgezet in de andere. Kernenergie die in een kerncentrale wordt gewonnen uit uranium ondergaat diverse omzettingen voor er energie verschijnt in de vorm van een brandende lamp. Wetenschappers hebben geleerd hoe ze met energie moeten omgaan om het leven makkelijker en comfortabeler te maken. Je lichaam is eveneens in staat om de ene vorm van energie om te zetten in de andere, en sportwetenschappers doen onderzoek naar de optimale toepassing van energieprincipes voor het neerzetten van de best mogelijke sportprestatie.

ENERGIE VOOR SPORT

Twee van deze basisvormen van energie zijn belangrijk voor sport: *mechanische energie* en *chemische energie*. Sport betekent beweging, en beweging is mechanische energie. Voor het vrijkomen van die mechani-

TABEL 3.1

VORMEN VAN ENERGIE IN DE NATUUR

Licht	Licht van de zon
Kernenenergie	Splijting van uranium
Elektrisch	Elektriciteit van de bliksem
Chemisch	Koolhydraten uit de voeding
Thermisch	Lichaamswarmte geproduceerd tijdens training
Mechanisch	Beweging zoals bij het optillen van gewichten

sche energie is omzetting van chemische energie nodig, die in diverse vormen in ons lichaam is opgeslagen.

Elektrochemische energie en *warmte-energie* spelen ook een belangrijke rol bij het sportprestatievermogen. De elektrochemische energie die wordt opgewekt door ons zenuwstelsel is nodig om de chemische energie in onze spieren vrij te maken, waardoor spiercontractie en de daarop volgende beweging mogelijk wordt. Zoals een telefooncentrale elektriciteit gebruikt voor communicatie, gebruikt het zenuwstelsel elektriciteit in de vorm van ionen om onze hersenen in staat te stellen te communiceren met onze spieren. Elke verstoring van de productie of de correcte benutting van deze elektrochemische energie in het lichaam kan een submaximale prestatie tot gevolg hebben. Bij benutting van de chemische energie in ons lichaam wordt voortdurend warmte geproduceerd, die tijdens intensieve inspanning dramatisch toeneemt. Oververhitting of een te groot warmteverlies kan het sportprestatievermogen fors doen afnemen.

EXPLOSIEVE KRACHT EN ENERGIEPRODUCTIE

Om te begrijpen hoe je je sportprestatievermogen kan verbeteren, moet je weten hoe het menselijk lichaam energie opslaat en gebruikt, en wat de mogelijke oorzaken van prestatievermindering zijn, zoals bij vermoeidheid of inefficiënt gebruik van energie.

Een optimale sportprestatie is afhankelijk van een optimale energieproductie (explosieve kracht), controle (mentale kracht) en efficiënt gebruik (mechanisch voordeel). Op deze laatste twee voorwaarden gaan we in hoofdstuk 4 en 5 uitgebreider in. Maar laten we eerst het principe van explosieve kracht of power verhelderen door een vergelijking te maken tussen het menselijk lichaam en een automobiel.

Voor het optimaliseren van de explosieve kracht heb je de juiste motor nodig. Om succesvol te zijn in het autoracen heb je een racewagen nodig; met een gewone personenwagen wordt het niks op Zandvoort. Zo moet je je spieren ook zien als motoren. Ze moeten in staat zijn je chemische energie te verwerken op een snelheid die is toegesneden voor de specifieke tak van sport. Voor sommige spieren heb je krachtige motoren nodig die in korte perioden veel energie kunnen produceren; voor andere sporten heb je kleinere, zuiniger motoren nodig die de energieleverantie langere tijd kunnen volhouden. Je moet voldoende van het juiste type chemische energie, of brandstof, hebben opgeslagen in je lichaam. De meeste auto's rijden prima op loodvrije benzine, en sommige rijden beter op super, maar racewagens hebben

ANTHONY NESTE

CLAUS ANDERSEN

Figuur 3.1
De high-tech racewagen heeft een zeer krachtige motor nodig; een topsprinter heeft zeer krachtige spieren, de motoren van de menselijke beweging, nodig.

een speciale brandstofmix nodig om optimaal te kunnen presteren. Net als een auto, loopt je lichaam op brandstof. Het type brandstof dat je lichaam gebruikt, is afhankelijk van de energievereisten van een specifieke sport. Het menselijk lichaam kent twee basisspiervezeltypen die ontworpen zijn om verschillende soorten chemische energie, of brandstof, op te slaan en te gebruiken. Het ene type is ontworpen voor explosieve kracht (figuur 3.1) en het andere type voor uithoudingsvermogen.

Energieproductie is de basis van explosieve kracht, en het spiervezeltype is de basis van de energieproductie.

Spiervezeltypen

Spieren maken menselijke beweging mogelijk door contractie (verkorten) en het verplaatsen van de botten waaraan ze zijn aangehecht. Figuur 3.2 is een illustratie van een spier die via de pees is aangehecht aan het bot.

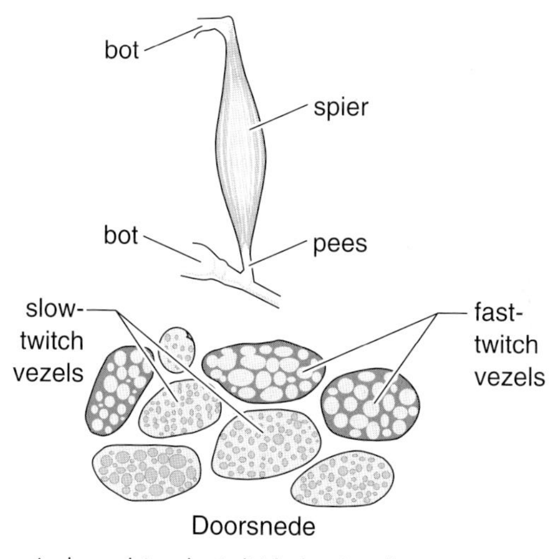

Figuur 3.2 De spier bevat duizenden individuele spiercellen, waarvan sommige fast-twitch- en sommige slow-twitch-spiervezels zijn.

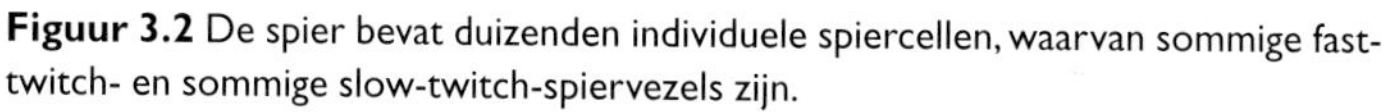

Elke hele spier bevat een variërend aantal *motor units*, en elke motor unit bestaat uit verschillende hoeveelheden individuele *spiercellen* of *spiervezels*. Een belangrijk punt is, dat er verschillende soorten spiervezels zijn, afhankelijk van de contractiesnelheid van het vezeltype (hoewel alle vezels in elke motor unit van hetzelfde type zijn). Een enkele contractie van een spiervezel heet een **twitch** (trilling). In het algemeen noemen we spiervezels die zeer snel verkorten **fast-twitch (FT) spiervezels**; de andere typen contraheren bij een veel lagere snelheid en worden **slow-twitch (ST) spiervezels** genoemd.

Energiesystemen en ATP

De snelheid waarmee een spiervezel contraheert, hangt af van zijn vermogen chemische energie om te zetten in mechanische energie, het daadwerkelijke verkorten van de spiercel. De spieren bevatten drie aparte systemen die de productiesnelheid van energie voor beweging bepalen. Het eerste systeem is het *ATP-CP energiesysteem*, het tweede het *melkzuur-energiesysteem*, en het derde systeem wordt het *zuurstof-energiesysteem* genoemd. Elke spiervezel bevat alle drie systemen, maar de dominantie van het ene systeem over het andere is bepalend voor de manier waarop de spiercel met energie omgaat.

Hoewel je spieren drie verschillende energiesystemen bevatten, wordt er slechts van één vorm van energie gebruik gemaakt om de spier te laten samentrekken. Deze vorm heet ATP, de afkorting van *adenosinetrifosfaat*, een energierijke chemische verbinding die in alle spiercellen wordt gevonden. Stimulatie van een spier door een zenuwimpuls heeft een serie elektrochemische reacties tot gevolg, die leiden tot de afbraak van ATP, waarbij chemische energie vrijkomt, die als het ware wordt geoogst en ingezet voor de spiercontractie (zie figuur 3.3.). ATP is de onmiddellijke en essentiële bron van energie voor spiercontractie. Zonder deze bron is het samentrekken van de spier niet mogelijk. De spier bevat slechts een zeer geringe hoeveelheid ATP, ongeveer genoeg

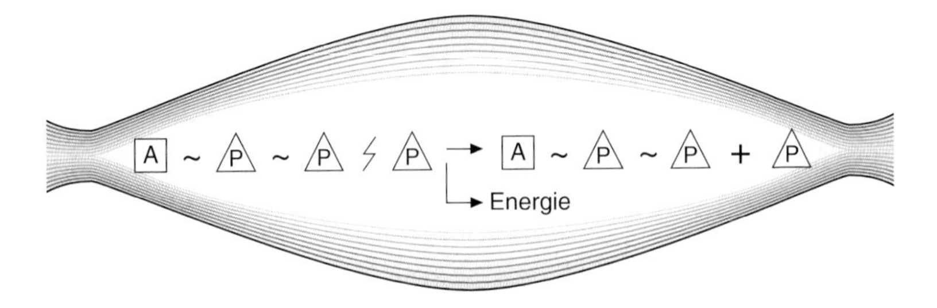

Figuur 3.3 Adenosinetrifosfaat (ATP) is de directe bron van energie voor de spiercontractie. Bij afsplitsing van het achterste fosfaat komt energie vrij.

voor 1 seconde maximaal energieverbruik. Daarna moet er onmiddellijk worden aangevuld om de spiercontractie te kunnen laten voortduren. Hoe sneller je je spieren wilt laten samentrekken, hoe sneller je je ATP moet aanvullen. Het doel van de drie genoemde energiesystemen is de aanvulling van ATP, maar de snelheid waarmee dit gebeurt varieert.

Het ATP-CP energiesysteem

Het ATP-CP energiesysteem bestaat uit ATP en een andere energierijke fosfaatverbinding, CP *(creatinefosfaat)*. ATP is de directe bron van energie voor de spiercontractie. Het kan zeer snel energie leveren, maar zoals gezegd, is de voorraad heel erg klein. CP kan ook heel snel verbindingen verbreken en energie leveren, maar deze energie kan niet direct worden gebruikt voor de spiercontractie. Zijn rol is eigenlijk door verbinding weer zo snel mogelijk tot ATP-vorming te komen (zie figuur 3.4). De CP-voorraad in de spier is echter ook beperkt, en de aanvulling kan niet langer dan een extra 5 tot 10 seconden worden volgehouden. Hoewel alle spieren gebruik maken van het ATP-CP systeem, is het vermogen snel gebruik te maken van ATP en CP het belangrijkste kenmerk van de FT-spiervezels. Dit energiesysteem heeft voor zijn werking geen zuurstof nodig (is niet *aëroob)*, en wordt daarom *anaëroob* (zonder zuurstof) genoemd. Het ATP-CP energiesysteem kan in korte tijd zeer snel energie leveren.

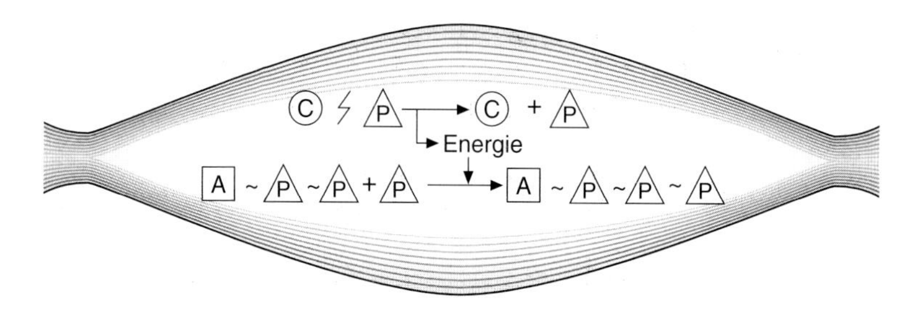

Figuur 3.4 Creatinefosfaat breekt af om energie te leveren voor de snelle heropbouw van ATP.

Het Melkzuur-energiesysteem

Het melkzuur-energiesysteem gebruikt koolhydraten als brandstof, voornamelijk in de vorm van het in de spieren opgeslagen glycogeen. De afbraak van *spierglycogeen* wordt *glycogenolyse* genoemd. Dit leidt tot een proces dat *glycolyse* heet, waarbij snel ATP kan worden geproduceerd, hoewel het niet zo snel gaat als bij de afbraak van CP.

Glycolyse kan zowel met als zonder zuurstof plaatsvinden. In de normale rusttoestand is het ATP-verbruik van de spieren relatief bescheiden, waardoor de glycolyse langzamer en met behulp van zuurstof verloopt. Deze aërobe energiewinning uit koolhydraten dekt in rust ongeveer 40% van je energiebehoefte. Zodra je je flink gaat inspannen (trainen), neemt de aërobe glycolyse toe om aan de verhoogde ATP-behoefte te voldoen.

De glycolyse die zonder hulp van zuurstof plaatsvindt draagt ook bij aan de energieproductie. Naarmate de intensiviteit van de inspanning toeneemt, bereik je uiteindelijk een punt waar de aërobe glycose de energieproductie niet meer kan bijbenen, voornamelijk omdat je niet snel genoeg zuurstof kan opnemen en naar de spiercellen transporteren. Het grootste deel van het ATP wordt nu geproduceerd zonder hulp van voldoende zuurstof, en loopt via de *anaërobe glycolyse* (zie figuur 3.5). Via een serie chemische reacties in de spiercel stelt de opbouw van melkzuur de anaërobe glycolyse in staat verder te gaan. De accumulatie van melkzuur echter wordt in verband gebracht met processen in de cel die vermoeidheid veroorzaken, waardoor de effectiviteit van het melkzuur-energiesysteem tijdens training afneemt. Het melkzuur-energiesysteem is dus weliswaar een behoorlijk snelle energieleverancier, maar het kan de energieproductie niet erg lang volhouden.

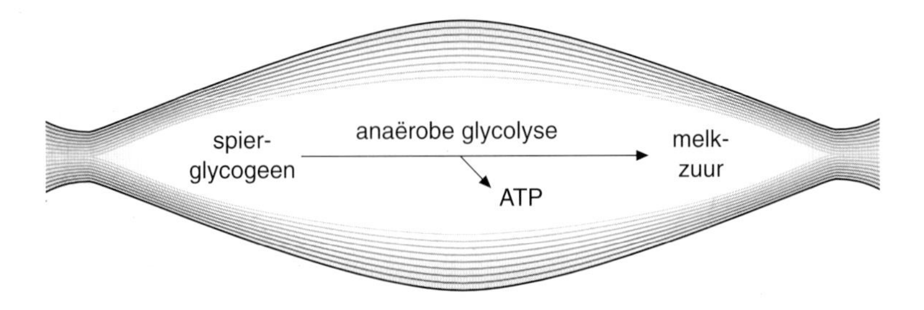

Figuur 3.5 In het melkzuur-energiesysteem kan spierglycogeen (koolhydraten) worden afgebroken om ATP te vormen zonder hulp van voldoende zuurstof, maar daarbij wordt melkzuur gevormd.

Zuurstof-energiesysteem

Het zuurstof-energiesysteem gebruikt voor de ATP-productie verschillende soorten brandstof, maar heeft de voorkeur voor *koolhydraten* en *vetten*. De belangrijkste koolhydraatbron voor spierenergie tijdens inspanning is glucose, dat, zoals vermeld, in de vorm van glycogeen in beperkte hoeveelheden ligt opgeslagen in de spieren. Extra glucose wordt in de vorm van glycogeen opgeslagen in de lever en wordt afgebroken als de spieren daaraan behoefte hebben, hoewel de voorraad in de lever nog beperkter is als die in de spieren. De belangrijkste vorm van vet voor spierenergie tijdens inspanning zijn de *vrije vetzuren (FFA)*. Sommige vetten, de zogenaamde *triglyceriden*, worden in bescheiden hoeveelheden opgeslagen in de spieren en afgebroken tot vrije vetzuren voor deelname aan het zuurstof-energiesysteem. Het meeste vet in ons lichaam is echter onderhuids en in dieper gelegen lichaamsweefsels opgeslagen, en deze bronnen kunnen flinke hoeveelheden vrije vetzuren leveren. *Eiwit* wordt normaal gesproken slechts in zeer geringe mate aangesproken voor de energieproductie, maar onder bepaalde omstandigheden kan het een belangrijke bron van energie worden voor het zuurstof-energiesysteem.

Het zuurstof-energiesysteem, de naam zegt het al, heeft een behoorlijke hoeveelheid zuurstof nodig voor de spieren om de chemische energie opgeslagen in koolhydraten en vetten vrij te maken. In tegenstelling tot de twee anaërobe energiesystemen, is het zuurstof-energiesysteem wel *aëroob*. Figuur 3.6 biedt een schematisch overzicht van het zuurstof-energiesysteem en zijn brandstofbronnen.

Hoewel het zuurstof-energiesysteem niet zo snel ATP kan produceren als de andere twee anaërobe energiesystemen, kan het in langzamer tempo veel grotere hoeveelheden ATP leveren. Verder hangt de snelheid waarmee het zuurstof-energiesysteem ATP kan produceren af van het type brandstof. Bij eenzelfde hoeveelheid zuurstof kan het zuurstof-energiesysteem tijdens inspanning meer energie leveren als de aangevoerde brandstof bestaat uit koolhydraten in plaats van vetten. Met andere woorden, koolhydraten zijn een efficiëntere vorm van brandstof. Helaas is het vermogen van het lichaam koolhydraten op te slaan in de spieren en de lever beperkt voor duuractiviteiten, terwijl het vermogen vet op te slaan bijna onbeperkt is. En zo wordt het zuurstof-energiesysteem, dat ontworpen is voor inspanningen van lange duur, beperkt door een onvoldoende voorraad van de optimale brandstofsoort, koolhydraten. We kijken kort naar het gebruik van koolhydraten en vetten als brandstofsoort voor inspanning.

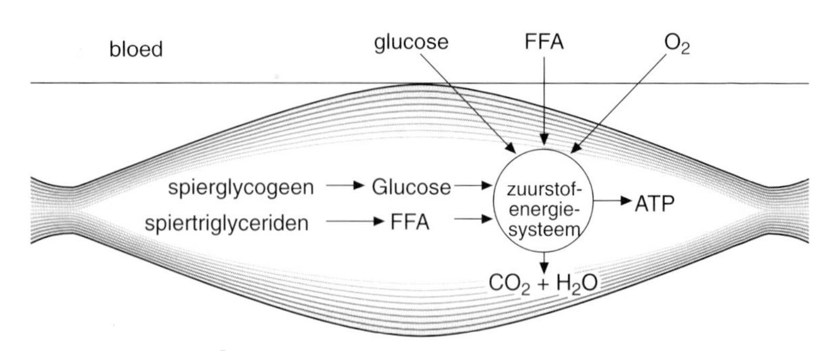

Figuur 3.6 Het zuurstof-energiesysteem gebruikt voornamelijk koolhydraten en vetten die in de spieren zijn opgeslagen of door het bloed als brandstof zijn aangeleverd.

Koolhydraatgebruik tijdens inspanning. Bijna alle koolhydraten in je voeding worden door het spijsverteringsproces en de lever afgebroken tot glucose, en komen in de bloedbaan als bloedglucose of bloedsuiker. Sommige koolhydraathoudende voedingsmiddelen, vooral die rijk zijn aan de zogenaamde enkelvoudige koolhydraten, hebben een hoge *glycemische index,* dat wil zeggen dat ze de bloedsuikerspiegel snel doen stijgen. Andere koolhydraathoudende voedingsmiddelen, zoals vezelrijke peulvruchten en groenten, hebben een lagere glycemische index.

Een verhoogde bloedsuikerspiegel stimuleert de afgifte van het door de alvleesklier geproduceerde hormoon *insuline.* Insuline bevordert het transport van glucose uit het bloed naar de lichaamsweefsels, met name de spieren en de lever, waar het wordt omgezet in zijn opslagvorm glycogeen. Wanneer je meer koolhydraten consumeert dan je nodig hebt, worden ze opgeslagen in de vorm van lichaamsvet. Deze processen worden afgebeeld in figuur 3.7.

Spierglycogeen zorgt voor aanvulling van ATP, waardoor spiercontractie mogelijk wordt.

Zoals opgemerkt, is spierglycogeen de brandstof in de FT spiervezels voor het melkzuur-energiesysteem, dat bij intensieve, langer volgehouden anaërobe inspanning domineert. Het glycogeen in de ST spiervezels is de voorkeurbrandstof voor het zuurstof-energiesysteem bij intensieve aërobe inspanning.

De snelheid waarmee je je spierglycogeenvoorraden verbruikt is afhankelijk van de intensiteit van de inspanning. Bij intensieve inspanning van hoge snelheid, is het spierglycogeenverbruik in je FT spierve-

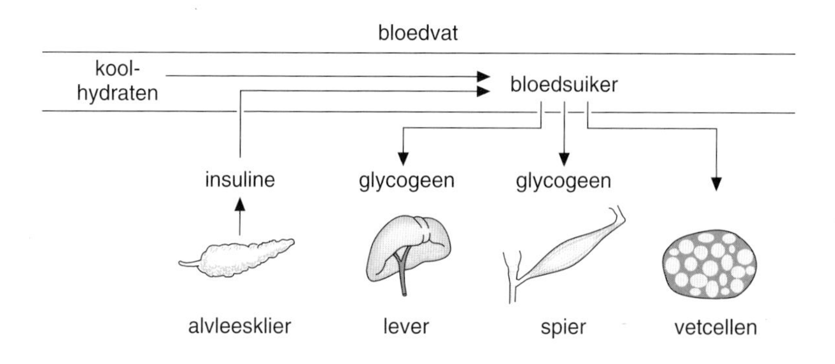

Figuur 3.7 Koolhydraten uit de voeding worden omgezet in bloedsuiker. Een hoge bloedsuikerspiegel stimuleert de alvleesklier tot afgifte van insuline, die de glucose helpt transporteren naar spieren en andere lichaamsweefsels. Voor sporters zijn goed gevulde spier- en leverglycogeenvoorraden en een voldoende hoge bloedsuikerspiegel van groot belang.

zels hoog. Dit type inspanning kan een snelle opbouw van melkzuur veroorzaken, met voortijdige vermoeidheid als gevolg.

Tijdens aërobe inspanning gebruik je een combinatie van spierglycogeen en vetten als brandstofmengsel voor de ST spiervezels. Naarmate de intensiteit van de aërobe training toeneemt, wordt het glycogeenverbruik proportioneel groter dan de vetten, omdat glycogeen een efficiëntere brandstof is. Glycogeen levert je als brandstof ongeveer 7 procent meer energie dan vetten. Afhankelijk van je getraindheid, ben je mogelijk in staat om het spierglycogeen opgeslagen in je ST spiervezels te benutten en met een hogere maximale zuurstofopname te trainen zonder opeenhoping van melkzuur, waardoor je de training langer vol kunt houden.

Normaal gesproken kun je geen grote hoeveelheden glycogeen opslaan in je spieren, dus gaat je glycogeenvoorraad bij intensieve aërobe inspanning hooguit een uur mee. Als de spierglycogeenvoorraden tijdens langer volgehouden inspanning uitgeput beginnen te raken, helpt het bloed glucose van de lever naar de spieren te transporteren, waardoor je in staat bent de energieproductie op peil te houden.

Maar omdat de leverglycogeenvoorraden ook beperkt zijn, zal er uiteindelijk niet voldoende glucose meer aan de bloedbaan worden afgegeven.

Zoals we in hoofdstuk 8 zullen bespreken, kan koolhydraatsuppletie als nutritioneel sportergogenicum hier uitkomst brengen.

Vetverbruik tijdens inspanning. Nadat vetten door de spijsvertering en lever zijn opgenomen en bewerkt, worden ze als triglyceriden opgeslagen in je lichaam, voornamelijk als spiertriglyceriden en in de onderhuidse en diepergelegen adipocyten (vetcellen) in je lichaam. Voedingsvetten spelen op verschillende manieren een rol in de stofwisseling, waarvan een van de belangrijkste is te fungeren als brandstof voor het zuurstof-energiesysteem. Vet is echter een minder efficiënte brandstof dan koolhydraten; vet produceert minder ATP per liter verbruikte zuurstof en produceert het ook nog eens langzamer. Het totale energieverbruik in rust en bij laagintensieve inspanning is niet groot, dus dekken vetten mogelijk zo'n 50 tot 70 procent van de energiebehoefte. Wanneer de intensiteit van de inspanning toeneemt, beginnen de spieren verhoudingsgewijs meer koolhydraten dan vetten te verbranden.

Figuur 3.8 biedt een schematisch overzicht van de energiebron tijdens inspanning. Vet ligt in de vorm van triglyceriden opgeslagen in zowel spieren als vetweefsel. Tijdens inspanning worden de triglyceriden afgebroken tot vrije vetzuren (FFA) en glycerol, en de vrije vetzuren worden uiteindelijk in de mitochondriën (energieproducerende fabriekjes in de cel) bewerkt om ATP te leveren via het zuurstof-energiesysteem. De glycerol wordt afgegeven aan de bloedbaan voor transport naar de lever waar het voor de stofwisseling verder wordt bewerkt. Het

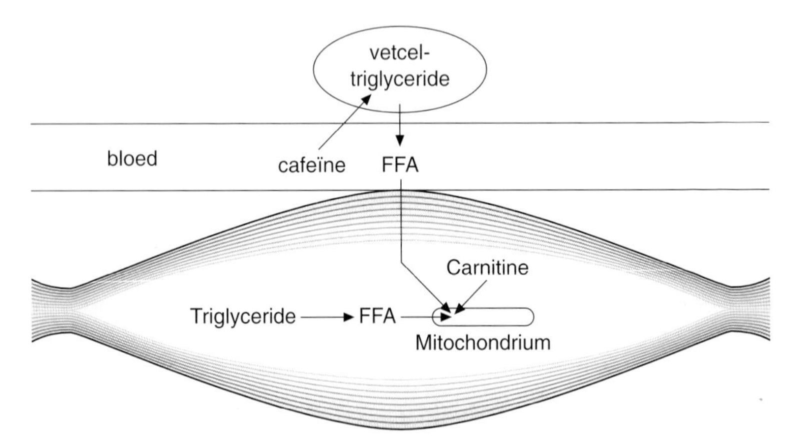

Figuur 3.8 Vet kan bij inspanning worden gebruikt als energiebron. Triglyceriden in vetcellen geven vrije vetzuren (FFA) af aan de bloedbaan voor transport naar de spieren. Ook spiervetten kunnen worden aangesproken. Vetsuppletie, cafeïne en carnitine zijn diverse sportergogene middelen die worden gebruikt in een poging het gebruik van vetten tijdens inspanning te bevorderen.

vetweefsel in het hele lichaam wordt onder de invloed van hormonen als epinefrine (adrenaline) ook afgebroken, waarbij de vrije vetzuren via het bloed naar de spieren reizen en de glycerol wordt afgevoerd naar de lever.

Naarmate je conditioneel beter getraind raakt, vinden er verscheidene aanpassingen in de spieren plaats om het sportprestatievermogen te verbeteren. In het kort komt het erop neer dat de spieren een groter vermogen ontwikkelen koolhydraten en vetten als brandstof te gebruiken tijdens inspanning. Het toegenomen vermogen vetten te verbranden, helpt je de koolhydraatverbranding zuiniger te laten verlopen (koolhydraat sparen).

Zoals we in hoofdstuk 8 zullen laten zien, worden er diverse voedingsstrategieën gebruikt om de vetverbranding bij inspanning van langere duur op te voeren, in een poging het sportprestatievermogen te vergroten.

Bevoorrading en ondersteuning van de energiesystemen

Hoewel het vermogen van de drie energiesystemen energie te produceren voor beweging in de spiercel zelf gelegen is, heeft elk systeem een behoorlijke bevoorrading en ondersteuning nodig om optimaal te kunnen functioneren.

Het ATP-CP systeem, zoals gezegd, gebruikt ATP als directe energiebron voor spiercontractie, en alle drie systemen zijn ontworpen om ATP aan te vullen. Zo moet voortdurend het CP aangevuld worden, wil het systeem werken. Hiervoor wordt de energie gebruikt die vrijkomt bij de afbraak van ATP. Het ATP, gebruikt om CP te resynthetiseren, komt echter uiteindelijk van het zuurstof-energiesysteem. Dit aanvullingsproces vindt plaats in de herstelperiode tussen twee spiercontracties in.

Het melkzuur-energiesysteem is voornamelijk in de FT spiervezels actief en gebruikt spierglycogeen, of koolhydraten, als belangrijkste energiebron. De koolhydraten in de FT spiervezels moeten worden aangevuld wil dit energiesysteem naar behoren kunnen functioneren. Daarnaast wordt de opbouw van melkzuur in de spiercel beschouwd als een factor van belang in de ontwikkeling van vermoeidheid, dus moet het melkzuur zo snel mogelijk worden afgevoerd.

Het zuurstof-energiesysteem is voornamelijk actief in de ST spiervezels. Om goed te kunnen functioneren, heeft het zowel voldoende zuurstof als aanvulling van de juiste brandstoffen nodig, dus spierglycogeen of vrije vetzuren (FFA).

Elk van de drie energiesystemen heeft bovendien een behoorlijke voorraad vitamines, mineralen en andere substanties nodig om optimaal te kunnen functioneren. De B-vitamines zijn van essentieel belang voor het verwerken van de koolhydraten voor energie, terwijl mineralen als calcium van groot belang zijn voor het reguleren van de spiercontractie, en vitamine-achtige stoffen als carnitine vet helpen bewerken voor de energieleverantie. Omdat een van de bijproducten van de energieproductie voor beweging warmte is, moet het lichaam in staat zijn de overtollige warmte af te voeren wil het optimaal kunnen functioneren. In dit opzicht is water een essentieel nutriënt voor sporters die onder warme weersomstandigheden trainen.

Het *cardiovasculaire systeem*, bestaande uit het hart en de bloedvaten, is het belangrijkste ondersteuningssysteem omdat het het bloed van en naar de spiercel transporteert. Terwijl het bloed door het lichaam stroomt wordt zuurstof opgenomen van het ademhalingssysteem in de longen; glucose van de lever; FFA van vet (adipoos) weefsel; verschillende nutriënten waaronder vitamines, mineralen, en water van het spijsverteringssysteem; en hormonen, zoals adrenaline van het endocriene systeem voor aanvoer naar de spiercellen om de energieproductie te ondersteunen. Het bloed verwijdert tevens de bijproducten van de energiestofwisseling, zoals melkzuur en overtollige warmte, die een optimale energieproductie binnen de spiercel kunnen belemmeren (zie figuur 3.9).

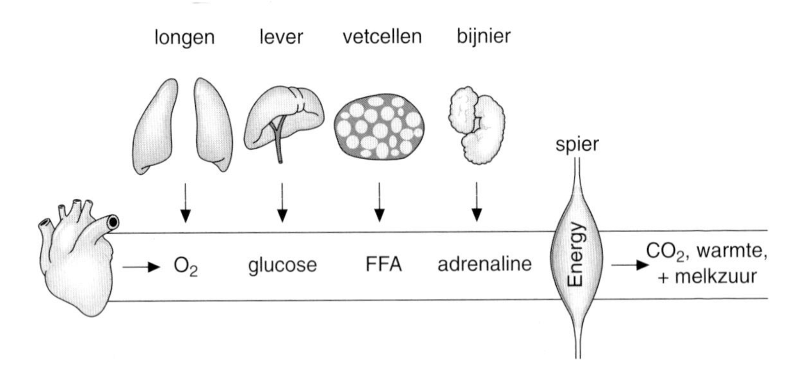

Figuur 3.9 Het bloed is het belangrijkste aanvoersysteem voor de spieren tijdens inspanning. Het neemt zuurstof, nutriënten en hormonen op van andere weefsels en transporteert ze, en verwijdert daarnaast ook de bijproducten van de energiestofwisseling.

Een optimale sportprestatie vereist dus niet alleen de correcte ontwikkeling van het juiste energiesysteem in de spiercellen, maar ook goed ontwikkelde bevoorradings- en ondersteuningssystemen. Een verbetering in het bevoorradings- en ondersteuningssysteem kan leiden tot een verbeterde energieproductie in de spiercellen.

Snelheid van energieproductie en spiervezeltype

De snelheid van de energieproductie hangt voornamelijk van twee factoren af: (a) het spiervezeltype, en (b) het type brandstof dat wordt gebruikt in de spiercel.

Energieproductie en spiervezeltype

Zoals gezegd, kent het lichaam verschillende spiervezeltypen, die voor ons doel geklassificeerd zijn als het fast-twitch (FT) en slow-twitch (ST) spiervezeltype. Beide spiervezeltypen gebruiken ATP als directe bron van energie voor de spiercontractie, maar ze vullen het ATP op een verschillend tempo aan. Beide spiervezeltypen gebruiken alle drie de energiesystemen om energie te produceren, maar de FT spiervezels gebruiken voornamelijk de ATP-CP en melkzuur-energiesystemen, terwijl de ST spiervezels voornamelijk het zuurstof-energiesysteem benutten. Zoals gezegd, kan het zuurstof-energiesysteem het ATP niet zo snel aanvullen als de andere twee energiesystemen.

Succes in bepaalde takken van sport of sportieve activiteiten lijken verband te houden met de individuele verdeling van spiervezeltypen. Laten we eens kijken naar de verschillende snelheden van energieproductie en hun verband met het sportprestatievermogen, waarbij we diverse atletieknummers van top-atleten als basisvergelijking gebruiken. Bij sommige nummers, zoals de 100 meter sprint, moeten sporters in korte tijd enorm veel energie kunnen genereren, zeg binnen 10 seconden of minder. In dat geval loopt de energieproductie voor het grootste deel via het ATP-CP systeem, dus sporters met een hoger percentage FT spiervezels en goed ontwikkelde ATP-CP systemen hebben waarschijnlijk een grotere kans in deze tak van sport succesvol te zijn.

De start van de sprint steunt bijna geheel op ATP, maar direct daarna wordt het CP-systeem ingeschakeld. Bij de 400 meter moet de snel opgewekte energie langer worden volgehouden, onder de 45 seconden. Bij zo'n nummer levert het melkzuur-energiesysteem het leeuwendeel van de energie, dus sporters met een groot vermogen tot anaërobe glycolyse zijn hier waarschijnlijk in het voordeel. Op de langere afstanden, zoals de 10.000 meter die onder de 27 minuten wordt gelopen, loopt de energieproductie voornamelijk via het zuurstof-energiesysteem met koolhydraten als de belangrijkste brandstof. Sporters met grote aërobe capaciteiten zijn op deze afstand dus weer in het voordeel.

Energieproductie en typen fysieke power

Bij zo goed als alle sportnummers, met uitzondering misschien van de zeer, zeer korte maximale inspanningen, worden alle drie de energiesystemen wel in mindere of meerdere mate aangesproken. ATP wordt altijd gebruikt, en wordt aangevuld door het CP. De anaërobe glycolyse en aërobe glycolyse zijn afhankelijk van de intensiteit van de inspanning. In het algemeen wordt niet een specifiek systeem exclusief gebruikt, maar er is een overlappen en vermengen van de energie die uit alle drie systemen wordt gewonnen van rust tot explosieve kracht. De snelheid waarmee energie door de spier wordt opgewekt noemen we *power* of explosieve kracht, en de tijd waarin deze explosieve kracht kan worden volgehouden noemen we *uithoudingsvermogen.* We zullen hieronder de drie energiesystemen onderverdelen in vijf soorten explosieve kracht en uithoudingsvermogen.

Explosieve kracht en Power (ATP-CP energiesysteem)

Lichaamskracht kan worden omschreven als het neuromusculaire vermogen kracht uit te oefenen en omvat statische of isometrische kracht, zoals vereist is bij een gelijk opgaan van een armworstelwedstrijd, of dynamische of isotone kracht, zoals vereist bij gewichtheffen. *Explosieve kracht,* vaak ook power of explosieve power genoemd, is het vermogen zeer snel dynamische kracht te ontwikkelen (binnen 1 seconde), zoals bij de start van 100 meter sprinten. ATP is de belangrijkste energiebron voor het ontwikkelen van explosieve kracht (figuur 3.10).

Het jachtluipaard kan van 0 naar 100 km per uur versnellen in 3 seconden.

High Power en snelheid (ATP-CP energiesysteem). Snelheid, of high power, kan worden omschreven als het vermogen snel spierkracht te ontwikkelen die wat langer kan worden vastgehouden (5-30 seconden) dan explosieve power. Snelheid is een anaërobe krachtsinspanning. Bij atletiek zijn de 100 en 200 meter sprint pure snelheidsnummers. Voor die nummers moet binnen gestelde tijden een hoge mate van statische kracht kunnen worden vastgehouden. CP is de belangrijkste energie-

CLAUS ANDERSEN

Figuur 3.10 Explosieve kracht, of explosieve power, is de belangrijkste sportprestatiefactor voor het neerzetten van een maximale snelkrachtprestatie.

bron voor de ontwikkeling van snelheid en een hoge mate van statische kracht.

Conditionele Power (melkzuur-energiesysteem). Conditionele power, of anaëroob uithoudingsvermogen, is het vermogen een grote krachtsinspanning 1-2 minuten vol te houden, zoals bij de 400 of 800 meter hardlopen (zie figuur 3.11). Bij een sport als voetballen, met langdurig volgehouden onderbroken high power perioden, leiden deze inspanningen tot een progressieve opbouw van melkzuur, en daarmee kunnen deze sportactiviteiten worden beschouwd als een vorm van conditionele power. Spierglycogeen is de belangrijkste bron van brandstof voor de FT spiervezels om conditionele power te kunnen geven.

Aërobe Power (zuurstof-energiesysteem). Aërobe power kan omschreven worden als het vermogen langdurig een zo maximaal mogelijk zuurstofverbruik vol te houden. Dit type inspanningen duurt meestal zo'n 13-30

HUMAN KINETICS/TOM ROBERTS

Figuur 3.11 Bij de finish van een 400 of 800 meter hardlopen, veroorzaakt de opbouw van melkzuur de nodige pijnprikkels, zoals aan de gezichten van deze hardlopers duidelijk valt af te lezen.

minuten. Loopnummers als de 5 en 10 kilometer vergen een enorme aërobe power. Spierglycogeen is de voorkeurbrandstof van de ST spiervezels en sommige FT spiervezels om aërobe power te genereren.

> **De gaffelantilope van de Amerikaanse prairie kan kilometers lang een kruissnelheid van 50 km per uur volhouden.**

Aërobe uithoudingsvermogen (zuurstof-energiesysteem). Het aërobe uithoudingsvermogen kan worden omschreven als het vermogen langdurige een submaximaal zuurstofverbruik vol te houden. Loopnummers als marathons en ultramarathons vereisen een aëroob uithoudingsvermogen. Spierglycogeen, spiervetten, en vrije vetzuren in het bloedplasma zijn de belangrijkste brandstofbronnen voor het op peil houden van het aërobe uithoudingsvermogen.

Tabel 3.2 geeft een overzicht van de kenmerken van alle drie energiesystemen, en hun relatie met de verschillende vormen van fysieke power die een spiercel kan opwekken.

TRAINEN VOOR FYSIEKE POWER

Wetenschappelijk onderzoek lijkt te suggereren dat ieder van ons geboren is met een specifieke spiervezelverdeling – dat wil zeggen, sommige mensen hebben een groter aantal ST spiervezels dan anderen, terwijl die misschien weer meer FT spiervezels hebben. Over het algemeen is de spiervezelverdeling bij mannen en vrouwen gelijk, en ongetrainde personen bezitten ongeveer 50% van beide spiervezeltypen, hoewel er een grote variatie in verdeling over het lichaam is. Onderzoek heeft aangetoond dat topsprinters proportioneel meer FT spiervezels hebben, en dus ook meer explosieve kracht en snelheid kunnen genereren. Omgekeerd hebben toplangeafstandslopers juist weer meer ST spiervezels, en zijn dus beter in staat aërobe power en uithoudingsvermogen te ontwikkelen. Zelfs al hebben deze topatleten een voor hun sport gunstige spiervezelverdeling, dan betekent dit natuurlijk niet dat ze niet intensief moeten trainen om hun aanleg maximaal te benutten.

> Je wordt geen kampioen in een week of een jaar. Je moet je inzetten en afzien.
>
> *– Hassiba Boulmerka, Olympisch kampioene op de 1500 meter*

De hoeveelheid die je van beide spiervezeltypen hebt heeft een grote invloed op de sport. Zelfs al ben je niet geboren met een natuurlijke aanleg voor de sport die je beoefent, toch kun je de capaciteit van alle drie energiesystemen maximaliseren door correcte training. Een goed uitgebalanceerd trainingsprogramma voor een langeafstandsloper bijvoorbeeld, zal het vermogen van beide spiervezeltypen om het zuurstof-energiesysteem te gebruiken vergroten, waardoor de energieproductie over lange afstanden sneller verloopt en met minder vermoeidheidsverschijnselen gepaard gaat.

TABEL 3.2

DE BELANGRIJKSTE KENMERKEN VAN DE SPIERENERGIESYSTEMEN

	ATP-CP	**ATP-CP**	**Melk-zuur**	**Zuur-stof**	**Zuur-stof**
Voornamelijk spiervezeltype Belangrijkste energiebron	FT ATP	FT CP	FT Spier-glycogeen	ST Spier-glycogeen	ST Spier-glycogeen en triglyceriden; vrije vetzuren
Intensiteit inspanning	Hoogste	Hoger	Hoog	Lager	Laagst
Snelheid ATP-verbruik/productie	Hoogste	Hoger	Hoog	Lager	Laagst
Powerproductie	Hoogste	Hoger	Hoog	Lager	Laagst
Totale vermogen ATP-productie	Laagste	Lager	Laag	Hoger	Hoogste
Uithoudingsvermogen	Laagste	Lager	Laag	Hoger	Hoogste
Zuurstof nodig	Niet	Niet	Niet	Wel	Wel
Anaëroob/aëroob	Anaëroob	Anaëroob	Anaëroob	Aëroob	Aëroob
Specifieke nummer	Sprintstart	100 meter	800 meter	2-10 km	Marathon en ultramarathon
Tijdfactor bij maximaal gebruik	0-1 seconde	1-10 seconden	40-120 seconden	5-30 minuten	2 uur of langer
Sportprestatiefactor (SPF)	Explosieve kracht	High power	Conditio-nele power	Aërobe power	Aërobe uithoudings-vermogen

De ontwikkeling van fysieke power is afhankelijk van diverse belangrijke trainingsprincipes. Er is voor hen die meer informatie willen over de details en toepassing van deze trainingsprincipes een aantal goede boeken voorhanden. Tabel 3.3 geeft een overzicht van de belangrijkste trainingsprincipes voor de ontwikkeling van fysieke power.

Hoewel correcte training je sportprestatievermogen dus vergroot, zal je sportprestatievermogen worden beperkt door je vermogen ATP te produceren om een bepaalde mate van energieverbruik vol te houden. Wanneer je over die grens komt, begint vermoeidheid een rol te spelen.

TABEL 3.3
TRAININGSPRINCIPES VOOR FYSIEKE POWER

Overloadprincipe
Het specifieke energiesysteem dat wordt gebruikt om fysieke power te genereren moet bovengemiddeld (overload) worden belast. De energiesystemen kunnen op drie manieren worden belast: (a) toegenomen trainingsintensiteit; (b) toegenomen trainingsduur; (c) toegenomen trainingsfrequentie. Om bijvoorbeeld sterker te worden kun je je spieren bovengemiddeld belasten met behulp van een of andere vorm van gewichttraining.

Principe van progressieve belasting
De overload van het specifieke energiesysteem moet progressief zijn omdat de spieren aan een bepaalde belasting wennen. Zo moet je bij gewichttraining naarmate je sterker wordt meer gewicht gebruiken.

Principe van specificiteit
Het overloadprincipe en het principe van progressieve belasting moeten binnen een bepaalde spiergroep op een specifiek energiesysteem worden gericht. Met metabole specificiteit wordt de training van een specifiek energiesysteem bedoeld, terwijl met neuromusculaire specificiteit de training van bepaalde spiergroepen wordt bedoeld. Om bijvoorbeeld kracht op te bouwen in de bovenbeenspieren, moet je de ATP-CP energiesystemen in deze spieren bovengemiddeld belasten (overload).

Principe van omkeerbaarheid
De progressieve belasting, en specificiteitsprincipes moeten voortdurend worden toegepast. Toegenomen kracht, bijvoorbeeld, kan verloren gaan als men met de gewichttraining stopt.

FYSIEKE POWER EN VERMOEIDHEID

Een atleet die de 100 meter sprint kan lopen in 10 seconden, zou een marathon kunnen lopen in 1:10:20, bijna een uur sneller dan het huidige wereldrecord, als hij de gemiddelde snelheid van de 100 meter sprint zou kunnen volhouden. Zo'n poging zou echter dwaas zijn, want de energiesystemen in het menselijk lichaam zijn niet ontworpen om zo'n tempo vol te houden. Een atleet die dat zou wagen, zou voor de 400 metergrens door voortijdige vermoeidheid al gas terug moeten nemen.

Vermoeidheid is de vijand van bijna alle sporters; voortijdige ontwikkeling van vermoeidheid leidt tot een verminderd prestatievermogen (zie figuur 3.12). Vermoeidheid is een complex fenomeen; het manifesteert zich in verschillende vormen en kent een aantal definities. Voor de

CLAUS ANDERSEN

Figuur 3.12 Vermoeidheid is het onvermogen bij een bepaald tempo de gewenste energie te leveren.

opzet van dit boek definiëren we *vermoeidheid* hier als het onvermogen je lichamelijke energievoorraden optimaal te benutten.

Vermoeidheid kan veroorzaakt worden door onvoldoende fysieke power, zoals een te geringe energievoorraad in de spieren of het onvermogen snel energie te produceren. Vermoeidheid kan worden veroorzaakt door een gebrek aan mentale kracht, zoals het psychologisch onvermogen zich op de uit te voeren taak te concentreren of een gebrekkige uitoefening van een bepaalde sportvaardigheid door mentale overprikkeling. Vermoeidheid kan ook worden veroorzaakt door een gebrekkig mechanisch voordeel, zoals een ongunstige lichaamssamenstelling of een te hoog lichaamsvetpercentage. We behandelen de psychologische en biomechanische oorzaken van vermoeidheid in hoofdstuk 4 en 5, maar hieronder geven we alvast de belangrijkste factoren die resulteren in vermoeidheid of fysieke power.

Figuur 3.13 illustreert enkele locaties in het menselijk lichaam waar vermoeidheid kan optreden.

1. De spiercel kan onvoldoende energievoorraden bevatten, zoals creatine in het CP-systeem of koolhydraten in de vorm van glycogeen.

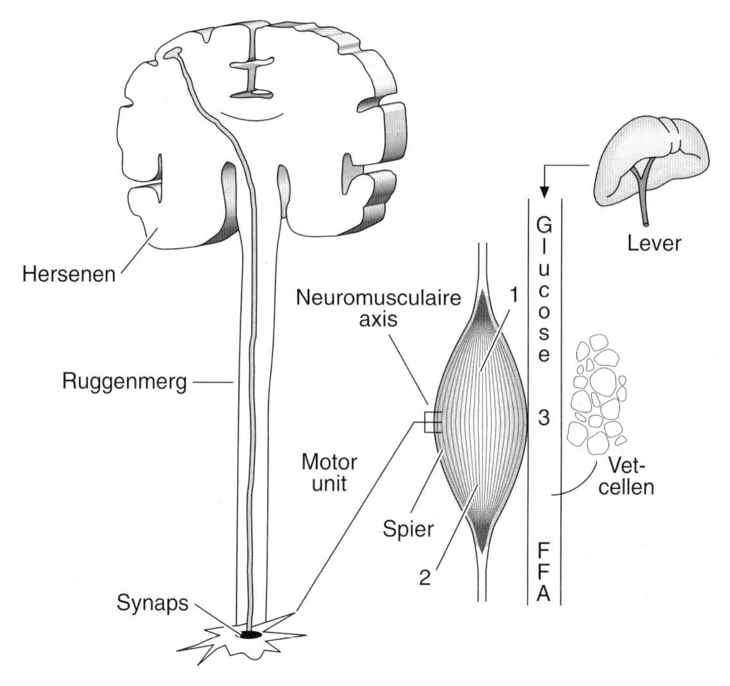

Figuur 3.13 Locaties waar vermoeidheid kan optreden zijn zowel het spierskeletsysteem als het cardiovasculaire systeem (zie tekst).

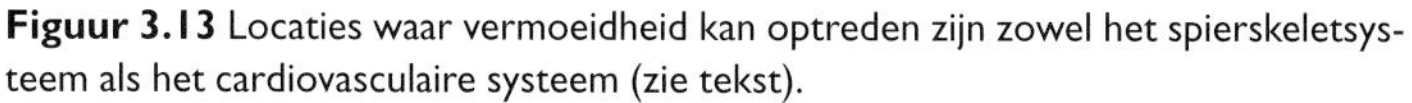

Creatine is van essentieel belang voor het ATP-CP systeem, en spierglycogeen is de belangrijkste brandstofsoort voor het melkzuurenergiesysteem en is de meest efficiënte brandstof voor het zuurstofenergiesysteem.

2. Een andere plaats waar vermoeidheid kan optreden kan veroorzaakt worden doordat een elektrische impuls er niet in slaagt het samentrekkingsproces in de spier op te wekken. Theoretisch is het bijvoorbeeld mogelijk, dat een te hoge zuurgraad in de spiercel door de opbouw van melkzuur een aantal tussenschakels naar de spiercontractie blokkeert.

3. De bloedtoevoer naar de spieren kan een belangrijke factor zijn die bijdraagt aan de ontwikkeling van vermoeidheid. Een onvoldoende toevoer van nutriënten zoals glucose en vrije vetzuren, lage zuurstofwaarden, en een verminderd vermogen om melkzuur of warmte af te

voeren kunnen het prestatievermogen van zowel het spier- als zenuwstelsel tijdens inspanning negatief beïnvloeden.

Zoals gezegd, is correcte training de meest effectieve manier voor een sporter om vermoeidheid te vertragen en het sportprestatievermogen te verhogen. Training kan de fysieke power en mentale kracht doen toenemen en een mechanisch voordeel bieden. Maar sporters kunnen ook naar andere methoden zoeken als alternatief voor de training om hun fysieke power, mentale kracht, of competitief voordeel op te voeren; in zulke gevallen wenden sporters zich tot sportergogene middelen.

SPORTERGOGENE MIDDELEN VOOR FYSIEKE POWER

De optimale productie en benutting van spierpower is een van de belangrijkste factoren voor succes in sport. De productie van power is afhankelijk van (a) de omvang en het type van het spierweefsel, (b) de hoeveelheid en het type brandstof in de spier, (c) de efficiëntie van de stofwisselingspaden waarlangs de productie van de brandstof loopt, (d) een efficiënt ondersteuningssysteem om de spieren van de juiste substanties (zoals brandstof en zuurstof) te voorzien en (e) een ondersteuningssysteem dat de afbraakproducten van de stofwisseling verwijdert.

Tabel 3.4 toont vijf manieren waarop sportergogene middelen kunnen worden ingezet om de fysieke power te verhogen, en geeft een voorbeeld van specifieke nutritionele, farmacologische, en fysiologische sportergogene middelen die wetenschappelijk zijn onderzocht op hun werkzaamheid.

Hoofdstuk 6 geeft een systematische opsomming van nutritionele, farmacologische en fysiologische sportergogenica die geacht worden de sportprestatiefactoren (SPF) van fysieke power, met name explosieve kracht, high power, conditionele power, aërobe power en het aërobe uithoudingsvermogen te bevorderen. In hoofdstuk 8 worden zaken behandeld als effectiviteit, veiligheid, legaliteit en ethische aspecten van vermeende sportergogene middelen.

TABEL 3.4

GEBRUIK VAN SPORTERGOGENE MIDDELEN OM FYSIEKE POWER TE VERHOGEN

1. Toename van de spiermassa om energie te genereren
   Nutritionele ergogenica: Aminozuren
   Farmacologische ergogenica: Anabole steroïden
   Fysiologische ergogenica: Humaan groeihormoon

2. Verhoging stofwisselingsprocessen in de spiercel die energie opwekken
   Nutritionele ergogenica: Vitamines
   Farmacologische ergogenica: Stimulantia
   Fysiologische ergogenica: Carnitine

3. Toename energievoorraad in de spier voor groter uithoudingsvermogen
   Nutritionele ergogenica: Koolhydraten
   Farmacologische ergogenica: Alcohol
   Fysiologische ergogenica: Creatine

4. Verbetering toevoer energievoorraden aan de spieren
   Nutritionele ergogenica: IJzer
   Farmacologische ergogenica: Cafeïne
   Fysiologische ergogenica: Bloeddoping

5. Tegengaan van de opbouw van stoffen in het lichaam die een optimale energieproductie belemmeren (melkzuur, vrije radicalen)
   Nutritionele ergogenica: Antioxidante vitamines
   Farmacologische ergogenica: Ontstekingsremmers
   Fysiologische ergogenica: Natriumbicarbonaat

4

Mentale kracht ontwikkelen

Als je je sportprestatievermogen wilt opvoeren, moet je de energieproductie van de spieren en de vertaling daarvan in beweging leren beheersen.

In hoofdstuk 3 vergeleken we je lichaam voor wat de energieproductie betreft met een auto. Net als bij de motor van een auto heeft je lichaam de juiste motor nodig (je spieren) om de gewenste arbeid te kunnen verrichten. Een high tech racewagen beschikt over een geavanceerd computersysteem dat is ontworpen om de meeste functies van de wagen te controleren, zoals het brandstofinjectiemechanisme en het stuurapparaat, om snelheid en stuurvermogen zo optimaal mogelijk te krijgen. Op soortgelijke manier werkt je zenuwstelsel als het computersysteem van je lichaam. Het reguleert de energieproductie in je spieren om hun snelheid te kunnen bepalen en activeert de juiste spieren om het lichaam te laten bewegen.

In hoofdstuk 3 bespraken we de basisprincipes van trainen voor fysieke power. Later in dit hoofdstuk kijken we hoe het zit met het ontwikkelen van mentale kracht. Maar eerst behandelen we een basistrainingsprincipe dat belangrijk is met betrekking tot de rol die het zenuwstelsel speelt in het sportprestatievermogen. Het principe in kwestie heet het *principe van specificiteit* en het valt uiteen in twee vormen: *neuromusculaire specificiteit* (het gebruik van de juiste spiergroepen) en *metabole specificiteit* (mate van energieverbruik). Correcte training van de sportprestatiefactoren (SPF) stelt je zenuwstelsel in staat twee dingen te doen: het activeren van de gewenste spiergroepen en controle uitoefenen op de snelheid waarmee de spieren energie verbruiken.

ZENUWSTELSEL EN SPIERFUNCTIECONTROLE

Je weet dat je zenuwstelsel de meeste functies van je lichaam onder controle houdt, waaronder ook het bewegen. *Zenuwcellen,* of *neuronen,* produceren elektrische impulsen die door het hele lichaam worden gevoerd. Zenuwprikkeling van een bepaald deel van het lichaam activeert een respons die kenmerkend is voor dat specifieke lichaamsdeel of -weefsel. Zenuwprikkeling bijvoorbeeld, van je bijnieren stimuleert de afgifte van adrenaline aan de bloedbaan, terwijl prikkeling van je spiercel spiercontractie en beweging veroorzaakt.

Figuur 4.1 is een vereenvoudigde weergave van een *zenuwbaan* tussen de hersenen en een spiercel. Er wordt door een specifieke zenuw in dat deel van de hersenen dat controle uitoefent over de spieren een elektrische impuls opgewekt. Deze impuls loopt over de zenuw via het

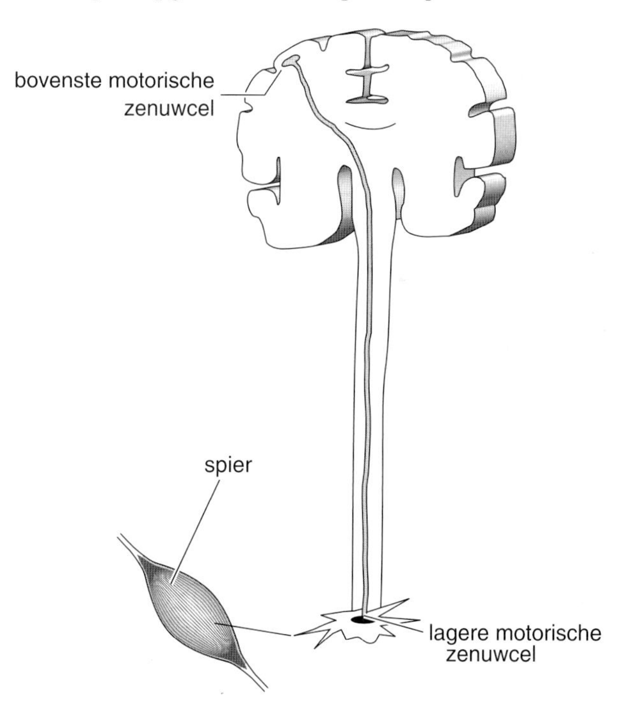

Figuur 4.1 Willekeurige beweging wordt in gang gezet in dat deel van de hersenen dat invloed uitoefent op de motorische zenuwcellen. Deze eenvoudige weergave van een zenuwbaan toont de directe verbinding tussen de hersenen en de motorische zenuwcel of motor-unit in het ruggenmerg.

ruggenmerg naar beneden en communiceert daar met een andere zenuw. Een elektrische impuls, opgewekt in deze motor-unit, stelt je ruggenmerg in staat met specifieke spiervezels te communiceren en een spiercontractie op gang te brengen.

Helaas is het onder controle houden van menselijke beweging niet zo simpel, vooral niet de moeilijke bewegingspatronen die bepaalde takken van sport vereisen. Het centrale zenuwstelsel, waaronder een groot aantal delen van de hersenen en het ruggenmerg, werkt in veel opzichten precies als een zeer snelle computer. Er is input, die wordt geanalyseerd, waarop output volgt.

Tijdens de sportieve inspanning ontvangt het *centrale zenuwstelsel* (CZS) allerlei informatie (input) van verschillende receptoren in het lichaam, waaronder die van de ogen, binnenoren, spieren en gewrichten. Het centrale zenuwstelsel verwerkt die informatie razendsnel naar specifieke spieren die de gewenste bewegingspatronen uitvoeren (output). Figuur 4.2 toont een aantal van die controlemechanismen van het

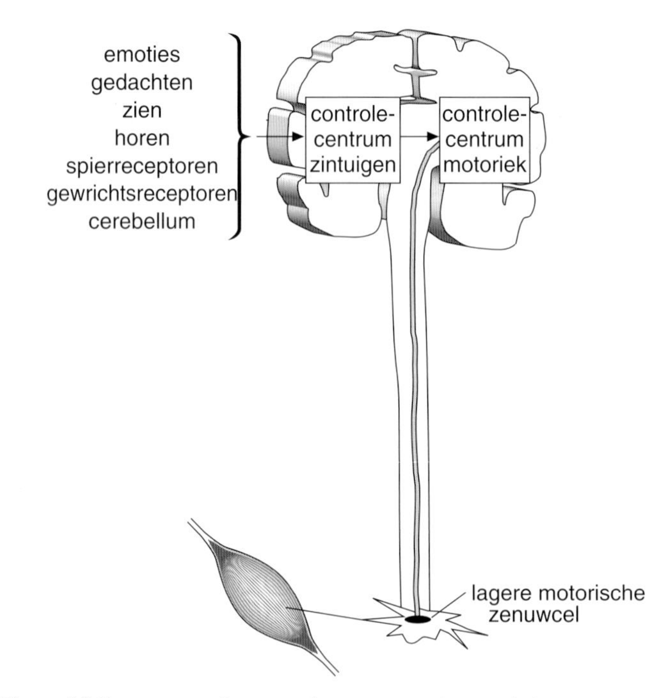

Figuur 4.2 De output van het controlecentrum van de motorische zenuwen wordt beïnvloed door verschillende controlecentra van de zintuigelijke waarneming in diverse delen van de hersenen.

ROBERT SKEOCH

Figuur 4.3 In veel takken van sport moet je door training complexe neuromusculaire vaardigheden leren beheersen.

zenuwstelsel, verantwoordelijk voor beweging. (Deze illustratie geeft een zeer vereenvoudigd beeld van wat er werkelijk gebeurt.)

Denk maar eens aan de eerste keer dat je eén bepaalde sportvaardigheid moest aanleren, zoals serveren bij tennis, de borstcrawl bij zwemmen, of het keren en wenden bij skiën. Weet je nog hoe je je moest concentreren om die vaardigheid onder de knie te krijgen? Maar door oefening werd deze vaardigheid bijna een tweede natuur die veel minder concentratie vergde. Eén theorie over het aanleren van bepaalde vaardigheden zegt, dat bij het aanleren van een sportvaardigheid je centrale zenuwstelsel (hardware) een soort computerprogramma (software) voor die specifieke vaardigheid schrijft, en dat bij een bepaalde stimulus dan het gewenste bewegingspatroon wordt uitgevoerd. Zo zou bijvoorbeeld tijdens het (onder de knie gekregen) serveren het opgooien van de bal een bewegingsprogramma in je zenuwstelsel activeren dat uiteindelijk resulteert in de correcte volgorde en timing van de spiercontracties en een vloeiend bewegingspatroon (zie figuur 4.3).

Voor een optimale efficiëntie in sport is het van groot belang dat we de meest effectieve technieken of vaardigheden aanleren en blijven perfectioneren willen we succesvol zijn. Een ander trainingsdoel voor sporters die trainen om complexe sportvaardigheden te ontwikkelen is het perfectioneren van de vaardigheid tot die als het ware een tweede natuur is geworden, zodat de sporter zich tijdens de wedstrijd op andere zaken kan richten.

Het zenuwstelsel speelt een essentiële rol als het controlecentrum van de menselijke beweging. Wanneer je door veel oefening en goede begeleiding eindelijk een bepaalde vaardigheid onder de knie hebt, ontwikkelt je centrale zenuwstelsel een geprogrammeerde opeenvolging van spiercontracties die je in staat stelt de vaardigheid met maximale efficiëntie en effectiviteit uit te voeren, zodat je je energie tijdens de wedstrijd goed kunt inzetten. Dit proces wordt de *neuromusculaire specificiteit van training* genoemd omdat we de specifieke spieren, betrokken bij ingewikkelde bewegingen voor een bepaalde tak van sport, trainen. Met andere woorden, de beste manier om een efficiëntere wielrenner te worden is het gebruiken van die spieren die belangrijk zijn voor het wielrennen. Fietsspieren worden het best ontwikkeld door fietstraining, niet door zwemmen of hardlopen.

ZENUWSTELSEL EN ENERGIEBENUTTING

Het zenuwstelsel houdt de spieren die voor een bepaalde sportvaardigheid worden geactiveerd niet alleen onder controle, maar bepaalt ook de hoeveelheid energie die in deze spieren wordt vrijgegeven en de manier waarop deze energie vrijkomt. De zenuwcellen in je centrale zenuwstelsel bedienen specifieke spiercellen. Sommige activeren fast-twitch (FT) spiervezels, andere de slow-twitch (ST) spiervezels. Activering van deze spiervezels veroorzaakt een snelle of een langzame spiercontractie.

Het zenuwstelsel bepaalt op verschillende manieren hoeveel energie er wordt ontwikkeld. Er kunnen meer spiervezels worden geactiveerd, of de spiervezels kunnen vaker worden geprikkeld. Een zenuwvezel die in verbinding staat met 50 ST spiervezels en prikkelt in een tempo van 10 impulsen per seconde zal lang niet zoveel kracht opwekken als een zenuwvezel die in verbinding staat met 200 FT spiervezels en 'vuurt' met een snelheid van 50 impulsen per seconde. Omdat het zenuwstelsel de controle voert over dit proces, zijn de spieren in feite de slaven van het zenuwstelsel.

Het zenuwstelsel is ook belangrijk voor de controle over de energieproductie omdat het helpt de voorraad- en ondersteuningssystemen naar de spiercellen onder controle te houden. Het zenuwstelsel helpt bijvoorbeeld de extra bloedtoevoer aan de actieve spieren tijdens inspanning, zoals de bovenbeenspieren bij het wielrennen, te kanaliseren door het openen van de bloedvaten die naar die spieren lopen. Het zenuwstelsel stimuleert ook bepaalde klieren in het lichaam tot afgifte van hormonen aan het bloed, die helpen bij de leverantie van brandstof aan en de energieproductie in de spieren. Een sleutelhormoon, dat we later zullen behandelen, is epinefrine (adrenaline); sporters hebben van soortgelijke stoffen gebruik gemaakt om hun sportprestaties te verbeteren.

In wezen heeft het centrale zenuwstelsel de drie energiesystemen in de spiercellen onder controle en daarmee ook de productie van fysieke power. Om de fysieke power op te voeren, moet je het specifieke energiesysteem of systemen trainen die een vereiste zijn voor de verbetering van een bepaalde SPF. Dit noemt men *metabole specificiteit van training*. Met andere woorden, je moet met een intensiteit trainen die vergelijkbaar is met de intensiteit van de prestatie die op de wedstrijd wordt verlangd. Als je in training bent voor de 400 meter hardlopen, dan moet je geregeld trainen op een snelheid die het melkzuur-energiesysteem belast. Je moet je zenuwstelsel trainen om je FT-vezels effectiever te activeren, want die maken gebruik van het melkzuur-energiesysteem. Naarmate je verder komt in je training, zal je lichaam bepaalde gunstige aanpassingen maken in de energiesystemen in de spiercellen en ondersteuningssytemen van de energieproductie, met als gevolg dat je bij inspanning over meer energie kan beschikken.

MENTALE KRACHT VAN SPANNING TOT ONTSPANNING

Mentale kracht is het vermogen van het zenuwstelsel, vooral van het bewuste deel van de hersenen, om de energieproductie in de spieren te optimaliseren en de bewegingen van de spieren onder controle te houden. Zoals we gezien hebben, heeft het zenuwstelsel niet alleen de specifieke spieren onder controle maar ook hoe snel en krachtig ze samentrekken. Bij correcte training beginnen het zenuwstelsel en de spieren efficiënter te functioneren. We ontwikkelen neuromusculaire vaardigheden die *perceptuele motorische vaardigheden* worden genoemd. Perceptuele motorische vaardigheden bestaan uit drie basiscomponenten: (a) perceptie of waarneming van een prikkel door het perifere zenuwstelsel, wat een stimulus kan zijn van de spier zelf (zoals een verandering in lengte) of een prikkel van de omgeving (zoals het zien van een tennisbal); (b) interpretatie van de prikkel door het CZS, voornamelijk de hersenen; en (c) de respons van de motor-units, of activatie van de bepaalde spieren, in respons op de stimulus.

We beschikken over vele perceptuele motorische vaardigheden, en afhankelijk van welke tak van sport wordt bedreven, zijn sommige van die vaardigheden belangrijker dan andere. De vier perceptuele motorische vaardigheden uit tabel 4.1 zijn belangrijk voor bepaalde typen van sportprestatievermogen.

Hoewel perceptuele motorische vaardigheden onder controle staan van bepaalde delen van de hersenen en het ruggenmerg, kan deze controle worden beïnvloed door delen van de hersen die effect hebben op de emoties, zoals opwinding en ontspanning, twee belangrijke mentale processen van invloed op het sportprestatievermogen.

TABEL 4.1
PERCEPTUELE MOTORISCHE VAARDIGHEDEN

Reactietijd. De reactietijd is het tijdsverloop tussen prikkel en beginreactie. De prikkel kan een visuele stimulus zijn (een tennisbal die op je afkomt), een auditieve (het geluid van de bal die door de tegenstander wordt weggeslagen), of een tactiele (de impact van de bal tegen je racket).

Visuele vaardigheden. Buiten de reactietijd zijn er in bepaalde takken van sport andere visuele vaardigheden nodig. Volgen is het vermogen bewegende objecten met beide ogen in beeld te blijven houden, van belang voor sporten als tennis. Andere factoren zoals perifere visuele waarneming en gevoeligheid voor kleuren kunnen voor bepaalde takken van sport van belang zijn. Bij het olympische boogschieten bijvoorbeeld, kunnen deelnemers die beter in staat zijn de kleur rood waar te nemen in het voordeel zijn.

Fijne motoriek. Fijne motoriek is een heel preciese neuromusculaire controle over de spieren, nodig voor sporten waarbij precisie en accuratesse vereist zijn, zoals boogschieten en pistoolschieten.

Algemene motoriek. Algemene motoriek is preciese neuromusculaire controle van spieractiviteiten, nodig voor sporten waarbij de beweging van het totale lichaam wordt ingezet, zoals tijdens een rally bij tennissen. Coördinatie, lenigheid en balans zijn basisbegrippen die met algemene motoriek worden geassocieerd.

CLAUS ANDERSEN

Figuur 4.4 Het prestatievermogen kan in sommige sporten voordeel hebben van een hoge mate van mentale prikkeling/opwinding.

Stimulatie

Stimulatie is een staat van opwinding of motivatie die het sportprestatievermogen gunstig kan beïnvloeden door het optimaliseren van neuromusculaire functies. Sporters in takken van sport als boksen en gewichtheffen kunnen baat hebben bij stimulatietechnieken (zie figuur 4.4.).

Ontspanning

Ontspanning is een staat van geestelijke rust of kalmte, die voordelig kan zijn voor sporters in takken van sport als boogschieten, waar een overmaat aan opwinding, angst of stress de sportprestatie nadelig kan beïnvloeden.

> Zelfs de beroemdste sporter heeft zijn twijfels.
>
> *– Terry Orlick, sportpsycholoog.*

MENTALE KRACHTTRAINING

Zoals gezegd, staan de menselijke energiesystemen en de ondersteuningssystemen die fysieke power produceren tijdens de training onder controle van de hersenen en het ruggenmerg, die samen het centraal zenuwstelsel vormen. Het grootste deel van de zenuwcontrole, of motorische controle, die je menselijke energiesystemen in staat stellen bewegingen te maken functioneert op een onderbewust niveau. Als je bijvoorbeeld begint te joggen, trekken honderden verschillende spieren ritmisch samen, maar je hoeft niet op enig moment bewust aan die bewegingen te denken. Je zenuwstelsel schakelt elke spier op de juiste tijd in en bepaalt het energieverbruik via de verschillende energiesystemen. De ondersteuningssystemen voor de energieproductie worden heel precies gereguleerd door het *autonome zenuwstelsel,* dat onderdeel uitmaakt van het centrale zenuwstelsel. Het aantal hartslagen en de kracht ervan wordt, net als andere lichaamsfuncties, automatisch op de inspanning afgestemd. Op die manier kun je bij een sport als lange afstandslopen op de automatische piloot koersen en je aandacht op andere dingen richten.

Daarentegen zijn er in de sport natuurlijk ook tal van situaties waarin je het hoofd er heel goed bij moet houden, bijvoorbeeld als je als slagman een worp afwacht. In zo'n situatie moet het deel van de hersenen dat controle uitvoert over de motorische zenuwen op een optimaal niveau functioneren. Het moet de informatie ontvangen, razendsnel

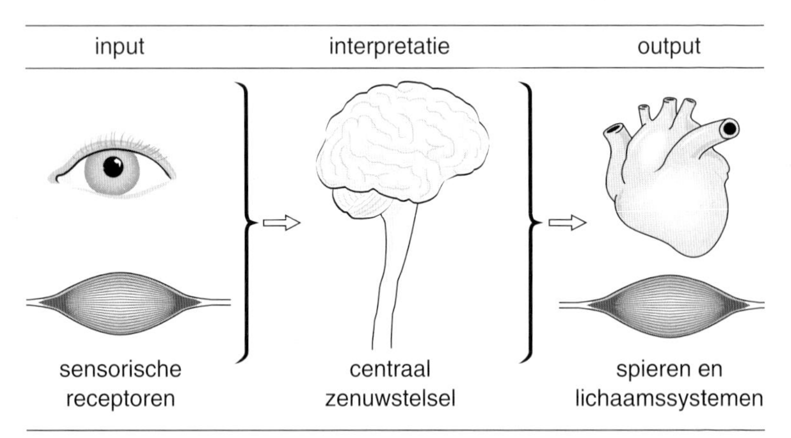

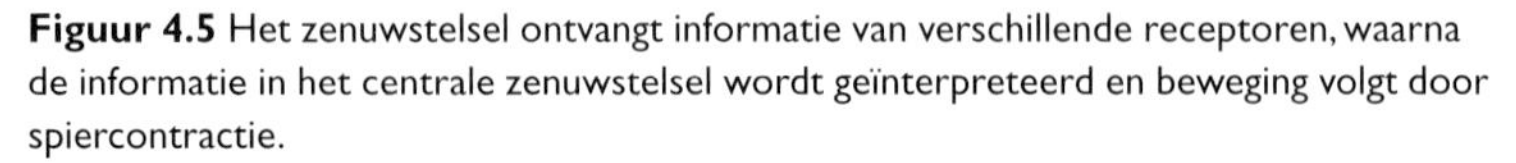
Figuur 4.5 Het zenuwstelsel ontvangt informatie van verschillende receptoren, waarna de informatie in het centrale zenuwstelsel wordt geïnterpreteerd en beweging volgt door spiercontractie.

interpreteren, en dan snel beslissen (zie figuur 4.5). Er zitten drie aspecten aan dit proces: (a) hoe effectief je zintuigen zijn in het ontvangen van de gewenste informatie of input, (b) hoe snel de analytische delen van de hersenen deze informatie interpreteren en (c) hoe accuraat het deel van de hersenen dat de motorische zenuwen bestuurt de juiste spieren activeert met de juiste kracht voor een optimale output.

Je hersenen besturen bijna alle fysiologische processen in je lichaam. Hoewel je het potentieel van de hersenen zelden volledig benut, kun je die potentie door training in hoge mate ontwikkelen. Je kunt leren hoe je bepaalde delen van de hersenen onder bewuste controle kan krijgen (inclusief het autonome zenuwstelsel), en wel in die mate dat je je hartslag en bloeddruk kan verlagen, de bloedtoevoer naar delen van het lichaam kan opvoeren, of de temperatuur van je huid aanpassen louter en alleen door eraan te denken. Je kan het motorische deel van de hersenen trainen om je spiersysteem heel precies te reguleren. Je kan leren hoe je een individuele spier kan samentrekken, waardoor je bijvoorbeeld je oren of alleen je middelste teen kan laten bewegen. Verder zijn er in de sport tal van bewegingen, zoals ritmische oefeningen bij turnen, die het bewijs zijn van het vermogen van de hersenen in hoge mate controle uit te oefenen over zeer complexe bewegingspatronen. Het functioneren van het deel van de hersenen dat de motorische zenuwen bestuurt, kan echter worden beïnvloed door een deel van het brein dat je niet hebt getraind, of door feedback van zenuwen uit andere delen van het lichaam. Je gedachten, je emoties en je waarnemingen van allerlei lichamelijke sensaties tijdens de wedstrijd kunnen je prestatievermogen positief of negatief beïnvloeden. Om die reden bespreken we hier het belang van de psychologie in de sport; want hoewel de geest het lichaam bestuurt, zijn de motorische functies van de hersenen gevoelig voor invloeden van het emotionele deel van het brein.

De ontwikkeling van mentale kracht kost de sporter, net als bij fysieke kracht, tijd en energie voor hij er de vruchten van kan plukken. Omdat veel van deze mentale trainingstechnieken niet echt doorgedrongen zijn in de sport, vatten sommige sportpsychologen ze samen onder de noemer *psychologische sportergogene middelen* als ze worden gebruikt om het sportprestatievermogen te vergroten.

> Alle fysiologische processen mogen nog zo gesmeerd lopen, maar als de psyche van de sporter niet in orde is, zal hij niet optimaal presteren.
> *– Terry Orlick, sportpsycholoog*

Psychologische sportergogene middelen

Zoals gezegd, moet je in je sportcarrière diverse hobbels nemen om goed te kunnen presteren. Stel dat je biceps het fysiologische vermogen heeft om 180 kg omhoog te brengen. Dat wil zeggen, dat bij maximale benutting van je ATP-CP energiesysteem, de kracht overgebracht op de onderarm het gewicht in beweging zet. Zo'n krachtsinspanning zou echter wel eens extreem kunnen blijken te zijn en een afscheuring van een botdeel veroorzaken die *avulsionaire breuk* wordt genoemd. Hoewel zulke breuken zich voordoen bij sporten als gewichtheffen en armworstelen, zijn ze vanwege psychologische beperkingen zeldzaam. Psychologische barrières zijn ingebouwde beschermingsmechanismen die je normaal gesproken beletten je fysiologische potentieel volledig uit te putten. In het geval van de bicepscurl staan je psychologische grenzen je bijvoorbeeld toe niet meer dan 45 kg omhoog te brengen.

Jerry Lynch, beschrijft het geval van Roger Bannister, de eerste mens die de 4 minuten grens op de 1500 meter hardlopen doorbrak. Lynch merkt op dat er tegen 1954 meer dan 50 medische tijdschriften waren waarin werd gesteld dat het verleggen van die grens onmogelijk was. Bannister geloofde er echter wel in, en zette daadwerkelijk een nieuw record. Binnen een jaar lukte het vier andere hardlopers die grens te verleggen, waarmee bewezen werd dat het een psychologische grens was en geen fysieke.

Precies zoals je aangeboren fysieke en fysiologische kenmerken hebt die je aanleg verklaren voor een bepaalde sport, zo heb je ook een aantal psychologische karakteristieken meegekregen. Fysieke training kan zowel de fysiologische als psychologische eigenschappen belangrijk voor die sport ontwikkelen. De juiste training stelt de sporter bijvoorbeeld in staat het melkzuur-energiesysteem in de spieren meer energie te laten produceren, maar je psychische tolerantie voor pijn neemt ook toe, waardoor je meer opbouw van melkzuur in het bloed kan verdragen voor vermoeidheid begint op te treden. Je psychologische grenzen zijn verlegd, en daarmee is in wezen ook je mentale kracht toegenomen.

Psychologische sportergogene middelen en opwinding

Psychologische sportergogene middelen zijn ontworpen om de psychische energie af te stemmen op de prestatie, waarbij het afhankelijk van het 'middel' om een techniek of om een substantie kan gaan. We beschouwen psychische energie hier als de mate van opwinding van een sporter, die kan lopen van diepe slaap tot een extreme staat van opwinding. De *drive* en *omgekeerde*-U theorieën zijn belangrijk voor zover het manipuleren van de opwinding een rol speelt bij het sportprestatievermogen.

De drive-theorie stelt dat prestatievermogen en opwinding in direct verband staan met elkaar; naarmate je staat van opwinding toeneemt, neemt ook je prestatievermogen toe. Deze theorie gaat waarschijnlijk op voor onderdelen van atletiek die relatief basale, eenvoudige bewegingspatronen bevatten, zoals gewichtheffen. Zoals weergegeven in figuur 4.6, geldt: hoe groter de mate van psychische energie, of opwinding, hoe groter ook de potentiële kracht.

Voor sporten die complexe bewegingspatronen en denkprocessen vereisen, kan de omgekeerde-U theorie meer houvast bieden. Deze theorie stelt dat er een optimaal niveau van opwinding is, dat in figuur 4.7 is weergegeven als dat van een gemiddeld niveau. Opwindingsniveaus die te hoog of te laag zijn kunnen een optimale sportprestatie in

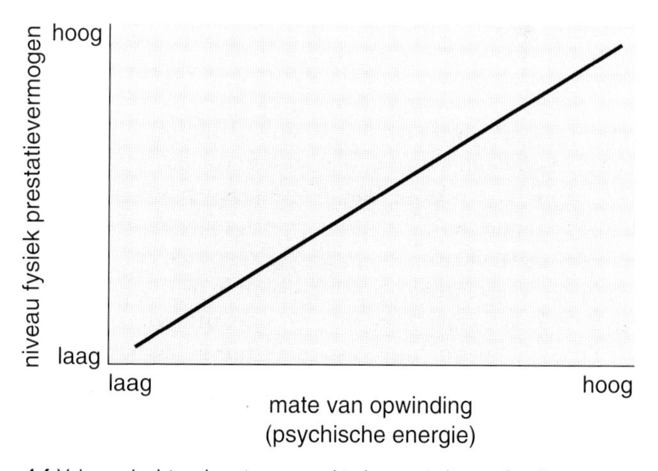

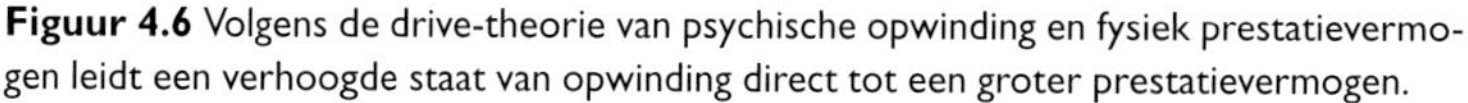

Figuur 4.6 Volgens de drive-theorie van psychische opwinding en fysiek prestatievermogen leidt een verhoogde staat van opwinding direct tot een groter prestatievermogen.

de weg zitten. Leden van een basketbalteam die in de krant lezen dat hun team met 30 punten favoriet is, zouden de wedstrijd wel eens behoorlijk onspannen in kunnen gaan in de veronderstelling dat ze het niet erg zwaar zullen krijgen. De vereiste staat van opwinding treedt bij hen misschien pas in als ze een paar minuten voor het einde van de wedstrijd met 10 punten achter staan, maar dan is het waarschijnlijk al te laat. Als het team daarentegen met 30 punten tegen de underdog van de wedstrijd is, raken de spelers mogelijk in zo'n hoge staat van angstige opwinding dat hun spel er van te lijden heeft.

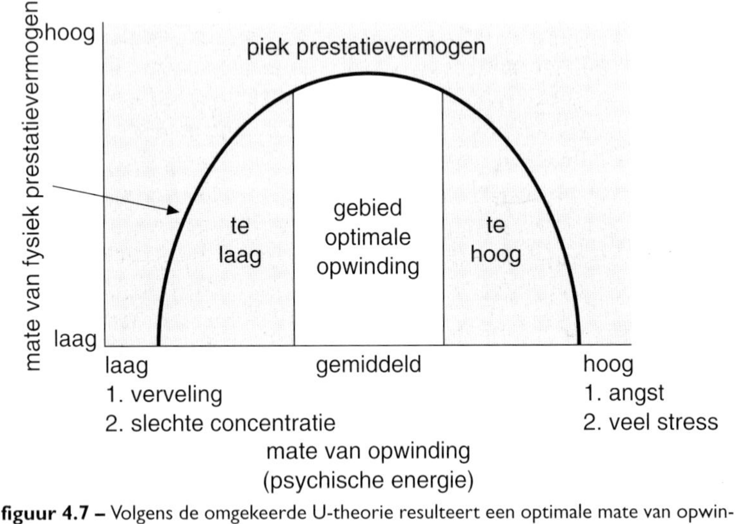

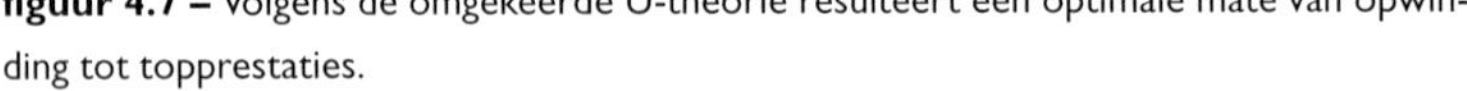

figuur 4.7 – Volgens de omgekeerde U-theorie resulteert een optimale mate van opwinding tot topprestaties.

De omgekeerde-U theorie kan op een heel scala sporten worden toegepast, en sporters kunnen aan beide kanten van de omgekeerde-U zitten. Sporters met een grote atletische begaafdheid die voor een weinig uitdagende opgave staan zullen niet snel opgewonden raken, eerder verveeld. Aan de andere kant van het continuum, raken sporters met een veel geringer talent bij dezelfde opgave wel opgewonden, en vaak zelfs te opgewonden. Het grote angst- en stressniveau die ze ervaren kan hun vermogen zich te concentreren grondig verstoren, de spierspanning doen toenemen, en allerlei andere fysiologische processen in werking zetten die het sportprestatievermogen bepaald niet bevorderen. Wanneer de mate van opwinding van de sporter te laag of te hoog is, kunnen psychologische ergogene middelen worden gebruikt om de sporters naar een optimalere opwindingszone te brengen, bijvoorbeeld van zeer opgewonden naar zeer rustig, zoals dat bij pistoolschieten nodig is (figuur 4.8).

LINDA PALMER

Figuur 4.8 Prestatievermogen voor het pistoolschieten wordt verbeterd wanneer de sporter er in slaagt overmatige stress en beven te onderdrukken met behulp van mentale trainingstechnieken.

Optimale opwindingszones

Het is belangrijk te vermelden dat de optimale opwindingszones voor elke tak van sport weer anders kunnen zijn. Figuur 4.9 geeft de theoretische curves voor drie sporten: boogschieten, tennis en gewichtheffen. De optimale opwindingszone voor een boogschutter is mogelijk laag omdat iedere toename in spierspanning voor een afwijking kan zorgen. Te weinig of te veel opwinding kan schadelijk zijn voor het spel van de tennisser, dus zijn zone ligt ergens in het midden. Voor gewichtheffen lijkt hoe hoger hoe beter op te gaan, maar een te hoge opwindingstoestand kan de concentratie verstoren.

De optimale opwindingszone kan ook van sporter tot sporter verschillen. De curven in figuur 4.9 zou ook voor drie slagmannen kunnen gelden. Elke slagman presteert het beste op zijn eigen, individuele

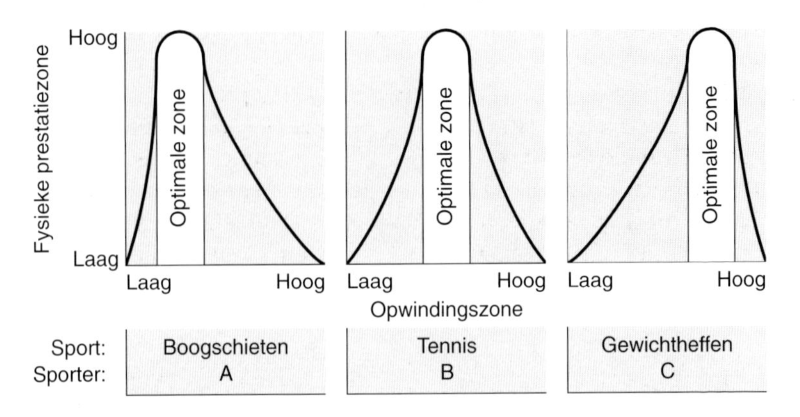

Figuur 4.9 Verschillende sporten hebben hun eigen optimale opwindingszone, maar ook sporters uit dezelfde discipline kunnen hierin verschillen.

opwindingszone. De opwindingszone voor slagman A is laag, voor slagman B gemiddeld en voor slagman C hoog.

Het geheim van de psychologische trainingstechnieken is je eigen opwindingszone kennen. Voor iedere sporter kan die zone veranderen afhankelijk van de concurrentie en hoe belangrijk de wedstrijd is. Daarom is het ook belangrijk jezelf goed te kennen en dat je weet hoe je op verschillende wedstrijdomstandigheden reageert. Als je jezelf kent, kan het gebruik van verschillende psychologische trainingstechnieken je helpen je sportprestatievermogen te vergroten.

Mentale trainingsmethoden

Zoals gezegd, is een van de meest effectieve manieren om het sportprestatievermogen te verbeteren het vergroten van de fysieke power door gerichte lichaamstraining. Er zijn daarvoor, afhankelijk van de sport, allerlei trainingsmogelijkheden. Hardlopers bijvoorbeeld, kunnen gebruik maken van technieken als intervaltraining, herhalingstraining, heuvellopen, lange-afstandlopen, anaërobe-grenstraining, fartlektraining, en andere trainingsvarianten.

Als we de literatuur op sportpsychologiegebied bekijken, dan blijkt er een heel scala aan mentale trainingsmethoden of technieken te zijn, waarvan de meesten in tabel 4.2 zijn opgesomd. Precies zoals fysieke training is ontworpen om de positieve aspecten van de energieproductie te maximaliseren en negatieve aspecten te minimaliseren, probeert men bij mentale training de positieve psychische energie te maximaliseren en de negatieve gedachten en invloeden te minimaliseren (figuur 4.10).

Hoewel fysieke training kan helpen je psychologische grenzen te verleggen, gaat men er van uit dat met het inzetten van psychologische ergogene middelen die grenzen nog verder kunnen worden verlegd. Psychotherapeutische technieken zijn ontworpen om de geestelijke functies (mentale kracht) te optimaliseren tijdens het wedstrijdseizoen precies als fysieke trainingstechnieken zijn ontworpen om de energieproductie te optimaliseren (fysieke power).

TABEL 4.2

MENTALE TRAININGSTECHNIEKEN

Attentie-controletraining	Mentale dissociatie
Attributionele hertraining	Mentale repetitie
Autogene training	Stoppen negatieve gedachten
Cognitieve affectieve stressmanagementtraining	Sturen positieve gedachten
Progressieve spierontspanning	
Cognitieve herstructurering	Rationeel emotieve therapie
Concentratietraining	Ontspanningstraining
Afwerken van voorbereidingstechnieken	Stressmanagement
Flooding	Systematische desensisitisatie
Flow	Sybervision
Doel stellen	Transcendentale meditatie
Hypnose	Geestelijk repeteren van de bewegingspatronen
Imaginatie Implosieve training	Drijven in watertanks

De opzet van dit boek staat een uitgebreide behandeling van de verschillende mentale krachttrainingsoefeningen die in diverse takken van sport kunnen worden gebruikt niet toe. Als je geïnteresseerd bent in een goed overzicht, verwijs ik naar een aantal uitstekende boeken die in de literatuurlijst achterin dit boek zijn opgenomen. De boeken van Nideffer, Orlick, en Suinn zijn praktisch en goed te gebruiken.

Als je denkt dat je het niet kan, dan kan je het ook niet.

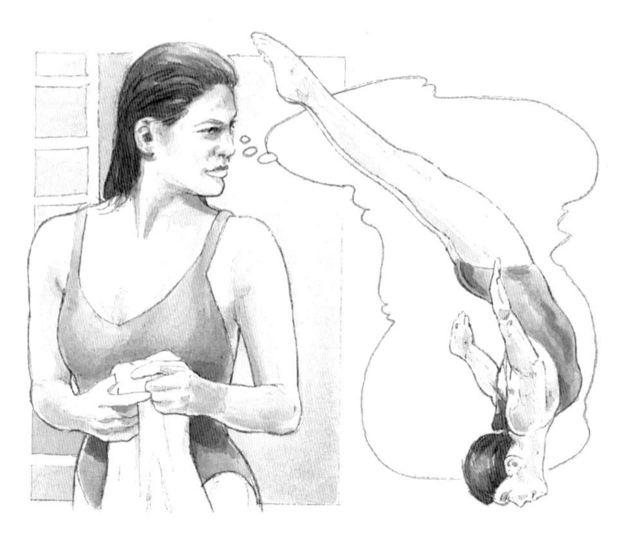

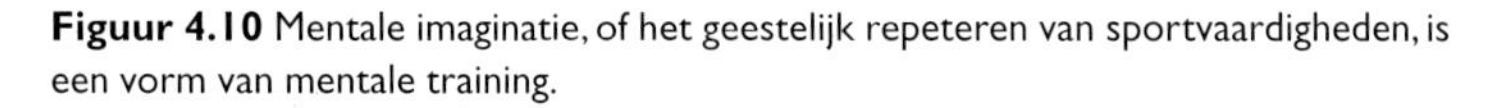

Figuur 4.10 Mentale imaginatie, of het geestelijk repeteren van sportvaardigheden, is een vorm van mentale training.

Veel substanties die sporters gebruiken om een stimulerend of kalmerend effect te creëren op de psyche komen in hoofdstuk 8 aan de orde.

> Bill Roy, een olympische belofte in skeet, verkeerde niet in de gelegenheid om zo vaak of lang te schieten als anderen, dus probeerde hij dat te compenseren met mentale training. In gedachten riep hij een mentaal beeld op waarin hij zijn eigen lichaamsbewegingen zowel voor als achter kon zien.
>
> *– T. Kensler, schrijver voor de Olympian*

MENTALE KRACHT EN VERMOEIDHEID

Zoals gezegd, kan vermoeidheid inzetten doordat de spier om verschillende redenen niet in staat is fysieke power te leveren. Vermoeidheid kan ook worden veroorzaakt door onvoldoende mentale kracht doordat verschillende locaties in het centrale of perifere zenuwstelsel niet optimaal functioneren. Figuur 4.11 toont een aantal mogelijke locaties in het lichaam waar vermoeidheid kan optreden. De volgende bespreking correspondeert met de nummers in het figuur.

1. Een mogelijke vermoeidheidslocatie zijn de motorische zenuwcellen in de hersenen. De activiteit van deze zenuwcellen wordt gereguleerd door diverse chemische neurotransmitters. Mentale vermoeidheid, gebrek aan goede voeding, en remming of onvoldoende stimulatie van andere delen van de hersenen kunnen deze 'boodschapperstoffen' negatief beïnvloeden, waardoor het vermogen deze motorische zenuwen optimaal te stimuleren afneemt. Omgekeerd kunnen door overstimulatie van de motorische zenuwen als gevolg van overmatige angst of stress de perceptuele motorische vaardigheden verstoord raken, vooral de fijne motoriek.
2. De motor-unit in het ruggenmerg loopt direct naar de spier. Deze motor-unit of neuron kan worden geremd door zenuwcentra in de hersenen, via verschillende vormen van feedback van de spieren, en ook door slechte voeding, waardoor de arbeids-output afneemt.

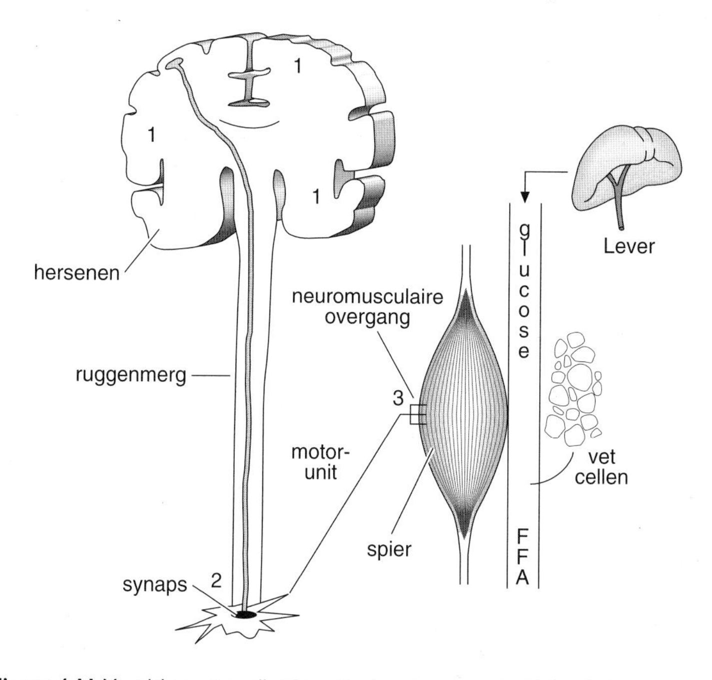

Figuur 4.11 Mogelijke vermoeidheidslocaties in het zenuwstelsel (zie tekst).

3. Deze overgangsplaats van het zenuwuiteinde naar de spiercel kan een vermoeidheidslocatie worden als er onvoldoende hoeveelheden chemische neurotransmitters worden afgegeven door het zenuwuiteinde of wanneer de receptor van de spiercel niet goed functioneert. In zulke situaties wordt de elektrische impuls die het samentrekkingsproces op gang moet brengen niet opgewekt door de spiercel.

SPORTERGOGENE MIDDELEN VOOR MENTALE KRACHT

Fysieke en mentale voorbereiding zijn belangrijk wil men op de wedstrijden goed draaien. In sport zijn lichaam en geest heel erg op elkaar aangewezen voor een optimaal functioneren. Wat invloed heeft op het lichaam kan invloed hebben op de geest, en vice versa.

Als je de geest kan trainen, volgt het lichaam vanzelf.

Het is belangrijk op te merken dat sommige sportergogene middelen bedoeld om SPF van fysieke power te verbeteren belangrijke gevolgen kunnen hebben voor het neurale of psychische functioneren tijdens een wedstrijd. Nutritionele sportergogenica, zoals koolhydraten, kunnen een bron van spierenergie zijn, maar kunnen ook de negatieve psychologische effecten van een lage bloedsuikerspiegel op de hersenen voorkomen. Farmacologische sportergogenica, zoals stimulantia, kunnen de spierstofwisseling verhogen, maar kunnen ook een directe invloed uitoefenen op de hersenen. Fysiologische sportergogenica, zoals natriumbicarbonaat, kunnen gunstig zijn voor de spiercelstofwisseling en helpen stress te verminderen. Zo kunnen ergogene middelen voor vergroting van fysieke power het sportprestatievermogen verbeteren door voordelig te zijn voor zowel fysiologische als psychologische processen.

Nutritionele, farmacologische, en fysiologische sportergogenica kunnen worden gebruikt in de hoop dat ze een gunstig effect hebben op het zenuwstelsel en vermoeidheid helpen vertragen. Tabel 4.3 geeft twee algemene manieren waarop sporterogene middelen kunnen worden gebruikt om de mentale kracht te verhogen en geeft een voorbeeld van specifieke nutritionele, farmacologische en fysiologische sportergogenica die wetenschappelijk op hun werking zijn onderzocht.

TABEL 4.3
SPORTERGOGENE MIDDELEN VOOR ONTWIKKELING VAN MENTALE KRACHT

1. Werkt als een stimulerend middel, waarbij de psychologische functies die zorgen voor een optimale energieproductie worden verbeterd.
   Nutritionele sportergogenica: Aminozuren
   Farmacologische sportergogenica: Amfetaminen
   Fysiologische sportergogenica: Choline
2. Werkt als een kalmerend middel of antidepressivum, waarbij factoren als overmatige zenuwachtigheid of pijn die een optimaal psychologisch functioneren in de weg kunnen zitten worden verminderd.
   Nutritionele sportergogenica: B-vitamines
   Farmacologische sportergogenica: anaesthetica
   Fysiologische sportergogenica: natriumbicorbonaat

In hoofdstuk 6 staat een lijst van nutritionele, farmacologische en fysiologische sportergogenica waarvan wordt aangenomen, dat ze de SPF's die in verband staan met de ontwikkeling van mentale kracht verbeteren door een stimulerend of kalmerend effect. In hoofdstuk 8 wordt uitgebreid ingegaan op hun effectiviteit, veiligheid, en de juridische en ethische aspecten van het gebruik ervan.

5

Mechanisch voordeel

In zekere zin draait het bij sport om het verplaatsen van materie. In sommige sporten is het lichaam die materie, bestaande uit een verzameling materievormen als botten, spieren en vet. Hardlopen en hoogspringen zijn voorbeelden van sporten waarbij het lichaam zo hard of zo hoog mogelijk in beweging gebracht moet worden. Bij deze takken van sport brengen we ook nog andere vormen van materie in beweging, zoals schoenen en sportkleding.

Ons primaire doel bij een aantal andere sporten is het verplaatsen van materie anders dan ons lichaam met een zo optimaal mogelijke snelheid of accuratesse, of over een zo groot mogelijke afstand. In veel sporten worden allerlei objecten gebruikt, die met betrekking tot hoeveelheid, type en ontwerp allemaal hun eigen karakteristieken hebben. Denk maar aan de tientallen soorten ballen die worden gebruikt bij honkbal, basketbal, football, tennis, golf, voetbal, hockey en jai alai; maar ook de objecten die in andere takken van sport worden gebruikt, zoals bij de speer, kogel, discus, hamer, pijl en patroon. Hoewel we al deze objecten in beweging brengen, moeten we vaak nog een ander object in beweging of onder controle brengen, zoals de honkbalknuppel, tennisracket, golfclub, boog of geweer, die het object zijn momentum verleent. Bij weer andere sporten gebruikt de sporter een object dat de basis vormt voor zijn sportdeelname, zoals een fiets, bobslee, paard of zeilboot.

MECHANISCH VOORDEEL EN ENERGIE

Herinner je je dat ik in een van de vorige hoofdstukken het lichaam vergeleek met een racewagen? De motor genereerde de fysieke power of productie van energie, en het computergestuurde brandstofinjectie- en stuursysteem reguleerde de mentale kracht, of verdeling van die energie. Het mechanisch voordeel, of energetische efficiëntie, van een racewagen wordt bepaald door zijn mechanica, waaronder optimaal gewicht en een gestroomlijnd, aërodynamisch design.

Mechanica is de wetenschap van kracht en materie. Het is de studie van stationaire en bewegende objecten (materie) en de krachten die bepalen of ze al dan niet in beweging komen. Toegepast op de studie van mensen en andere levende wezens, is deze wetenschap bekend onder de naam *biomechanica.* Een zijtak van de biomechanica is *sportbiomechanica,* waarbij het gaat om de toepassing van mechanische en biomechanische principes op de studie van beweging in de sport.

Menselijke krachten

Krachten brengen in beweging of stoppen een beweging. In hoofdstuk 3 leerden we dat de menselijke energiesystemen zijn ontworpen om chemische energie om te zetten in mechanische energie, met als resultaat krachtproductie door de mechanische energie die tijdens de spiercontractie vrijkomt. Bij veel sporten zoeken we naar manieren om de energieproductie, of fysieke power, op te voeren om de fysiologische grenzen te verleggen en het sportprestatievermogen te vergroten. We zoeken eveneens naar manieren om de verdeling van die energie, of mentale kracht, op te voeren om het sportprestatievermogen te vergroten. Ook streven we naar een efficiënter gebruik van energie om het mechanisch voordeel te vergroten en mechanische of biomechanische barrières te elimineren. Dat doen we door gebruik te maken van de natuurkundige krachten.

Natuurkundige krachten

Omdat we in de sport mechanisch voordeel willen behalen, moeten we ons bezighouden met de fysieke drempels die de natuur opwerpt voor het sportprestatievermogen. In veel sporten gebruiken we de inwendige krachten opgewekt door spiercontractie om een aantal fysieke barrières die de natuur opwerpt te slechten. Hoewel er allerlei natuurkundige krachten zijn, zijn de zwaartekracht, wrijvingskracht, de mechanica van vloeistoffen (zowel lucht als water zijn voor de natuurkundige 'vloeistoffen'), drijfvermogen en elasticiteit voor het sportprestatievermogen wel de belangrijkste.

Deze krachten kunnen in sommige sporten het prestatievermogen vergroten. Een voor de hand liggend voorbeeld is de afdaling bij het wielrennen, waarbij de trekkracht van de zwaartekracht voor extra versnelling zorgt. Vloeistofkrachten, zoals de wind in de rug van een wielrenner of hardloper, of golfslag in de rug van een triatleet bezig met het zwemgedeelte van de wedstrijd, zorgen voor extra voorwaartse kracht met een grotere snelheid als gevolg. In sommige sporten vormen deze krachten de basis voor de beweging van de sporter. Deltavliegers en schansspringers vertrouwen voor hun bewegingspatroon op de zwaartekracht, terwijl zeilers van de wind en surfers van de golfslag afhankelijk zijn.

Externe krachten vormen meestal de hobbels die de sporter moet zien te overwinnen. Sporters die hoog moeten springen, zoals hoogspringers en polsstokhoogspringers, gaan in wezen de strijd aan met de zwaartekracht. Fietsers krijgen bij hoge snelheid te maken met tegenwind (zie figuur 5.1), terwijl zwemmers op de 100 meter een forse tegendruk van het water ondervinden. Toegenomen wrijvingskrachten, zoals de verhoogde weerstand van natte sneeuw die de cross-country skiër afremmen, kunnen de prestatie verminderen.

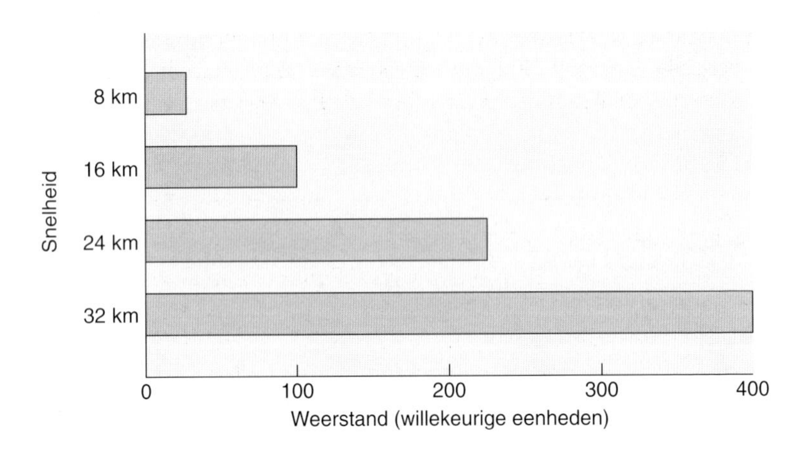

Figuur 5.1 Bij hogesnelheidsporten als wielrennen, verhoudt de weerstand zich tot de snelheid als het kwadraat ervan.

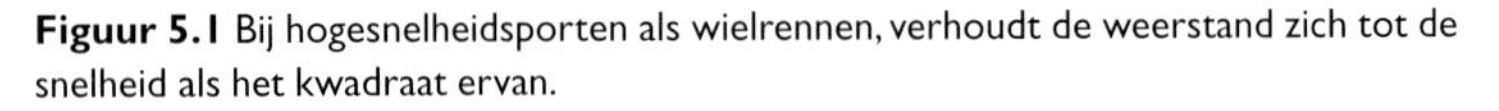

Technieken om mechanisch voordeel te behalen worden ingezet om ieder voordeel dat kan worden behaald op externe krachten te benutten of weerstandseffecten te minimaliseren. Voor sporten die voor hun beweging afhankelijk zijn van externe krachten, zoals zeilen, heeft het onderzoek zich gericht op mogelijkheden om beter van deze krachten gebruik te maken, bijvoorbeeld door het ontwerpen van betere zeilen.

Het meeste onderzoek echter, heeft zich gericht op het verminderen van de drempels die de zwaartekracht opwerpt, zoals vermindering van lucht- en waterweerstand, en het ten gunste van de sporter aanpassen van wrijvingskrachten, zoals drijfvermogen en elasticiteit.

MECHANISCH VOORDEEL EN SPORPRESTATIEVERMOGEN

In tegenstelling tot voedingsleer, fysiologie, farmacologie, en psychologie, is mechanica een exacte wetenschap gebaseerd op degelijke natuurkunde. De wetenschappelijke waarde van veel sportergogene middelen die worden gebruikt voor het opvoeren van de fysieke en mentale kracht is nog onvoldoende bewezen, en moet in goed opgezette sportonderzoeksprogramma's worden getest. Het gebrek aan bewijs kan liggen in het gegeven dat niet iedereen hetzelfde reageert op ergogene middelen. Als we 300 mg cafeïne geven aan 10 verschillende mensen, kan de fysiologische respons wel eens bij ieder anders blijken te zijn. Maar als we de vorm van een fietshelm veranderen en de veranderingen in luchtweerstand meten in een windtunnel, kunnen we redelijk precies voorspellen hoeveel energie er bij een gegeven snelheid wordt bespaard.

De Tour de France van 1989 was een klassieker. De laatste etappe was een tijdrit van 25 kilometer naar Parijs. Greg LeMond lag 50 seconden achter op Laurent Fignon, een tijdverschil dat volgens de insiders niet meer was in te halen. Beide wielrenners droegen dezelfde speciale pakken en hun fietsen verschilden nauwelijks van elkaar. LeMond maakte echter gebruik van een set aërodynamische handgrepen en een aërodynamisch helm; Fignon niet. Wetenschappers hebben achteraf weten vast te stellen, dat deze twee aanpassingen LeMond een voordeel van 1 minuut en 16 seconden opleverden; hij versloeg Fignon na een nek-aan-nek-race uiteindelijk met 8 seconden in een van de spannendste Tours aller tijden.

Dankzij de exacte aard van de wetten van de natuurkunde, kunnen alle krachten die het prestatievermogen beïnvloeden op verschillende manieren worden aangepast om de optimale lichaamshouding, kleding of ontwerp van sportattributen voor een gegeven sport te voorspellen.

Veel onderzoek naar het behalen van mechanisch voordeel komt simpelweg neer op de toepassing van natuurkunde op sportgebied. De Tweede Bewegingswet van Newton, bijvoorbeeld, draait om de onderlinge verhouding tussen kracht, massa en versnelling. De versnelling van een object staat gelijk aan de kracht die op het lichaam inwerkt en is omgekeerd gelijk aan zijn massa. Onder gelijke omstandigheden, zal een gegeven kracht bij een lichter object meer versnelling produceren dan bij een zwaarder object.

Er zijn in het algemeen drie manieren om mechanisch voordeel te behalen in sport: (a) door biomechanische vaardigheden te ontwikkelen die specifiek zijn voor die sport, (b) door gebruik te maken van high tech sportkleding en sportattributen en (c) door de lichaamssamenstelling aan te passen aan de tak van sport die men bedrijft. Er zijn honderden specifieke toepassingen van mechanische ergogene middelen, die we hier door gebrek aan ruimte niet uitgebreid kunnen behandelen, daarom volstaan we met een korte beschrijving voor elk gebied.

Mechanisch voordeel: biomechanische sportvaardigheden

Verbetering van biomechanische sportvaardigheden is een belangrijke manier om mechanisch voordeel te behalen. Je kan nog zoveel fysieke power hebben opgebouwd, maar als die energie of kracht niet op effectieve en efficiënte wijze kan worden omgezet in het gewenste bewegingspatroon, zal de prestatie niet optimaal zijn. Je kan over een goed ontwikkeld melkzuur-energiesysteem beschikken dat je in staat stelt een uitstekende zwemprestatie te leveren op de 100 meter, maar als je niet de juiste zwemtechniek beheerst gaat veel van dit energiepotentieel even hopeloos verloren als het record dat je wilde zetten.

Onderzoek naar sportvaardigheden

Onderzoekers in de sportbiomechanica zijn voortdurend op zoek naar manieren om het sportprestatievermogen te verbeteren door te experimenteren met manieren waarop sporters hun spierkracht gebruiken om beweging te produceren. Deze onderzoekers hebben een scala aan geavanceerde technologische apparatuur tot hun beschikking om de menselijke beweging vast te leggen en te analyseren. Tot deze apparatuur behoren onder andere high-speed videocamera's die gekoppeld aan computers een bijna onmiddellijke analyse leveren (figuur 5.2). Een van de belangrijkste doelen van biomechanisch onderzoek, is het ontwikkelen van sportspecifieke vaardigheden zodat de spierkracht van de sporter op de meest effectieve manier wordt vertaald in beweging. Mechanische analyses van de armslag bij borstcrawl en roeien, de actie van been en skistok bij cross-country skiën, de sprintstart bij atletiek en de beenbewegingen bij de start van hoogspringen zijn voorbeelden van biomechanisch onderzoek in sport, waarvan de resultaten mogelijk effectievere technieken opleveren om kracht toe te passen. Computeranalyses helpen de individuele sporter zijn sportspecifieke vaardigheden te perfectioneren.

De weerstand verminderen voor beweging vormt een ander belangrijk deel van het biomechanisch onderzoek in de sport. Afhankelijk van de tak van sport, lijkt windtunnelonderzoek er op te wijzen dat een verandering van positie of oppervlak van een lichaam kan helpen de weerstand tegen beweging te verminderen.

Figuur 5.2 High-speed videocamera's gekoppeld aan computers leveren onmiddellijke feedback op biomechanische analyse van verschillende sportvaardigheden.

Bij hogesnelheidsporten als wielrennen, schaatsen, skiën (afdalen), bobsleeën en sleeën, helpt een gestroomlijnde lichaamshouding de luchtweerstand te verminderen (figuur 5.3). Zulke technieken zijn vooral enorm belangrijk bij hoge snelheden, want bijna 90% van de weerstand is luchtweerstand. Soortgelijk onderzoek met behulp van technieken die bij zwemmen de weerstand van het water meet, laat zien dat

Figuur 5.3 Aanpassing van het lichaam tot een gestroomlijnde houding helpt de luchtweerstand te verminderen.

de positie van het lichaam in het water kan worden aangepast zodat de zuigkracht en weerstand van het water minder wordt.

Verbeteren van de sportvaardigheden

De meeste technieken om door aanpassing van de biomechanica van het lichaam het sportprestatievermogen te verbeteren zijn gebaseerd op correcte begeleiding en training. De ontwikkeling van de meest efficiënte mechanische vaardigheden specifiek voor een gegeven sport, waaronder het maximaliseren van het krachtgebruik en het minimaliseren van weerstand, geschiedt door degelijke analyse en onder begeleiding van een ervaren trainer. Veel trainers, maar ook tennis- en golfprofessionals, maken gebruik van de high-speed video om de vaardigheden van hun sporters te verbeteren. Wanneer zulke analyses voorhanden zijn, kunnen ze je helpen je sportvaardigheden te perfectioneren. Analyse en feedback van een ervaren trainer of sportwetenschapper kunnen van onschatbare waarde zijn.

De opzet van dit boek staat een uitgebreide behandeling van de achterliggende biomechanica van sportvaardigheden niet toe. Er zijn diverse goede boeken die sportbiomechanica in het algemeen behandelen, terwijl andere de biomechanica van een bepaalde tak van sport onder de loep nemen. *The Biomechanics of Sports Techniques* van James Hay is een voorbeeld van het eerste, terwijl *Serious Cycling* van Edmund

Burke een voorbeeld is van het laatste. Er is ook een aantal zelfhulpboeken in de handel. Sportspecifieke boeken kunnen informatie bieden over de laatste stand van zaken in sportvaardigheidsontwikkeling. Er zijn op dit gebied ook diverse films en videobanden te koop.

Mechanisch voordeel: sportkleding en sportuitrusting

De sportkleding- en sportuitrustingindustrie is een bedrijfstak waar miljarden in omgaan. De prestaties in bijna alle takken van sport zijn opgevoerd door technologische verbeteringen in ontwerp en fabricage van zowel sportkleding als sportuitrusting.

Sportkleding

Voor zo goed als iedere sport heb je een bepaald soort kleding nodig, van de zwembroek van de zwemmer tot de volledige outfit van de skiër. Kleding dragen die speciaal voor sporters is ontworpen, heeft verschillende voordelen, waarvan een van de belangrijkste bescherming tegen de elementen of ter voorkoming van blessures is. Speciale fabrikaten stellen hardlopers in staat warm en droog te blijven onder natte en koude weersomstandigheden; moderne loopschoenen brengen impact en controle over het bewegingsverloop in evenwicht om blessures te voorkomen en helmen kunnen ernstige kwetsuren van het hoofd voorkomen bij valpartijen.

Het soort sportkleding dat de sporter kiest of nodig heeft kan het sportprestatievermogen beïnvloeden. Bijna alles wat sporters tijdens de wedstrijd dragen is in meer of mindere mate aangepast in een poging het sportprestatievermogen te vergroten. Helmen, brillen, kleding, handschoenen, sokken en schoenen zijn speciaal ontworpen om minuten, seconden en zelfs duizendsten van een seconde te winnen. Sportkleding die een mechanisch voordeel biedt op de tegenstander kan als mechanisch ergogeen middel worden beschouwd.

Het ontwerpen van sportkleding voor ergogene doeleinden is gebaseerd op dezelfde natuurkundige principes die worden gebruikt om de biomechanica van het lichaam in de sport gunstig te beïnvloeden. Afhankelijk van de tak van sport, kan sportkleding zo zijn ontwikkeld dat het de weerstand van lucht of water en de effecten van de zwaartekracht verkleint, wrijving en elasticiteit toe- of afneemt, of het drijfvermogen vergroot. Zulke effecten kunnen het sportprestatievermogen verbeteren, zoals de volgende voorbeelden laten zien.

Vloeistofweerstand. Onderzoek uitgevoerd met behulp van windtunneltests toont duidelijk aan dat speciaal ontworpen sportkleding de zuigkracht of oppervlaktezuigkracht kan verminderen met een daarmee gepaard gaande afname van lucht- of waterweerstand. Bij hogensnelheidsporten als schansspringen, schaatsen en wielrennen, is alles wat de sporter draagt gestroomlijnd om het lichaam aërodynamischer te maken (figuur 5.4). Het stroomlijnen van de laarzen die worden gebruikt bij het hellingskiën levert misschien slechts een voordeel van een seconde op, maar dat kleine verschil kan doorslaggevend zijn. Het gebruik van zeer nauwsluitende pakken helpt bij hoge snelheid de luchtweerstand te verminderen met een percentage van 6 tot 16 procent, waardoor een wielrenner op de 4000 meter misschien een drie seconden snellere tijd kan zetten. Naar het lichaam gevormde zwempakken hebben in het water soortgelijke effecten, vooral bij de dames. Sommige onderzoeken suggereren dat het dragen van zulk soort pakken ook voor de heren nut kan hebben.

CLAUS ANDERSEN

Figuur 5.4
Nauwsluitende pakken kunnen in sommige sporten bij hoge snelheid de luchtweerstand verminderen.

Drijfvermogen. Een verbeterd drijfvermogen kan voordelig zijn voor zwemmers vanwege de hogere ligging in het water, waardoor een groter deel van het lichaam in lucht beweegt en de waterweerstand vermindert. Daarbij komt dat er minder energie hoeft te worden gestoken in het drijvend houden van het lichaam. Er lijken bij wedstrijdzwemmen niet veel mogelijkheden te zijn om de drijfbaarheid te verhogen, want constructies die de drijfbaarheid verhogen zijn verboden. Zwemmen is een van de drie onderdelen van triatlon, en deze sportevenementen worden meestal in een tijd van het jaar gehouden, dat de temperatuur van het water zorgt voor een snelle afkoeling van het lichaam. Het gebruik van wet suits zou de triatleet kunnen helpen hypothermie (extreem lage lichaamstemperatuur) te voorkomen, maar wet suits geven de sporter extra drijfvermogen. Wanneer wet suits worden toegestaan, is het niet onverstandig er een aan te trekken; onderzoek lijkt erop te wijzen dat er voor zowel de wedstrijdzwemmers als recreatietriatleten ergogeen voordeel valt te behalen. Australische onderzoekers vergeleken de tijden van getrainde zwemmers op de 1500 meter bij gebruik van drie verschillende zwem-outfits: een wet suit, een Lycra triatlonpak en een standaard zwempak. De tijden waren het best wanneer een wet suit werd gedragen, waarschijnlijk dankzij het extra drijfvermogen. Ander onderzoek lijkt erop te wijzen, dat topzwemmers die een bijna perfecte zwemtechniek hebben weinig extra voordeel zullen kunnen halen uit het dragen van wet suits.

Zwaartekracht. Zwaardere sportkleding zou het prestatievermogen kunnen verminderen omdat er meer energie gaat zitten in het overwinnen van de zwaartekracht. Dus gebruiken ontwerpers moderne materialen en fabricagetechnieken om zulke sporten een zo licht mogelijke uitrusting te kunnen bieden.

Hoewel allerlei delen van de sportkleding geprofiteerd hebben van onderzoek en ontwerp op dit gebied, hebben schoenen toch de meeste aandacht gekregen. Iedere vermindering van gewicht levert de sporter die over een langere periode snel moet bewegen voordeel op. Verschillende onderzoeken bevestigen die veronderstelling ook. In een onderzoek droegen hardlopers schoenen van verschillend gewicht terwijl ze bij een gegeven snelheid op een loopband liepen, waarbij onderwijl hun zuurstofverbruik werd gemeten.

Zoals kon worden verwacht, was het zuurstofverbruik van de hardlopers hoger als ze zwaardere schoenen droegen, een indicatie dat er meer energie nodig was dan wanneer de lopers lichtere schoenen droegen. De verwachte energiebesparing is ongeveer 0,28% per ounce

CHRIS HAMILTON

Figuur 5.5
De lichtgewicht high-tech materialen die nu worden gebruikt voor beenprothesen hebben het sportprestatievermogen beduidend verbeterd.

(28,35 gram), dus wanneer een loopschoen van 10 ounce wordt vervangen door een schoen van 5 ounce, kan het verschil bij een duurloop als de marathon een tijdwinst van enkele minuten betekenen.

Andere soorten loopschoenen zijn speciaal ontworpen om de opslag en afgifte van energie die een rol spelen bij de zwaartekracht beter te benutten. Bij de inslag van de voet, wordt energie van de zwaartekracht opgeslagen in speciale elastische materialen die worden gebruikt om het midden- en zijstuk van de schoen op te bouwen. Deze opgeslagen energie wordt weer vrijgegeven als de voet loskomt van de grond, waardoor de zuurstofbehoefte van hardlopers verminderd wordt, hetgeen een gunstig effect kan hebben op het prestatievermogen.

Bij de Paralympics, hebben high-tech materialen als koolstofvezel en titanium het gewicht van beenprotheses van geamputeerde sporters met 4 tot 7 kg verminderd, waardoor het prestatievemogen sterk toenam.

Wrijving. Bij sommige sporten is vermindering van wrijving zeer belangrijk, terwijl er ook sporten zijn waar men de wrijving juist wil opvoeren. Het gladde leer aan de onderkant van bowlingschoenen helpt de wrijving te verminderen en stelt de bowler in staat om de bal in een vloeiende glijbeweging richting te geven. Bij atletiekonderdelen helpen de spikes onder de schoenen wrijving te vergroten om uitglijden te voorkomen, waarbij gebruik wordt gemaakt van oppervlaktekrachten om de sporter voorwaarts te bewegen.

De juiste sportkleding kan sporters helpen hun prestatie te verbeteren. Serieuze wedstrijdsporters moeten voortdurend op de hoogte blijven over de ontwikkeling van sportkleding voor hun tak van sport. Veel van deze ontwikkelingen worden beschreven in populaire sporttijdschriften, zoals *Bicycling* en *Runner's World,* die voor bijna elke tak van sport verschijnen. Voor sporters op internationaal niveau wordt ook vaak sportkleding 'op maat' gemaakt.

Sportuitrusting

Omwille van wat we hier willen behandelen, maken we onderscheid tussen sportuitrusting en sportkleding. We verstaan onder sportuitrusting ieder attribuut dat voor de beoefening van een sport noodzakelijk is, of het nu een bal, instrument of voertuig betreft. Een basisvoorwaarde voor sportdeelname is, dat het voordeel van de sportuitrusting voor de wedstrijd niet van doorslaggevend belang mag zijn. Dit is bij zwemmen geen probleem omdat er nauwelijks uitrusting aan te pas komt. Maar bij sporten, zoals wielrennen, is de uitrusting van groot belang voor het succes van de sporter en kan een superieur ontwerp een duidelijk voordeel opleveren.

Om gelijke kansen te creëren voor de deelnemers, kennen alle sporten hun regels aangaande verschillende aspecten van de uitrusting, zoals gewicht, afmetingen en ontwerp. Hoewel ontwerpers weinig kunnen doen voor sommige sportattributen – zoals de kogel van 7.2 kg voor het kogelstoten, die niet erg aërodynamisch is – kunnen ze voor de uitrusting in andere takken van sport wonderen verrichten. We noemen als voorbeeld de oude regels voor het speerwerpen, waar men wel voorwaarden stelde aan de lengte en het gewicht van de speer, maar niet aan het ontwerp. Het gevolg was, dat ontwerpers een aërodynamische speer ontwierpen waarmee ruim over de 90 meter kon worden geworpen, hetgeen voor sommige locaties betekende dat de speren akelig dicht in de buurt van de toeschouwers kwamen, wat door de meesten niet erg werd gewaardeerd. Daarop werden de regels aangepast en de vrijheid van ontwerp aan banden gelegd.

Hoewel sportuitrusting om verschillende redenen wordt ontworpen, zoals comfort en veiligheid, is vanuit ergogeen oogpunt het verbeteren van het sportprestatievermogen door het behalen van mechanisch voordeel verreweg de belangrijkste. Bij sommige sporten bestaat een bepaalde vrijheid van ontwerp; de komst van *computer-assisted design*

BICYCLE SPORTS/JOHN COBB

Figuur 5.6
Geavanceerde testapparatuur helpt het aërodynamisch ontwerpen van sportuitrusting.

(CAD) heeft het ontwerpen van sportuitrusting enorm veranderd. Omdat de wetten van de natuurkunde onveranderbaar zijn, kunnen variabelen als gewicht, grootte, windsnelheid en andere in een computerprogram ingevoerd en verwerkt worden om de optimale constructie te berekenen. Op die manier, kunnen sporttechnologen door in het ontwerp rekening te houden met variabelen als vloeibaarheid, drijfvermogen, zwaartekracht en wrijvingskrachten de sporter mechanisch voordeel bieden (figuur 5.6).

Er wordt in de sport van verschillende basiscategorieën sportuitrusting gebruik gemaakt. Voorwerpen als ballen, speren en pijlen worden gebruikt met het oog op afstand of precisie. Gereedschap als tennisrackets, lacrosse-sticks en bogen worden gebruikt om voorwerpen te onderscheppen en om voorwerpen met kracht te retourneren of onder controle te krijgen. Een andere categorie uitrusting draait om het transport van de sporter; in sommige gevallen levert de sporter zelf de meeste energie voor voortbeweging, zoals bij wielrennen en cross-country skiën. In andere gevallen is de sporter alleen de bestuurder van het transportmiddel, zoals bij een bobslee of een zeilboot, waarbij de voortbeweging afhankelijk is van zwaartekracht of wind. Een belangrijk doel van ontwerpers is verhoging van de effectiviteit van verschillende soorten sportuitrusting zodat ze hun basisfunctie optimaal vervullen. We geven een aantal voorbeelden.

Sportvoorwerpen. Als het doel van een sport is een voorwerp met precisie of over een afstand te laten bewegen, dan kan het voorwerp zelf worden aangepast om aan deze vereisten te voldoen. Het veranderen van vorm en samenstelling van het voorwerp kan invloed hebben op zijn snelheid, vermogen tot afstand afleggen, of zijn precisie. De afstand die de speer kon afleggen werd aanmerkelijk vergroot door het aërodynamisch ontwerp van een afgeplat staarstuk, waardoor de wind er meer onder kon. Golfballen kunnen een grotere afstand afleggen door de vorm en het aantal deuken in het balletje te variëren. Bij boogschieten kunnen pijlen zo worden ontworpen dat ze met meer precisie op hun doel afgaan. We kunnen hier tal van voorbeelden aan toevoegen, maar in de meeste sporten zijn de eigenschappen van sportattributen streng gereglementeerd.

Vernieuwende materialen. Naar materialen die het menselijk lichaam of andere voorwerpen extra snelheid kunnen geven is veel onderzoek gedaan. Het resultaat van dit onderzoek heeft geleid tot aanzienlijke verbeteringen in het sportprestatievermogen. Een voorbeeld is de glasvezelpolsstok gebruikt bij het polsstokhoogspringen. Polsstokhoogspringers die aluminiumstokken gebruikten, probeerden jarenlang over de 4,5 meter grens te komen, wat uiteindelijk ook lukte. Direct nadat de glasvezelstok beschikbaar kwam, echter, sprongen de polsstokhoogspringers er met gemak overheen, en het nieuwe wereldrecord ligt tegenwoordig op boven de 6 meter (zie figuur 5.7).

De samenstelling van nieuwe materialen kan het kenmerkende uiterlijk van een sportattribuut ingrijpend veranderen. Uit onderzoek blijkt dat een honkbalknuppel van aluminium meer snelheid geeft aan de honkbal dan een houten knuppel. Deze ontdekking werd toegeschreven aan de gelijkmatige verdeling van het materiaal in de holle aluminium honkbalknuppel in vergelijking met de minder uniforme dichtheid van de houten knuppel. Kortom, de gelijkmatiger samenstel-

HUMAN KINETICS/TOM ROBERTS

Figuur 5.7 Vernieuwing van de samenstelling van de polsstok heeft geleid tot geweldige verbeteringen in het polsstokspringvermogen.

CASEY GIBSON

Figuur 5.8 Sommige fietsen kosten bijna 65000 gulden.

ling van het materiaal leverde een effectiever slagcentrum op, met als gevolg minder trilling of verspilde energie bij de impact waardoor meer snelheid kon worden verleend; het *slagcentrum* wordt ook wel *sweet spot* genoemd.

Een voordeel van een grotere bespanning van het tennisracket is een toename van het slagcentrum. Golfclubs en andere slaginstrumenten kunnen volgens dezelfde ontwerpprincipes worden verbeterd.

Sportvoertuigen. Ontwerpers hebben de mechanica van sportvoertuigen als de bobslee, slee, ski's, zeilboot en fiets een geweldige impuls gegeven. Het onderzoek heeft zich voornamelijk gericht op het verminderen van weerstand, zowel van 'vloeistoffen' als van wrijving. De fiets van een profwielrenner is zeer licht dankzij speciale legeringen, heeft een aërodynamisch ontwerp van zadel tot bidon, en is uitgerust met wielen en banden speciaal ontworpen om lucht- en rolweerstand te verminderen. Hij kan zelfs worden aangepast aan de specifieke bouw van de wielrenner. Zulke fietsen kunnen 65000 gulden of meer kosten.

Ons algemene advies aangaande sportuitrusting komt in wezen op hetzelfde neer als ons advies over sportkleding. Je moet de veranderingen in het ontwerp van sportuitrusting nauwlettend volgen en er je voordeel mee doen. Door populaire sportspecifieke tijdschriften te lezen blijf je op de hoogte.

Topsporters moeten natuurlijk in het bijzonder goed op de hoogte zijn. Wanneer ze niet de beschikking hebben over het best mogelijke materiaal, missen ze mechanisch voordeel en kan de wetenschap dat hun tegenstander beter is uitgerust hun mentale kracht ondermijnen. Hoewel de geavanceerdheid van voertuigen elkaar op topsportniveau niet erg ontloopt, zijn er toch situaties geweest waarin een ontwerp dat een fractie beter was van doorslaggevend belang bleek.

Voor de sporter op amateur- of recreatieniveau is training nog steeds de doorslaggevende factor. Je kan zo getraind zijn als een triatleet, maar als je met een krakkemikkige fiets aan de start verschijnt en je tegenstander heeft een topfiets van 15000 gulden, dan is de wedstrijd in wezen al gereden.

Als je serieus bezig bent met je sport en je wilt er echt alles uithalen, dan kun je investeren in de techniek om je sportprestatievermogen te vergroten. Maar zoals met de meeste dingen in het leven, hangt aan waardevolle dingen vaak een prijskaartje. Dat betekent, dat je mechanisch voordeel in deze voor een groot deel afhankelijk is van de dikte van je portemonnee.

Mechanisch voordeel: lengte, lichaamsbouw, massa en samenstelling

Precies zoals je van je ouders mogelijk de genen hebt meegekregen die in fysiologische en psychologische zin gunstig zijn voor sportief succes, heb je ook een aantal unieke morfologische kenmerken meegekregen die je mogelijk geschikt maken voor de ene sport en ongeschikt voor de andere. Lengte, lichaamsbouw, en de massa en samenstelling van je lichaam zijn morfologische of vormkenmerken die je voor bepaalde sporten een mechanisch voordeel kunnen opleveren.

Een geavanceerd ontwerp alleen maakt van een sporter nog geen winnaar, maar kan bij gelijke omstandigheden wel van doorslaggevend belang zijn.

Lichaamslengte kan voor bepaalde sporten een voordeel zijn, zoals hoogspringen. De langere sporter heeft een hoger zwaartepunt, en hoeft zijn lichaam dus niet zo ver omhoog te werken om over de lat te komen als een kortere collega. Daarentegen heeft een minder lange sporter voordeel bij turnonderdelen, zoals de rekstok, omdat hij in verhouding met zijn lichaamslengte relatief meer kracht heeft. Botlengte en breedte kan ook voordelig zijn. Mensen met lange armen hebben mogelijk voordeel bij het discuswerpen, terwijl mensen met kortere armen voordeel hebben bij gewichtheffen. Smalle heupen kan voor sprintsters voordelig zijn.

Beschrijving van Tom Dolan, een olympische zwemmer: 'Hij is zo lang en slank als een paling. Zijn armen lopen uit in handen als peddels, en als zijn voeten nog een ietsje groter waren, konden ze zo voor peddels doorgaan.'

– Gerry Callahan, redacteur Sports Illustrated

Lichaamstype (lichaamsvorm of somatotype) kan een belangrijke voorwaarde zijn voor deelname aan sportwedstrijden. Hoewel er voor een gegeven sport allerlei lichaamstypen succesvol kunnen zijn, blijkt uit onderzoek onder sporters dat bepaalde lichaamstypen neigen naar bepaalde takken van sport. Zo hebben de meeste tophardlopers op de lange afstanden een relatief slanke fysiek, zijn de meeste gewichtheffers zwaargespierd, en sumoworstelaars wat aan de dikke kant. Bij bodybuilding draait alles om lichaamstype en muscurariteit. Bij sommige sporten, zoals turnen, kunstschaatsen en duiken, is lichaamstype en vorm misschien niet de belangrijkste voorwaarde voor deelname, maar het kan vanuit esthetisch oogpunt wel in de waardering worden meegenomen.

Lichaamsmassa staat voor lichaamsgewicht, en lichaamssamenstelling voor de verhouding lichaamsvet en vetvrije massa (voornamelijk spiermassa). Lichaamsmassa op zich kan een voordeel zijn bij sporten als sumo, waarbij stabiliteit heel erg belangrijk is. Een grotere lichaamsmassa, met name van de vetvrije massa, kan de productie van power fors doen toenemen, wat belangrijk is voor krachtsporten als gewichtheffen. Omgekeerd, kan een overmatige lichaamsmassa, vooral van vet, een nadeel zijn voor turners en lange-afstandslopers, die hun lichaam van de grond moeten brengen of moeten voortbewegen (figuur 5.9).

Je kan weinig veranderen aan je lengte of botstructuur, maar je kan door training wel diverse biomechanische aspecten van je lichaam veranderen, waadoor het sportprestatievermogen toeneemt.

Gewichtscontrole en mechanisch voordeel

Voor veel sporten is aanpassing van het lichaamsgewicht een manier om mechanisch voordeel te behalen. Vermindering van het lichaamsgewicht kan het trekken van de zwaartekracht doen afnemen, en dat is voordelig bij sporten als turnen, waarbij het hele lichaamsgewicht moet worden 'gedragen'. Toename van het lichaamsgewicht betekent meer invloed van de zwaartekracht en wrijvingskrachten, wat voordelig kan zijn voor sumoworstelaars en verdedigers bij American Football.

Theoretische overwegingen en onderzoek lijken te wijzen op het belang van verandering van lichaamssamenstelling voor bepaalde sporten. Je lichaamsgewicht is opgebouwd uit een scala van weefsels, maar hier zullen we er slechts twee van bespreken: lichaamsvet en vetvrije massa. Het grootste deel van je vetvrije massa bestaat uit spierweefsel, en dat is voor ongeveer 70% water. Zo beschouwd is water dus een derde component van de lichaamssamenstelling. Hoewel uit onderzoek geen specifiek lichaamsvetpercentage of lichaamsgewicht ideaal is gebleken voor een bepaalde sport, is er wetenschappelijk toch voldoende grond om een aantal algemene uitspraken te doen.

Gewichtsverlies. Over het algemeen onderschrijft onderzoek de ervaring dat een hoog lichaamsvetpercentage een nadeel kan zijn voor sporten waarbij het lichaam snel of efficiënt moet worden voortbewogen, zoals hoogspringen of lange-afstandlopen. Uit epidemiologisch onderzoek blijkt dat een laag lichaamsvetpercentage vooral voorkomt bij sporters als lange-afstandlopers, hoogspringers, turners, balletdansers, sprinters en anderen, voor wie overmatig lichaamsvet een nadeel kan zijn. Uit proefondervindelijk onderzoek waarbij gewichten als nabootsing van lichaamsvet aan het lichaam van hardlopers werden bevestigd, bleek duidelijk dat het sportprestatievermogen van de lopers achteruit ging. Zulke bevindingen tonen onomwonden de basiswetten van de natuurkunde aan; het kost meer energie om een grotere massa tegen de zwaartekracht in te laten werken. Hoewel een zekere mate van lichaamsvet noodzakelijk is voor een functionerende fysiologie en goede gezondheid, is overgewicht letterlijk puur overlast. Uit inspanningsfysiologisch onderzoek bleek dat een hardloper van 72,5 kg op een marathon van 42.2 kilometer een winst kon verwachten van 6 minuten als hij 5% in gewicht zou zakken, bij voorkeur in vet (3.6 kg).

CLAUS ANDERSEN

Figuur 5.9 Een laag gewicht en lichaamsvetpercentage geeft bij bepaalde sporten biomechanisch voordeel, zoals turnen, terwijl een hoog gewicht en lichaamsvetpercentage voordelig kan zijn voor andere sporten, zoals sumo.

REUTERS/CORBIS-BETTMANN

Overmatig vet kwijtraken, wat bereikt kan worden door op een verstandige manier de voeding te wijzigen, verbetert de energie-efficiëntie doordat er minder gewicht hoeft te worden verplaatst.

Uit onderzoek blijkt dat langzaam gewicht verliezen door training en matige calorische beperking de sporter helpt zijn sportprestatievermogen te behouden. Het vetvrije spierweefsel kan worden vastgehouden met behulp van een doordacht trainingsprogramma. Zo kan een verstandige gewichtsvermindering bij bepaalde sporten een effectieve manier zijn om het sportprestatievermogen te vergroten.

Ondeugdelijke gewichtsreductieprogramma's echter, kunnen de gezondheid van sporters ondermijnen. Sommige sporters, vooral vrouwelijke, in sporten waar gewichtscontrole een belangrijke rol speelt, ontwikkelen een eetstoornis die ernstige gevolgen kan hebben. Bij vrouwelijke sporters kunnen eetstoornissen leiden tot verstoring van het hormonale huishouden, uitblijven van de menstruatie en verlies van botmassa. Zulke sporters lopen een verhoogd risico op botbreuken en voortijdige osteoporose (afname van botmassa). Uit sportmedisch onderzoek is gebleken dat sommige vrouwelijke sporters van in de twintig een botmineraaldichtheid hebben van een vrouw van in de zestig.

Bepaalde methoden om gewicht te verliezen, zoals overmatige dehydratie, extreem lage calorie-inname en het gebruik van laxeermiddelen

Volgens sportofficials overleed Chung-Sehoon, een veelbelovende Zuid-Koreaanse atleet, tijdens de Olympische Spelen 1996, aan een hartaanval, die waarschijnlijk werd veroorzaakt door een hongerdieet. Hij moest in zeer korte tijd ruim 8 kg afvallen om bij judo in zijn gewichtsklasse te kunnen uitkomen.

en plaspillen, kunnen zeer nadelig zijn voor diverse soorten sportprestatievermogen. In het ergste geval kan extreem gewichtsverlies zonder begeleiding fataal zijn.

Gewichtstoename. Een hoger lichaamsgewicht kan voor bepaalde sporten een voordeel zijn. Bij contactsporten als American Football of rugby, ijshockey en sumoworstelen, kan een hoger lichaamsgewicht de sporter meer stabiliteit en weerstandsvermogen geven. Hoewel een iets hoger lichaamsvetpercentage nuttig kan zijn voor zulke sporten, moet de bulk van het extra gewicht toch spiermassa zijn. Uit onderzoek blijkt, dat prof-footballers, en veel verdedigers in deze sport, een relatief laag lichaamsvetpercentage en veel spiermassa hebben. Daarbij komt, dat uit letterlijk honderden studies naar de effecten van gewichtstraining blijkt, dat een toename in spiermassa gepaard gaat met toename in kracht, power en prestatievermogen.

> Door gewichttraining... is mijn extra gewicht in het bovenlichaam allemaal spiermassa. Hoe sterker ik ben in mijn bovenlichaam, hoe beter ik in staat ben om in vorm te blijven. Dat is een van de redenen dat ik beter ben geworden op de 400 meter.
>
> *– Michael Johnson, de eerste olympische sporter die goud won op de 200 en 400 meter.*

Correcte gewichtstoename en -vermindering. Bij elk programma voor gewichtscontrole, of het nu om gewichtstoename of -vermindering gaat, is het belangrijk om verstandige voedingsprincipes te volgen. Over het algemeen moet je niet meer dan 1 kg per week proberen kwijt te raken, tenzij onder medische begeleiding. Een dagelijkse beperking van de calorische behoefte van 1000 calorieën levert per week een gewichtsvermindering van 1 kg op; zo'n tekort kan ook worden gecreëerd door 500 calorieën per dag te verbranden door training en door 500 calorieën onder de dagelijkse calorische behoefte te duiken. De hoeveelheid training die nodig is om 500 calorieën te verbranden komt ongeveer overeen met 7,5 km hardlopen. Vermindering van vetten en suikers in de voeding is meestal voldoende om 500 calorieën per dag te beperken.

Voor gewichtstoename in de vorm van spiermassa is een goed gewichttrainingsprogramma nodig, vrije gewichten of machines, in combinatie met een dagelijks calorisch extraatje van 400-500 calorieën.

Een gewichtstoename van 1 pond per week is op dit programma geen onrealistische verwachting. Vraag je huisarts of sportarts om een verstandig gewichtscontroleprogramma.

MECHANISCH VOORDEEL EN VERMOEIDHEID

Zoals vermeld in de hoofdstukken 3 en 4, kan vermoeidheid worden veroorzaakt door het onvermogen voldoende fysieke power te produceren of het tekort aan mentale kracht om die power te verdelen. Vermoeidheid kan ook worden veroorzaakt door een gebrekkig mechanisch voordeel. Een slechte mechanica of biomechanica in sport, zoals hieronder genoemd, heeft inefficiënte beweging tot gevolg en maakt een sporter gevoelig voor voortijdige vermoeidheid.

1. Ondermaatse biomechanische sportvaardigheden hebben een negatief effect op het vermogen in beweging te blijven en/of het vermogen weerstand tegen beweging te overwinnen.

2. Het gebruik van inferieure sportkleding en uitrusting kan bij een bepaalde sport verspilling van energie tot gevolg hebben.

3. Een overmatige opbouw van lichaamsmassa, met name lichaamsvet, kan mechanisch nadeel tot gevolg hebben doordat het in de regel meer energie kost om de extra massa in beweging te brengen. Een massa daarbij die tijdens de training niet bijdraagt aan de energieproductie. Omgekeerd kan een eenzijdig ontwikkelde lichaamsmassa, vooral spiermassa, een nadeel zijn bij sporten waarbij een verhoogde stabiliteit van belang is.

SPORTERGOGENE MIDDELEN VOOR MECHANISCH VOORDEEL

Correcte training om biomechanische sportvaardigheden te ontwikkelen en de lichaamssamenstelling in gunstige zin te veranderen, is een belangrijke manier om mechanisch voordeel te behalen. Dat kan door het gebruik van de juiste sportkleding en sportuitrusting ook, maar in strikte zin gesproken zijn dit geen sportergogene middelen.

Zoals vermeld in tabel 5.1, worden nutritionele, farmacologische en fysiologische sportergogenica gebruikt om de lichaamsmassa en de samenstelling ervan aan te passen.

In hoofdstuk 6 wordt een overzicht gegeven van de nutritionele, farmacologische en fysiologische sportergogene middelen waarvan mechanisch voordeel wordt verwacht, voornamelijk door de sporter te helpen bij het winnen van spiermassa of het verlagen van het lichaamsvetpercentage. In hoofdstuk 8 worden de details gegeven omtrent hun effectiviteit, veiligheid en de juridische en ethische aspecten verbonden met hun gebruik.

TABEL 5.1

SPORTERGOGENE MIDDELEN TER VERGROTING VAN HET MECHANISCH VOORDEEL

1. Lichaamsmassa of spiermassa vergroten.
   Nutritionele sportergogenica: Aminozuren
   Farmacologische sportergogenica: Anabole steroïden
   Fysiologische sportergogenica: Creatine
2. Vermindering lichaamsmassa of vetmassa
   Nutritionele sportergogenica: Chroom
   Farmacologische sportergogenica: Diuretica
   Fysiologische sportergogenica: Humaan Groeihormoon

6

Sportprestatiefactoren voor specifieke sporten

Elke sport heeft zijn eigen specifieke sportprestatiefactoren (SPF) met betrekking tot fysieke power, mentale kracht en mechanisch voordeel. Voor bepaalde sporten heb je veel power nodig, voor andere juist weer weinig. Voor sommige sporten is opwinding gunstig, terwijl voor andere een grote rust gewenst is. Er zijn sporten waar mechanisch voordeel een grote of minder grote rol speelt.

Sportergogene middelen zijn ontworpen om specifieke SPF te verbeteren. Sommige slagen daarin, andere weer minder.

Dit hoofdstuk helpt je de SPF van je eigen sport te bepalen, en van welke sportergogene middelen je mogelijk profijt kan hebben.

SPORTPRESTATIEFACTOREN (SPF)

De meeste sporten kennen een complexe verzameling SPF die allemaal een rol spelen bij het neerzetten van een goede prestatie. Nemen we de holistische benadering, dan moet elke SPF (inclusief de vele onderverdelingen) voor een gegeven sport bekeken en geanalyseerd worden in relatie met de andere sportspecicieke SPF. Kortom, een goed sportprestatievermogen is de som totaal waaraan alle sportspecifieke SPF bijdragen.

> De Australische roeifederatie werkte met trainers en sportwetenschappers om een sportprofiel van die vrouwelijke sporters op te stellen waarvan men dacht dat ze het potentieel hadden om toproeiers te worden.
>
> – *Jay Kearney, inspanningsfysioloog, USOC*

Bekijken we de zaak vanuit een reductionistisch standpunt, dan proberen we aparte SPF te identificeren, maar vereenvoudigen het proces door ze in diverse algemene categorieën samen te vatten. Hoewel we daarbij een zekere mate van specificiteit verliezen, lijkt het toch een goede manier om de belangrijkste SPF op te sporen die met behulp van sportergogene middelen zouden kunnen worden verbeterd. In tabel 6.1 zijn de algemene SPF voor fysieke power, mentale kracht en mechanisch voordeel samengevat, die mogelijk kunnen worden verbeterd met behulp van sportergogene middelen; een uitgebreidere bespreking van de SPF in de drie algemene categorieën hebben we gegeven in respectievelijk hoofdstuk 3, 4, en 5. We geven in de volgende paragrafen nog een kort overzicht, en gebruiken daarbij hardloopwedstrijden als voorbeeld.

TABEL 6.1
SPORTPRESTATIEFACTOREN

Fysieke power (energieproductie)
- Explosieve power en kracht
- High power en snelheid
- Conditionele power
- Aërobe power
- Aëroob uithoudingsvermogen

Mentale kracht (neuromusculaire controle)
- Opwinding
- Ontspanning

Mechanisch voordeel (efficiëntie)
- Toename spieren/lichaamsmassa
- Vermindering lichaamsvet/lichaamsmassa

Fysieke power

Met explosieve kracht en power wordt het vermogen bedoeld zeer snel kracht te kunnen produceren. Explosieve kracht, vaak explosieve power genoemd, is het vermogen om zeer snel dynamische kracht in te zetten (een seconde of zo), zoals bij de 100 meter sprint. Bij explosieve kracht kan ook statische of isometrische kracht zijn betrokken, zoals een gelijk opgaan bij de startfase van het armworstelen. ATP is de belangrijkste energiebron die wordt gebruikt voor explosieve kracht of power.

Met high power of snelheid wordt eveneens het vermogen bedoeld om zeer snel kracht te produceren, maar voor een iets langere periode (5-30 seconden) dan bij explosieve power. Snelheid is anaërobe power. Bij atletiek is de 100 en 200 meter sprint in hoge mate een kwestie van snelheid kunnen ontwikkelen. Het kan noodzakelijk zijn om voor dezelfde perioden een hoge mate van isometrische kracht aan te houden. CP is een primaire energiebron, gebruikt om snelheid en een hoge mate van isometrische kracht te kunnen ontwikkelen.

Met conditionele power, of anaëroob uithoudingsvermogen, wordt het vermogen bedoeld om een hoge mate van spierkrachtontwikkeling voor ongeveer 45 seconden tot 2 minuten vol te houden, zoals bij de 400 en 800 meter hardlopen. Langdurige high power productie met intervallen, zoals bij voetballen, kan leiden tot een progressieve opbouw van melkzuur, hetgeen een teken kan zijn van conditionele power. Spierglycogeen is de belangrijkste energiebron gebruikt door de FT spiervezels om conditionele power te kunnen ontwikkelen.

Met aërobe power wordt het vermogen bedoeld om over een periode van 13-30 minuten een zo maximaal mogelijk zuurstofverbruik vol te houden. Bij hardlopen zijn de 5 en 10 kilometer evenementen waar een grote aërobe power voor nodig is. Spierglycogeen is de belangrijkste energiebron die wordt gebruikt door de ST spiervezels, en een aantal FT spiervezels, om aërobe power te kunnen ontwikkelen.

Met aëroob uithoudingsvermogen wordt het vermogen bedoeld om kracht te ontwikkelen uit verbrandingsprocessen op een lager percentage van de VO_2 max in vergelijking met aërobe power, maar kan uren worden volgehouden, zoals bij marathons (42.2 km) en ultramarathons (100 km). Als energiebronnen worden spierglycogeen, bloedsuiker, spiertriglyceriden en vrije vetzuren gebruikt.

Mentale kracht

Met opwinding of prikkeling wordt het vermogen bedoeld het zenuwstelsel 'wakker' te schudden, waardoor psychologische functies als reactiesnelheid, visuele scherpte, en complexe spiercoördinatie toenemen en bijdragen aan een maximale energieproductie. Prikkeling kan zorgen dat je sneller reageert op het startschot voor de 100 meter sprint.

Met ontspanning, of onderdrukking, wordt het vermogen bedoeld om de zenuwen te kalmeren. Een kalmerend effect kan een overmaat aan spanning of pijn verminderen die een optimale psychische gesteldheid en energieontwikkeling in de weg staan. Ontspanning kan een nerveuze sprinter helpen een valse start op de 100 meter te voorkomen.

Mechanisch voordeel

Een grotere lichaamsmassa, voornamelijk spiermassa maar ook lichaamsvet, betekent voor bepaalde sporten een groter vermogen externe krachten te weerstaan, zoals je dat ziet bij de enorme stabiliteit van een sumoworstelaar van 200 kg. Een toename in spiermassa kan, als het bijdraagt aan de energieproductie, voor sprinters voordelig zijn. Maar een toename in lichaamsmassa, met name vet, zal over het algemeen de aërobe power en het uithoudingsvermogen van een sporter verminderen.

Een vermindering van lichaamsmassa, vooral van lichaamsvet, betekent een groter vermogen om weerstand tegen spierkracht die wordt ingezet om het lichaam voort te bewegen te overwinnen. Dat is goed te zien aan de grote efficiëntie waarmee een slanke lange-afstandsloper zich beweegt.

SPORT EN SPORTPRESTATIEFACTOREN

Succes in sport is afhankelijk van een heel scala fysiologische, psychologische en biomechanische SPF. Bepaling van de belangrijkste SPF is bij de ene sport minder moeilijk dan de andere. Een gewichtheffer bijvoorbeeld, heeft explosieve kracht, een hoge mate van opwinding, en een grote(re) spiermassa nodig. Bij een tienkamper of zevenkamper spelen een grotere variatie aan SPF een rol, waaronder explosieve kracht, high power of snelheid, conditionele power en aërobe power; een stimulerend effect kan gunstig zijn voor het ene onderdeel, terwijl voor een ander onderdeel juist weer een kalmerend effect gewenst is. Hetzelfde kan overigens worden gezegd voor een toename of afname in lichaamsmassa.

Tabel 6.2 geeft de algemene SPF voor sporters die in verschillende sporten en/of onderdelen uitkomen. Andere SPF kunnen ook een rol spelen, maar de genoemde SPF worden de belangrijkste geacht. Om tabel 6.2 te gebruiken, moet je je sport opzoeken en de corresponderende SPF opschrijven die voor de sport van belang zijn.

Bij de volgende opsomming van sporten en SPF moeten steeds de drie algemene categorieën SPF: fysieke power, mentale kracht en mechanisch voordeel in het achterhoofd worden gehouden.

TABEL 6.2

SPORTEN EN SPORTPRESTATIEFACTOREN

SPORT	FYSIEKE POWER					MENTALE KRACHT		MECHANISCH VOORDEEL	
	Explo-sieve kracht	**High power**	**Conditio-nele power**	**Aërobe power**	**Aëroob uithoudings-vermogen**	**Opwinding**	**Ontspanning**	**Vetverlies**	**Spiermassa aanzetten**
American Football Lineman Linebacker	X	X				X			X
American Football Offensive back Defensive Back	X	X				X		X	X
Atletiek (zie veld- en baansporten)									
Atletiekonderdelen 100-200 m	X	X				X		X	
Atletiekonderdelen 400-800 m		X	X			X		X	
Atletiekonderdelen 5000-10.000 m				X		X		X	
Atletiekonderdelen Springen, Hoogspringen, Verspringen, Hink-stap-springen, Polsstokhoogspringen	X					X		X	
Atletiekonderdelen Werpen: discus, hamer, speer, kogel	X					X			X

Australisch Football	X	X				X		X	X
Autoracen						X			
Badminton	X	X		X		X			
Basketbal	X	X	X			X		X	X
Bergklimmen	X			X	X	X		X	
Boogschieten							X		
Biathlon (schieten, cross-country skiën)				X			X	X	
Biljarten							X		
Boksen						X		X	
Bowlen							X		
Budosporten Jiujitsu Judo Karate	X					X		X	
Cricket	X	X				X			
Diepzeevissen			X			X			
Gewichtheffen	X					X		X	X
Golf	X						X		
Handbal	X	X				X			

TABEL 6.2 (VERVOLG)
SPORTEN EN SPORTPRESTATIEFACTOREN

SPORT	FYSIEKE POWER				MENTALE KRACHT			MECHANISCH VOORDEEL	
	Explosieve kracht	**High power**	**Conditionele power**	**Aërobe power**	**Aëroob uithoudingsvermogen**	**Opwinding**	**Ontspanning**	**Vetverlies**	**Spiermassa aanzetten**
Hardlopen (zie ook atletiek) Marathon (42.2 km, 26.2 km) Ultramarathons (50 km en meer)					X			X	
Hockey	X	X	X			X		X	
Honkbal	X	X				X		X	X
Kanoën/kajakken stil/wildwater	X		X			X			
Kunstschaatsen	X						X	X	
Lacrosse	X	X	X			X		X	
Motorbootracen						X			
Motorcross						X			
Oriëntatielopen				X				X	
Paardenraces						X			

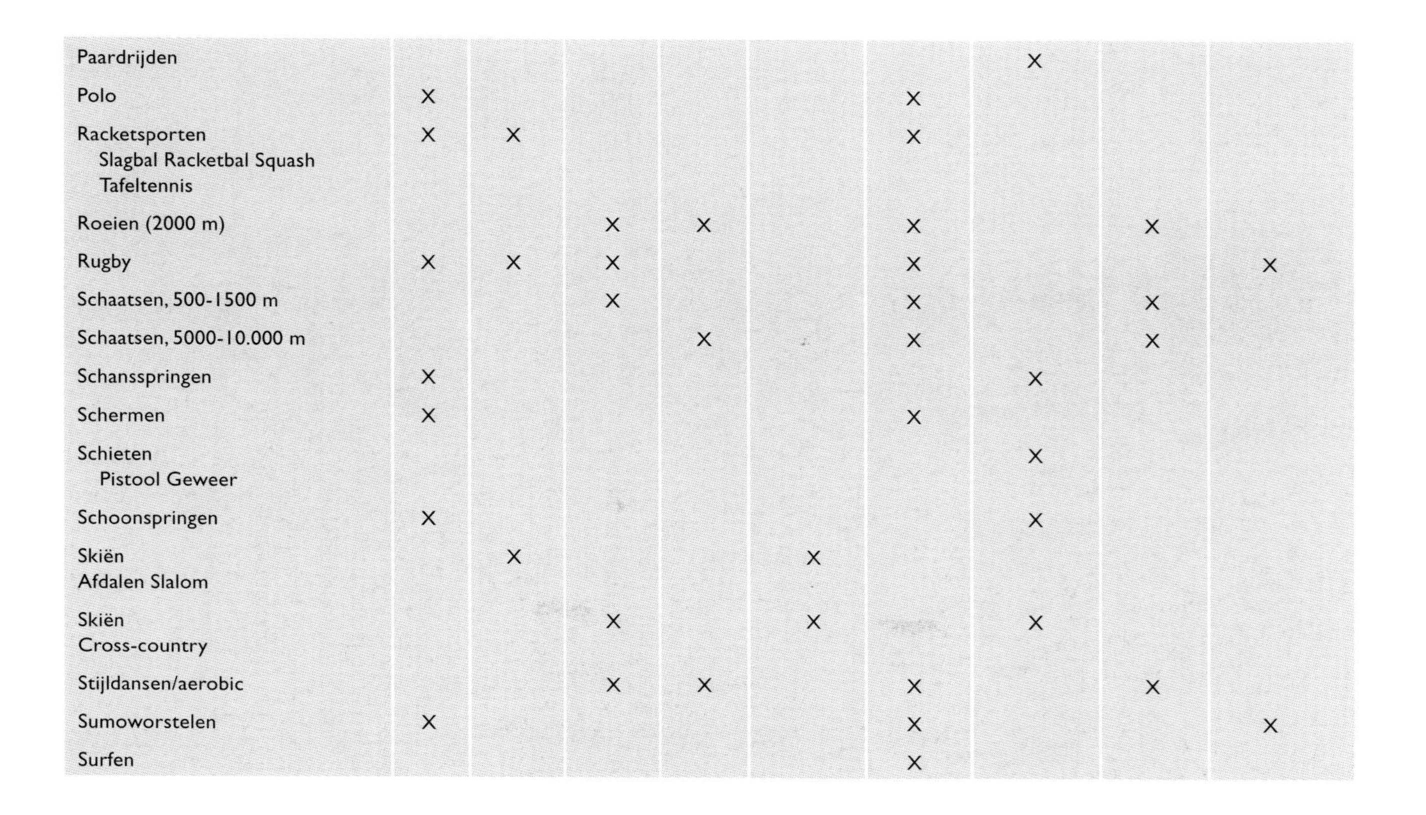

Paardrijden							×		
Polo	×					×			
Racketsporten Slagbal Racketbal Squash Tafeltennis	×	×				×			
Roeien (2000 m)			×	×		×		×	
Rugby	×	×	×			×			×
Schaatsen, 500-1500 m			×			×		×	
Schaatsen, 5000-10.000 m				×		×		×	
Schansspringen	×						×		
Schermen	×					×			
Schieten Pistool Geweer							×		
Schoonspringen	×						×		
Skiën Afdalen Slalom		×			×				
Skiën Cross-country			×		×		×		
Stijldansen/aerobic			×	×		×		×	
Sumoworstelen	×					×			×
Surfen						×			

TABEL 6.2 (VERVOLG)
SPORTEN EN SPORTPRESTATIEFACTOREN

SPORT	FYSIEKE POWER					MENTALE KRACHT		MECHANISCH VOORDEEL	
	Explo-sieve kracht	**High power**	**Conditio-nele power**	**Aërobe power**	**Aëroob uithoudings-vermogen**	**Opwinding**	**Ontspanning**	**Vetverlies**	**Spiermassa aanzetten**
Synchroonzwemmen				X			X		
Tienkamp (kogelstoten, discuswerpen, verspringen, hoogspringen, polsstokhoogspringen, 100 meter sprint, 110 meter horden, 400, 1500 meter hardlopen)	X	X	X	X		X	X	X	X
Triathlon (1 km zwemmen, 40 km fietsen, 10 km hardlopen)				X		X		X	
Turnen Rekstok, paard, ringen, brug ongelijke leggers	X	X					X	X	

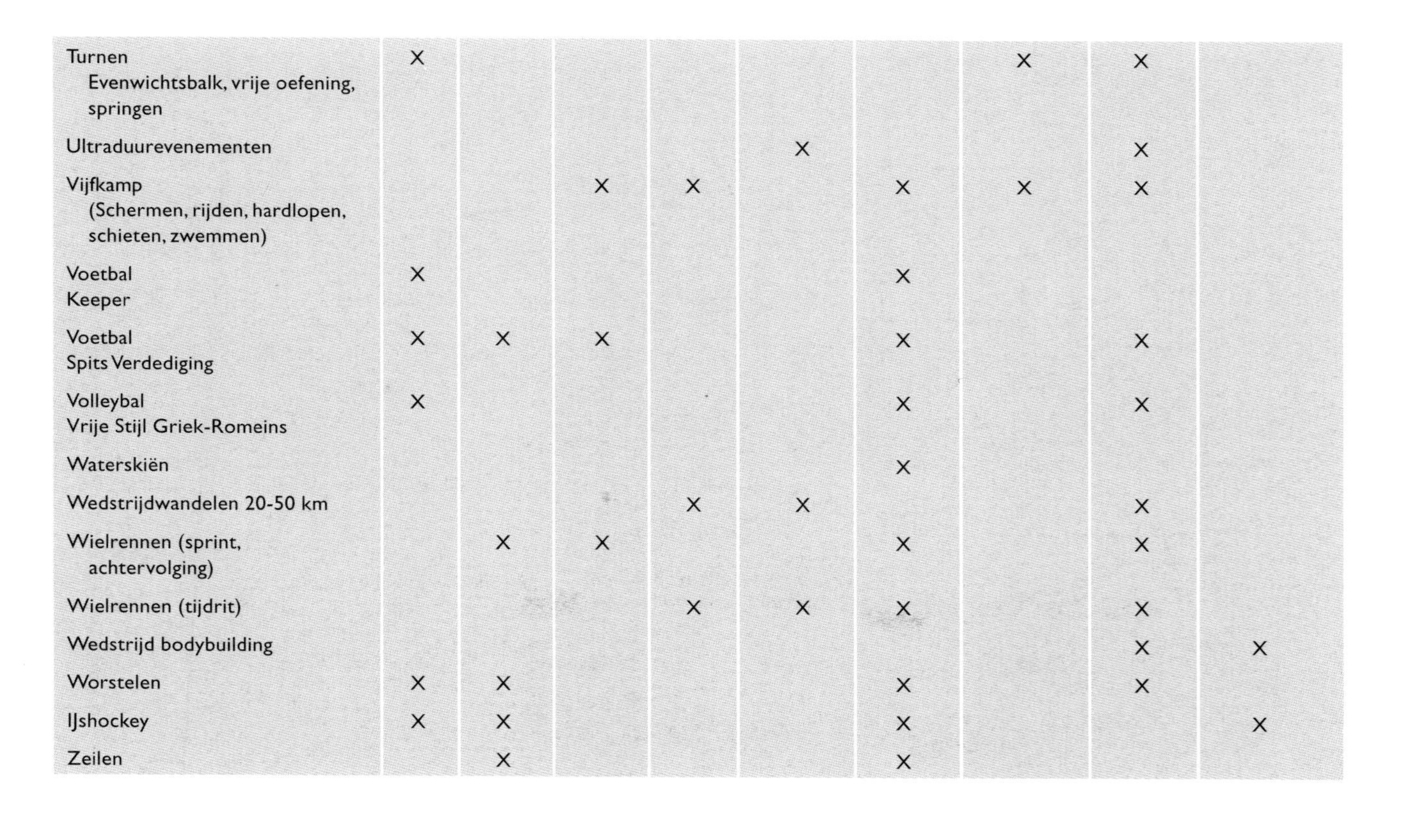

Turnen Evenwichtsbalk, vrije oefening, springen	X						X	X	
Ultraduurevenementen					X			X	
Vijfkamp (Schermen, rijden, hardlopen, schieten, zwemmen)			X	X		X	X	X	
Voetbal Keeper	X					X			
Voetbal Spits Verdediging	X	X	X			X		X	
Volleybal Vrije Stijl Griek-Romeins	X					X		X	
Waterskiën						X			
Wedstrijdwandelen 20-50 km				X	X			X	
Wielrennen (sprint, achtervolging)		X	X			X		X	
Wielrennen (tijdrit)				X	X	X		X	
Wedstrijd bodybuilding								X	X
Worstelen	X	X				X		X	
IJshockey	X	X				X			X
Zeilen		X				X			

TABEL 6.2 (VERVOLG)

SPORTEN EN SPORTPRESTATIEFACTOREN

SPORT	FYSIEKE POWER					MENTALE KRACHT		MECHANISCH VOORDEEL	
	Explosieve kracht	**High power**	**Conditionele power**	**Aërobe power**	**Aëroob uithoudingsvermogen**	**Opwinding**	**Ontspanning**	**Vetverlies**	**Spiermassa aanzetten**
Zevenkamp (kogelstoten, speerwerpen, hoogspringen, 200 meter sprint, 100 meter horden, 800 meter hardlopen	X	X	X			X		X	X
Zwemmen, sprint 100-200 m			X			X			
Zwemmen, duur 400-1500 m Open waterzwemmen				X		X			

Fysieke power

Bij veel sporten speelt een mix van de drie energiesystemen een rol. Voor een sprint op de 200 meter, bijvoorbeeld, heb je alledrie energiesystemen nodig, maar het ATP-CP energiesysteem wordt het meest aangesproken. Bij sommige sporten, zoals de tienkamp, worden alle energiesystemen fors aangesproken. Voor bepaalde sporten moet je meer dan een SPF voor fysieke power controleren.

Mentale kracht

Opwinding is de belangrijkste SPF voor mentale kracht voor de meeste sporten, maar ontspanning kan helpen bij sporten waar nervositeit het prestatievermogen in de weg zit. Het effect van opwinding of ontspanning kan per sporter verschillen. Turners hebben waarschijnlijk het meeste voordeel van opwinding; voor een zeer nerveuze turner echter, kan overmatige opwinding het prestatievermogen verminderen, terwijl ontspanningsoefeningen de zenuwen tot bedaren kunnen brengen en de sporter helpen in de juiste staat van opwinding te geraken.

Mechanisch voordeel

In de meeste takken van sport wil de sporter spiermassa aanzetten en vet verliezen. Met uitzondering van een paar sporten, zoals sumo en langeafstandzwemmen, zal vetverlies het prestatievermogen opvoeren. Een toename in spiermassa verhoogt het potentieel aan fysieke power, maar kan ook de massa of weerstand tegen beweging vergroten. Een tienkamper kan in sommige gevallen voordeel hebben van extra spiermassa, zoals bij het kogelstoten, maar dezelfde spiermassa kan zich tegen hem keren, zoals bij de 1500 meter hardlopen.

Sporters moeten zich bewust zijn van de SPF die inherent zijn aan hun sport, en in gedachten houden dat de SPF in tabel 6.2 voor hen misschien aangepast moeten worden.

SPORTPRESTATIEFACTOREN EN SPORTERGOGENE MIDDELEN

Tabel 6.3 geeft een overzicht van alle sportergogene middelen die in hoofdstuk 8 worden behandeld, plus hun belang voor de vijf SPF van fysieke power, de twee SPF voor mentale kracht, en de twee SPF voor mechanisch voordeel. Om tabel 6.3 te gebruiken, moet je de SPF die voor je sport belangrijk zijn opzoeken in tabel 6.2, en dan in tabel 6.3 de sporterogene middelen opzoeken die je SPF mogelijk helpen verbeteren, hetgeen wordt aangegeven met een X.

Onthoud dat de X alleen betekent dat voor het ergogene middel een theoretisch verband is gelegd met de SPF en dat er nog het nodige onderzoek moet worden verricht omtrent het daadwerkelijke nut voor een SPF. Belangrijk ook is te onthouden, dat een X niet betekent dat het sportergogene middel ook echt effect heeft.

Als je geïnteresseerd bent in wat wetenschappelijk onderzoek te zeggen heeft over de effectiviteit van een bepaald sportergogeen middel, vind je in hoofdstuk 8 een uitgebreide bespreking aangaande veiligheid, juridische en ethische aspecten van de sportergogene middelen, naast algemene aanbevelingen voor gebruik.

TABEL 6.3

SPORTERGOGENE MIDDELEN EN SPORTPRESTATIEFACTOREN

SPORTERGOGENE MIDDELEN	FYSIEKE POWER					MENTALE KRACHT		MECHANISCH VOORDEEL	
kracht	**Explosieve power**	**High power**	**Conditionele power**	**Aërobe power**	**Aëroob uithoudingsvermogen**	**Stimulatie/ Opwinding**	**Ontspanning Pijnonderdrukking**	**Verlies vet/ lichaamsmassa**	**Aanzetten spieren/ lichaamsmassa**
Alcohol							X		
Amfetamines	X	X	X	X	X	X		X	
Anabole fytosterolen	X	X	X					X	X
Anabole/androgene steroïden	X	X	X	X	X				
Analgetica							X		
Antioxidanten	X	X	X	X	X				
Arginine, lysine, ornitine	X	X	X					X	X
Aspartaten				X	X				
Beta-blokkers							X		
Beta-2 agonisten	X	X	X	X	X	X			X
Bijenpollen		X	X	X					
Bloeddoping				X	X				
Boron	X	X	X					X	X

TABEL 6.3 (VERVOLG)

SPORTERGOGENE MIDDELEN EN SPORTPRESTATIEFACTOREN

SPORTERGOGENE MIDDELEN	FYSIEKE POWER				MENTALE KRACHT			MECHANISCH VOORDEEL	
kracht	**Explo-sieve power**	**High power**	**Conditio-nele power**	**Aërobe power**	**Aëroob uithoudings-vermogen**	**Stimulatie/ Opwin-ding**	**Ontspanning Pijnonder-drukking**	**Verlies vet/ lichaams-massa**	**Aanzetten spieren/ lichaams-massa**
Cafeïne		X	X	X	X	X			
Calcium	X	X	X	X	X				
Carnitine			X	X	X				
Choline					X				
Chroom	X	X	X		X			X	X
Cocaïne	X	X	X	X	X	X			
Coenzyme Q10				X	X				
Creatine		X							X
DHEA (Dehydroepiandrosteron)	X	X	X					X	X
Diuretica								X	
Efedrine	X	X	X	X	X	X		X	
Eiwitsupplementen	X	X	X						X
EPO			X	X					

Foliumzuur				X	X				
Fosfaten	X	X	X	X	X				
Ginseng		X	X	X	X				
Glycerol				X	X				
HMB	X	X	X					X	X
Humaan groeihormoon	X	X	X					X	X
Inosine	X	X		X	X				
Ketenvorm-aminozuren (BCAA)					X	X			
Koolhydraatsupplementen			X	X	X				
Magnesium	X			X	X				X
Marihuana						X	X		
Multivitamines/ mineralensupplementen	X	X	X	X	X		X		X
Natriumbicarbonaat			X						
Niacine			X	X	X				
Nicotine	X	X	X	X	X	X			
Nutraceuticals	X	X	X					X	X
Omega-3 vetzuren				X	X				X
Pantotheenzuur				X	X				
Riboflavine				X	X				
Selenium				X	X				
Testosteron en HcG	X	X	X					X	X

TABEL 6.3 (VERVOLG)

SPORTERGOGENE MIDDELEN EN SPORTPRESTATIEFACTOREN

SPORTERGOGENE MIDDELEN	FYSIEKE POWER					MENTALE KRACHT		MECHANISCH VOORDEEL	
kracht	**Explo-sieve power**	**High power**	**Conditio-nele power**	**Aërobe power**	**Aëroob uithoudings-vermogen**	**Stimulatie/ Opwin-ding**	**Ontspanning Pijnonder-drukking**	**Verlies vet/ lichaams-massa**	**Aanzetten spieren/ lichaams-massa**
Thiamine				X	X		X		
Tryptofaan			X	X			X		
Vanadium	X	X	X						X
Vetsupplementen					X				
Vitamine B6	X	X	X	X	X		X		X
Vitamine B12	X	X	X	X	X		X		X
Vitamine B15				X	X				
Vitamine C				X	X				
Vitamine E				X	X				
Vochtsuppletie				X	X				
IJzer				X	X				
Yohimbe	X	X	X					X	X
Zink	X	X	X						X
Zuurstofsuppletie			X	X	X				

7

Vier grote vragen over ergogene middelen

Om verder te komen dan hun erfelijke aanleg en optimale fysiologische, psychologische en biomechanische training toestaat, wenden veel sporters zich tot het gebruik van ergogene middelen in een poging hun prestatievermogen en competitieve voordeel op hun tegenstanders te vergroten. Uit vragenlijsten blijkt dat sporters geloven dat ergogene middelen een essentieel onderdeel zijn van hun succes.

Uit enquètes blijkt eveneens dat sporters een heel scala aan ergogene middelen gebruiken. Door de eeuwen heen hebben sporters letterlijk honderden verschillende nutritionele, farmacologische en fysiologische ergogene middelen gebruikt. De afgelopen vijftig jaar is het gebruik van ergogene middelen in de sport op alle wedstrijdniveaus doorgedrongen. Er zijn verschillende, met elkaar in verband staande factoren die hieraan mogelijk hebben bijgedragen, waaronder (a) de enorm toegenomen populariteit van sport, zowel de top- als amateursport, (b) de gelijktijdige toename in financiële en andere middelen die succesvolle sporters tegenwoordig ten deel vallen, (c) de sterke groei van geavanceerd biomedisch en voedingsonderzoek dat heeft geleid tot de ontwikkeling van medicijnen en voedingssupplementen die theoretisch gezien het sportprestatievermogen kunnen opvoeren en (d) de opkomst van sportwetenschappen en inspanningsfysiologie als gerespecteerde wetenschappen, met een toenemende aandacht voor en begrip van de fysiologische, psychologische en biomechanische facto-

> Opinie: 'Drie van de vier atletiekers en veldsporters die in Atlanta deelnamen gebruikten een of ander prestatiebevorderend middel.'
>
> – *Michael Turner, British Olympic Association Medical Committee*

ren die aan het sportprestatievermogen ten grondslag liggen; en hoe de factoren die bijdragen aan het sportprestatievermogen kunnen worden opgevoerd.

De kwestie van kosten en beschikbaarheid daargelaten, kunnen de antwoorden op vier belangrijke vragen van invloed zijn op je beslissing al of niet gebruik te maken van ergogene middelen om je sportprestatievermogen op te voeren.

- Is het middel effectief?
- Is het middel veilig?
- Is het middel legaal?
- Is gebruik van het middel ethisch verantwoord?

EFFECTIVITEIT VAN SPORTERGOGENE MIDDELEN

Het is niet erg waarschijnlijk dat je een ergogeen middel zou gebruiken als het niet effectief was. Maar hoe weet je of een ergogeen middel echt werkzaam is? Er zijn diverse manieren waarop je de effectiviteit van een ergogeen middel kan beproeven, dat wil zeggen, of het de gewenste resultaten geeft.

Advertenties

Zolang sporters geloof hechten aan het idee dat er een magisch middel bestaat dat hun prestatievermogen verbetert, zullen ondernemers daarop met producten inspelen. In een recent onderzoek naar 12 tijdschriften die voornamelijk bodybuilders als doelgroep hebben, werden op het gebied van sportvoedingssupplementen maar liefst 89 merken, 311 producten en 235 verschillende ingrediënten geteld: het meest werden aminozuursupplementen onder de aandacht gebracht, met spiergroei als vaakst genoemde voordeel.

Fabrikanten die sportergogene middelen op de markt brengen doen dat natuurlijk om een boterham te verdienen. En dan wordt de waarheid omtrent een ergogeen middel, vooral sportvoedingssupplementen, wel eens een weinig opgerekt. Zo zijn aminozuren bijvoorbeeld betrokken bij een aantal belangrijke stofwisselingsprocessen in het lichaam, waaronder de eiwitsynthese nodig voor spieropbouw. Daarom is een aminozuurcomplex waarmee geadverteerd wordt als zijnde 'bevorderlijk voor spiergroei' acceptabel. Dit neemt niet weg dat hoogwaardige aminozuurcomplexen beduidend duurder zijn dan een gelijke hoeveelheid hoogwaardig eiwit of aminozuren die van nature voorkomen in voedingsbronnen als magere melk of mager vlees, vis en gevogelte.

Advertenties kunnen behoorlijk misleidend en op tal van manieren bevooroordeeld zijn. Uit hun context gerukte onderzoeksresultaten, aanbevelingen van bekende sporters, en gepatenteerde producten zijn een aantal voorbeelden van hoe sportergogene middelen aan de man gebracht worden; geen van deze manieren biedt ook maar enige garantie over de effectiviteit van het middel. Een patent, bijvoorbeeld, betekent niets meer dan dat een product uniek is en niet mag worden nagemaakt; de instantie die het patent verleent doet naar de effectiviteit van het middel in het geheel geen onderzoek.

Artikelen in sporttijdschriften en handelspublicaties

Als je bepaalde sporttijdschriften leest, krijg je de indruk dat bepaalde voedingsstoffen van essentieel belang zijn voor een optimaal prestatievermogen. Diverse bodybuildingtijdschriften voeren geregeld artikelen waarin de voordelen van aminozuren voor het opbouwen van kracht en massa worden behandeld. De uitgevers van deze magazines brengen een heel scala aan peperdure aminozuursupplementen in beeld en adverteren er in hetzelfde magazine ook heftig mee. De auteurs van dit soort artikelen worden beschermd door de vrijheid van meningsuiting, en mogen dus hun mening ventileren dat deze supplementen je enorm helpen massa en kracht op te bouwen. Daar staat tegenover, dat het verboden is om claims te doen die niet waargemaakt kunnen worden. Als wakkere lezer moet je in de gaten hebben waarom de uitgever bepaalde artikelen dicht in de buurt van bepaalde advertenties wil hebben. Zoals het spreekwoord zegt, je moet niet alles geloven wat er gedrukt staat. De auteur zou wel eens bevooroordeeld kunnen zijn.

In Amerika is pas een wet ingevoerd (Dietary Supplement Health and Education Act) waarin gesteld wordt dat bepaalde voedingssupplementen niet hoeven te voldoen aan de algemene labelingsvoorschriften. Hoewel het label misschien geen claims doet die wetenschappelijk niet waargemaakt kunnen worden, kan het supplement wel verkocht worden in combinatie met een bijsluiter of artikel of boekje. Een van de bepalingen is, dat die materialen geen valse of misleidende beweringen mogen bevatten, maar de bewijslast daarvan ligt bij de controlerende instantie, de Food and Drug Administration (FDA).

In een ander type advertentietechniek zetten sommige fabrikanten claims van verhoogd prestatievermogen op hun productlabels, maar geven tegelijk aan dat deze claims niet zijn goedgekeurd door de FDA. Dit is een zeer sluwe manier om de indruk te wekken dat deze producten effectieve sportergogene middelen zijn, zonder de reclameregels te overtreden.

Getuigenissen en horen zeggen

Sommige fabrikanten gebruiken sporttoppers om hun producten te promoten, wiens persoonlijke getuigenis ook valt onder de vrijheid van meningsuiting. In populaire sporttijdschriften zijn tal van dit soort voorbeelden te vinden. De sporter vertelt misschien niet eens dat zijn prestatievermogen erg vooruit is gegaan door gebruik van het product, maar meestal wordt die indruk wel gewekt. In de meeste gevallen krijgt de sporter voor zijn getuigenis flink betaald of zijn er andere voordelen voor hem aan verbonden.

Dat een sporttopper product X gebruikt wil niet zeggen dat dit product ook effectief is. De sporter vertelt gewoon waar de adverteerder hem voor betaalt.

Persoonlijke ervaringen

Stel dat je een advertentie ziet voor een sportergogeen middel dat wordt aanbevolen door een topper uit jouw tak van sport, en je koopt het, probeert het, en je hebt het idee dat je training of prestaties erop vooruit gaan. Die persoonlijke ervaring kan je ervan overtuigen dat het product ook echt werkt. Maar hoe weet je dat het geen placebo-effect is?

Een *placebo* is een inactieve substantie. Placebo's worden vaak gebruikt wanneer patiënten een geneesmiddel eisen zonder dat daar echt een noodzaak of medische indicatie voor is. Medici weten dat veel ziekten psychosomatisch zijn, en kunnen er in die gevallen toe overgaan ongevaarlijke nepmiddelen voor te schrijven, die echter wel een krachtige psychologische werking hebben. De nepmiddelen helpen de patiënt wel van zijn klacht af, en dat noemt men het placebo-effect.

Een ergogeen middel kan effect bij je hebben niet doordat het daadwerkelijk een fysiologisch of mechanisch voordeel biedt, maar doordat je in het middel gelooft, en dus een gunstig psychologisch effect heeft. Geloof in de 'magie' van een pil kan een placebo-effect bewerkstelligen.

Daarentegen kunnen ergogene middelen wel degelijk het sportprestatievermogen verbeteren, als hun effectiviteit is gebleken uit degelijk opgezet wetenschappelijk onderzoek.

Onderzoeksoverwegingen

Hoe kom je te weten of een bepaald sportergogeen middel je kan helpen je sportprestatievermogen te verbeteren? Leugenachtige advertenties, misleidende artikelen, betaalde getuigenissen, en een placebo-effect vormen niet echt een basis voor het bepalen van de effectiviteit van een ergogeen middel. Er is degelijk wetenschappelijk onderzoek nodig om de effectiviteit van de vermeende ergogene middelen te bepalen.

Sportwetenschappers hebben tal van sportergogene middelen onderzocht, hetgeen waardevolle informatie heeft opgeleverd aan de hand waarvan een zinnige beoordeling mogelijk is. In het algemeen, maar niet altijd, hebben sportwetenschappers geen financieel belang bij een bepaald ergogeen middel; dus kunnen zij een objectieve beoordeling geven van de claims die worden gedaan.

De onderzoeksresultaten aangaande de effectiviteit van bepaalde sportergogene middelen komen uitgebreid aan bod in hoofdstuk 8. De aanbevelingen over het gebruik van de ergogene middelen, zijn voornamelijk gedaan op basis van effectiviteit van de middelen zoals die blijkt uit interpretatie van degelijke onderzoeksresultaten en literatuurstudie, maar ook met betrekking tot veiligheid, en juridische en ethische aspecten.

Het doen van degelijk onderzoek om de effecten van sportergogene middelen te bepalen is geen makkelijke opgave. In elk onderzoek moet met tal van factoren rekening worden gehouden om tot betrouwbare resultaten te komen. We zullen hier niet in detail uiteenzetten hoe je het volmaakte onderzoek moet opzetten om de effectiviteit van ergogene middelen te kunnen bepalen, maar de volgende overwegingen zijn van essentieel belang voor het bepalen van de effectiviteit van bepaalde ergogene middelen.

Bloeddoping, een fysiologisch sportergogeen middel, wordt besproken in hoofdstuk 8, maar komt hier kort aan bod om onderzoeksoverwegingen te illustreren.

1. *Reden.* Er moet een goede reden zijn. In theorie moet het sportergogene middel in staat zijn een bepaalde sportprestatiefactor (SPF) gunstig te beïnvloeden zodat fysieke power, mentale kracht, of mechanisch voordeel toeneemt.
   Bloeddoping kan de hemoglobinespiegels in het bloed opvoeren, waardoor het zuurstoftransport wordt verbeterd.

2. *Proefpersonen.* Onderzoek moet worden gedaan bij een representatieve onderzoeksgroep. De proefpersonen moeten zeer getraind zijn in de SPF waarvan theoretisch wordt aangenomen dat ze door gebruik van het sportergogene middel worden verbeterd. Wanneer het sportergogene middel effectief is, zou het bovenop de training iets extra's moeten geven.
   Zeer getrainde duursporters, zoals marathonlopers of wielrenners, zouden moeten dienen als proefpersonen. Bloeddoping is bedoeld om het zuurstoftransport te verbeteren dat zo belangrijk is voor het aërobe uithoudingsvermogen. Zie figuur 7.1.

HUMAN KINETICS/TOM ROBERTS

Figuur 7.1 De proefpersonen gebruikt voor onderzoek naar de effectiviteit van ergogene middelen zouden goed getrainde duursporters moeten zijn.

3. *Tests.* De tests om de SPF te evalueren dienen goed opgezet en betrouwbaar te zijn. Zowel de laboratoriumtests als de veldtests leveren waardevolle informatie. Laboratoriumtests bieden weliswaar het voordeel van goed gecontroleerde omstandigheden, maar weerspiegelen de werkelijkheid toch onvoldoende. De veldtests hebben het voordeel dat ze stevig gegrond zijn in de werkelijkheid, maar bieden weer minder strakke controlemogelijkheden. Verder zouden

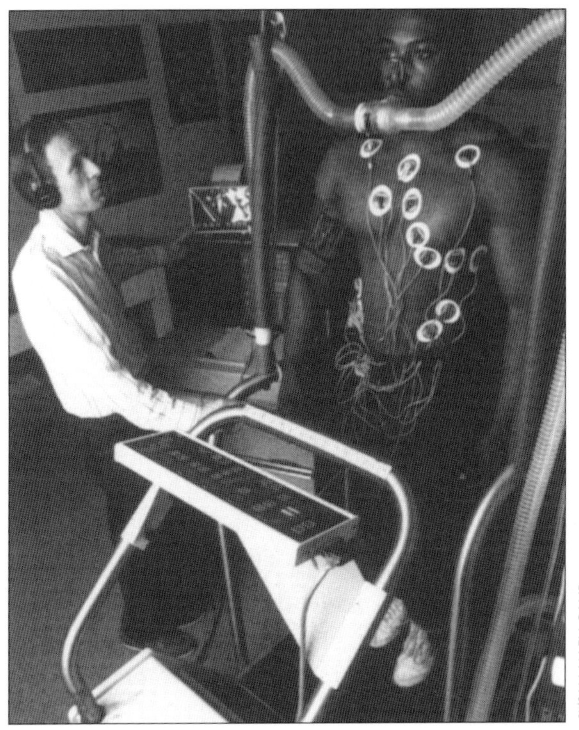

SUSAN ALLEN CAMP

Figuur 7.2 Met degelijke laboratoriumtests moet de werkzaamheid van de veronderstelde ergogene middelen worden onderzocht.

er tests moeten worden gedaan om de zinvolheid van het gebruik van een ergogeen middel te bepalen.

Het meten van respectievelijk de zuurstofopnamecapaciteit (VO_2 max) op een loopband en die bij 10 km hardlopen buiten, zou een aardig beeld geven van bloeddoping onder laboratoriumomstandigheden en het vrije veld (figuur 7.2). Een bloedtest naar stijging in de hemoglobinewaarden zou de effectiviteit van bloeddoping kunnen ondersteunen.

4. *Leermomenten.* Ook al zijn ze zeer getraind, de proefpersonen zouden een of meerdere keren de tests moeten doorlopen om er vlot mee te leren werken.
   Proefpersonen zouden moeten leren op een loopband tot uitputting toe te lopen om de VO_2 max te bepalen of ze moeten geregeld 10 km hardlopen.

5. *Experimentele behandeling en de placebo.* De behandeling dient op basis van een degelijk theoretisch uitgangspunt te geschieden. Indien beschikbaar, zou van het juiste placebomiddel gebruik moeten worden gemaakt.
   Twee units (1 liter) intraveneus bloed zal de hemoglobinewaarde in het bloed behoorlijk doen stijgen. Een zoutoplossing of een namaaktransfusie kan als placebo dienst doen.

6. *Proefpersonen.* De proefpersonen dienen willekeurig te worden ingedeeld bij de behandelings- of placebogroep. Indien mogelijk, zouden de proefpersonen moeten worden uitgesplitst op basis van de specifieke SPF-test of andere belangrijke factoren, en dan willekeurig ingedeeld. Hoewel niet altijd mogelijk, is de beste testprocedure er een met herhaalde metingen en een omgekeerde indeling, waarbij elke proefpersoon op willekeurige basis zowel de echte als de placebobehandeling ondergaat, met de juiste tijd tussen de twee testperioden.
   Op basis van voorafgenomen tests, worden de duursporters geselecteerd op maximale zuurstofopname of tijd op de 10 km hardlopen en willekeurig ingedeeld in de behandelings- of placebogroep. Met herhaalde metingen, krijgt de helft van de proefpersonen in de eerste fase een bloedtransfusie en de andere helft de placebo; na een uitdoofperiode van 6 weken, worden in de tweede fase de behandelings- en placebogroepen omgekeerd (crossover).

7. *Double-blind protocol.* Noch de proefpersonen, noch de onderzoekers mogen weten welke groep de echte en welke de placebobehandeling heeft gekregen. Een derde partij dient de behandelingen en de placebo's toe en geeft na afloop van het onderzoek openheid van zaken.
   Onpartijdig medisch personeel dat niet is betrokken bij het verdere onderzoek dient de transfusie of placebo toe aan de proefpersonen onder zogenaamde 'blinde' (zonder kennis van) omstandigheden; de onderzoekers krijgen pas uitsluitsel over de gevolgde procedure aan het eind van de rit.

8. *Controle van externe factoren.* Onderzoekers proberen de externe factoren die het testresultaat zouden kunnen beïnvloeden onder controle te krijgen.
   Voor de duur van het onderzoek, dienen de duursporters hun normale trainings- en voedingsgewoonten aan te houden. Ze moeten zich voor de tests van het onderzoek, zoals meting van de VO_2 max op de loopband of 10 km hardlopen, als voor een wedstrijd voorbereiden.

9. *Controle van de testomgeving.* Zaken als temperatuur, vochtigheidsgraad en andere factoren in het laboratorium die van invloed zouden kunnen zijn op de prestatietest moeten ondere controle gebracht worden. Veldtests zijn minder goed gecontroleerd, maar er moeten pogingen worden gedaan de veldomstandigheden zo goed mogelijk na te bootsen.
   Voor een veldtest van de 10 km met controle op temperatuur en weersomstandigheden, kan de afstand op een binnenbaan worden afgelegd.

10. *Correcte statistische methoden.* De juiste statistische methoden dienen te worden toegepast om de kans op afwijkingen klein te houden.

Er moeten voldoende proefpersonen worden gebruikt en voldoende metingen worden verricht. Herhaalde metingen verhogen de statistische betrouwbaarheid van de uitslagen, doordat elke proefpersoon als het ware zijn eigen controle vormt.

Evaluatie van beschikbaar onderzoek

De meest gedegen wetenschappelijke informatie aangaande de werkzaamheid van de vermeende prestatieverhogende middelen is te vinden in wetenschappelijke tijdschriften (wetenschappers lezen en becommentariëren elkaars werk). De drie meest voorkomende informatiebronnen zijn: (a) afzonderlijke onderzoeken, (b) reviews door experts, en (c) meta-analyses door statistici. Het gebruik van natriumbicarbonaat als sportergogeen supplement wordt besproken in hoofdstuk 8, maar dient hier kort als illustratie voor genoemde drie bronnen.

Afzonderlijke onderzoeken. Afzonderlijke onderzoeken leveren het basismateriaal, maar een enkel onderzoek levert niet voldoende bewijs op om harde conclusies te trekken over het al of niet effectief zijn van een ergogeen middel.

Om te kijken of het ergogene effect van natriumbicarbonaat ook daadwerkelijk bestaat, zijn tientallen onderzoeken gedaan. In bijna de helft ervan werd de conclusie getrokken dat natriumbicarbonaat geen effectief sportergogeen middel was. Als je op een van die onderzoeken zou afgaan, zou je misschien denken dat natriumbicarbonaat geen effectief ergogeen middel is. Daar tegenover staat dat in iets meer dan de helft van de onderzoeken de conclusie werd getrokken dat natriumbicarbonaat wel een effectief ergogeen middel is.

Krantenkop: Bakkerszout heeft geen effect op de 400 meter hardlopen.
Krantenkop 6 maanden later: Bakkerszout helpt tijd verbeteren op de 400 meter hardlopen met een seconde.

Reviews. De effectiviteit van sportergogene middelen moet worden vastgesteld in een aantal degelijk opgezette wetenschappelijke onderzoeken. Een review van eerdere afzonderlijke onderzoeken kan een steviger basis zijn om van uit te gaan, maar de conclusie kan zijn beïnvloed door de onderzoeken die voor bespreking zijn geselecteerd of door de wetenschapsoriëntatie van de bespreker.

Hoewel in reviews van een jaar of 20 geleden geregeld de conclusie werd getrokken dat natriumbicarbonaat geen effectief ergogeen middel is, wordt in vier onderzoeken van recenter datum gesteld dat natriumbicarbonaat de SPF die met het melkzuur-energiesysteem te maken hebben kan verbeteren.

Meta-analyses. Meta-analyse van een adequaat aantal eerder gepubliceerde afzonderlijke onderzoeken levert de beste basis voor beoordeling van effectiviteit. Alleen degelijk opgezette onderzoeken worden geselecteerd. Een *meta-analyse* is een bespreking die een samenvattend statistisch overzicht biedt van de statistische analyses van alle geselecteerde onderzoeken. Het is in wezen een kwantificatie van de effecten van het sportergogene middel.

In een recente meta-analyse werden negenentwintig goed gecontroleerde onderzoeken naar de effecten van natriumbicarbonaat besproken. De auteurs kwamen tot de conclusie dat natriumbicarbonaat een zeer effectief sportergogeen middel is, dat het sportprestatievermogen voor zover afhankelijk van het melkzuur-energiesysteem met bijna 27 procent verbetert.

VEILIGHEID

Veiligheid dient een belangrijke factor te zijn in je overweging een bepaald sportergogeen middel al dan niet te gebruiken. De meeste ergogene middelen die in hoofdstuk 8 worden besproken kunnen in zeer hoge doseringen of bij onkundig gebruik schadelijk zijn voor de gezondheid. Hoewel de nadelige effecten van sommige ergogene middelen acuut, mild en maar tijdelijk zijn, zijn er ook middelen waarvan de nadelige effecten een stuk serieuzer, en soms zelfs chronisch of levensbedreigend zijn.

Een van de basiswetten van de biologie is, dat elke stof die ingrijpt op levende materie bij extreme inname toxisch kan zijn.

Farmacologische en fysiologische ergogene middelen vormen het duidelijkste gezondheidsrisico. Sporters kunnen medicijnen voor medische, sociale of sportergogene doeleinden gebruiken. Zoals voor bepaalde ergogene middelen wordt aangetekend in hoofdstuk 8, kan misbruik om welke reden dan ook ernstige gevolgen hebben voor de gezondheid.

Nutritionele sportergogene middelen, van basisnutriënten als vitamines tot exotische voedingssupplementen als ginseng, worden over het algemeen als veiliger gezien dan farmacologische ergogenica. Over het algemeen is dat waar. Maar bij extreme inname kunnen ook vitamines de gezondheid schade toebrengen. Daar komt bij dat een aantal bepalingen in de United States Dietary Supplement Health and Education Act van 1994 de Food and Drug Administration in de weg zitten bij de controle van de veiligheid van voedingssupplementen. Hoewel er wetenschappers zijn, die voedingssupplementen veilig vinden, zijn er ook collega's die van mening zijn dat er nog onvoldoende onderzoek is gedaan om dat te stellen. Je zou denken dat sporters niet doelbewust

Dr. Robert Voy, een voormalige medische begeleider van de United States Olymic Committee en auteur van *Drugs, Sports and Politics*, schreef dat hoewel sporters hard trainen om hun lichaam sterk en gezond te maken, ze bereid zijn door gebruik van doping enorme gezondheidsrisico's te nemen om hun concurrent voor te blijven. Voy citeerde een anoniem onderzoek waarin meer dan 50 procent van de topsporters aangaf bereid te zijn wat dan ook te gebruiken als dat olympisch goud zou opleveren, ook al zou het gebruik ervan binnen een jaar tot de dood leiden.

gebruik maken van een sportergogeen middel dat schadelijk kan zijn voor de gezondheid. Maar voor sommige sporters valt het gezondheidsrisico als vermeld in de bijsluiter in het niet bij het mogelijk sportieve succes.

Helaas is er weinig onderzoek gedaan naar de veiligheid van de meeste sportergogene middelen. Hoewel de schadelijke invloeden van dopinggeduide ergogene middelen waarschijnlijk de meeste aandacht hebben gekregen, is er bijzonder weinig informatie beschikbaar over de nadelige effecten die langdurig gebruik van voedingssupplementen en andere legale ergogene middelen mogelijk met zich meebrengt. De meeste zorgen over mogelijke schadelijke effecten van ergogene middelen zijn gebaseerd op in vitro onderzoek, dierexperimenteel onderzoek, of case studies van personen die mogelijk nadelige gevolgen hebben ondervonden na gebruik van een bepaald product. Hoewel zulke gegevens niet de meest waardevolle wetenschappelijke informatie opleveren voor het bepalen van de veiligheid van sportergogene middelen voor gezonde sporters, lijken de meeste sportmedici het zekere voor het onzekere te nemen, en leggen ze de nadruk op de mogelijke gezondheidsrisico's die aan het gebruik van bepaalde ergogene middelen zouden zitten.

JURIDISCHE STATUS

Een andere factor die je dient mee te nemen in je overweging een bepaald sportergogeen middel al dan niet te gebruiken, is de juridische status. Alle sportbonden kennen beperkingen aangaande het gebruik van ergogene middelen, dus moet je opletten welke regels gelden voor jouw tak van sport.

Het gebruik van farmacologische ergogene middelen, of doping, is de voornaamste zorg van de sportbonden.

Anti-dopingregels zijn misschien wel voortgekomen uit bezorgdheid voor de gezondheid van de sporters, maar de achterliggende reden van dopinggebruik is het trachten op te voeren van het sportprestatievermogen. De anti-dopingregels zijn dus opgesteld om vals spel te voorkomen en de gezondheid van de sporter te beschermen door prestatieverhogende stoffen op de lijst van verboden middelen te zetten.

Het IOC heeft doping gedefinieerd als de toediening of het gebruik door een deelnemende sporter van elke lichaamsvreemde stof, of elke fysiologische substantie die in abnormale hoeveelheid of via een abnormale route het lichaam binnenkomt, met als bedoeling het op kunstmatige en oneerlijke wijze verhogen van zijn of haar wedstrijdprestaties. Verder stelt het IOC dat medische behandeling met elke stof, die vanwege aard, dosering, of toediening het prestatievermogen van de sporter tijdens competitie op kunstmatige of oneerlijke wijze opvoert, zal worden beschouwd als doping.

De belangrijkste reden voor deze algemene regel was het ontmoedigen van dopinggebruik door de sporter. Met enkele uitzonderingen en beperkingen daargelaten die in hoofdstuk 8 aan bod komen, zijn de meeste (farmacologische) middelen gebruikt voor het opvoeren van het prestatievermogen door het IOC verboden. Om van gebruik te worden uitgesloten moet het middel voorkomen op de IOC-lijst van dopinggeduide middelen. Het IOC publiceert met regelmaat een uitgebreide lijst van verboden medicijnen en andere sportergogene middelen zoals bloeddoping. Een aantal van deze stoffen, maar niet allemaal, wordt behandeld in hoofdstuk 8, waarin een uitgebreide lijst is opgenomen van stoffen die het IOC en USOC op de verboden lijst heeft gezet, en die dan ook door menige sportorganisatie is overgenomen. De lijst is achterin het boek in een aparte appendix opgenomen.

Om de anti-dopingregels kracht bij te zetten, hebben de meeste sportorganisaties de beschikking over technisch zeer geavanceerde en effectieve dopingtests.

> De belangrijkste redenen voor het testen op doping zijn: vals spel voorkomen, de gezondheid van de sporter beschermen en de integriteit van de sport bevorderen.
>
> *– dr. Andrew Pipe, sportarts (Canada).*

Nu gebruik je waarschijnlijk geen verboden middelen om je sportprestatie op te voeren, maar het zou kunnen dat je, net als veel andere sporters, om verschilllende medische redenen bepaalde medicijnen moet gebruiken, zoals voor hoofdpijn, een verstopte neus, verkoudheid, of om van een blessure te genezen. Veel vrij verkrijgbare medicijnen bevatten stoffen die op de lijst van verboden middelen voorkomen (zie figuur 7.3). Voorbeelden zijn onder andere Sudaled, Dristan, en Nyquil (zie appendix). De meeste sportorganisaties verspreiden brochures of andere informatie waarin de verboden medicijnen staan opgesteld en waarin de dopingregels en procedures worden uitgelegd, zoals onaangekondigde dopingtests.

Als je deel gaat nemen aan een sportonderdeel waarvoor op doping wordt getest, is het verstandig bij je sportorganisatie of bond informatie in te winnen over het al dan niet toegestaan zijn van bepaalde medicijnen die je mogelijk gebruikt.

ETHISCHE KWESTIES

Wat is de ethiek van sport? Volgens het Oxford English Dictionary, valt onder de definitie van ethiek het volgende: (a) morele beginselen of een bepaalde stroming in de ethiek, (b) erkende gedragsregels in bepaalde situaties en (c) de morele principes die een persoon volgt.

Alle drie definities gaan ook voor sport op. Het oude Griekse ideaal, dat atleten hun taak helemaal op eigen kracht moeten klaren, is een ethische stroming (definitie a) die ook tegenwoordig nog door veel sporters en sportorganisaties ondersteund wordt, inclusief het IOC. Binnen het Internationaal Olympisch Comité, zijn er bepaalde sportorganisaties, zoals de International Amateur Cycling Federation, die bepaalde gedragsregels opstellen (definitie b) om er voor te zorgen dat sporters zich houden aan dit Griekse ideaal en hen te ontmoedigen oneerlijk voordeel te behalen. De atleet wiens doel het is tot elke prijs te winnen, gaat mogelijk van zijn of haar eigen principes uit (defintie c) en aarzelt niet dat oneerlijke voordeel te behalen.

We hebben allemaal het olympische ideaal horen parafraseren als 'Je

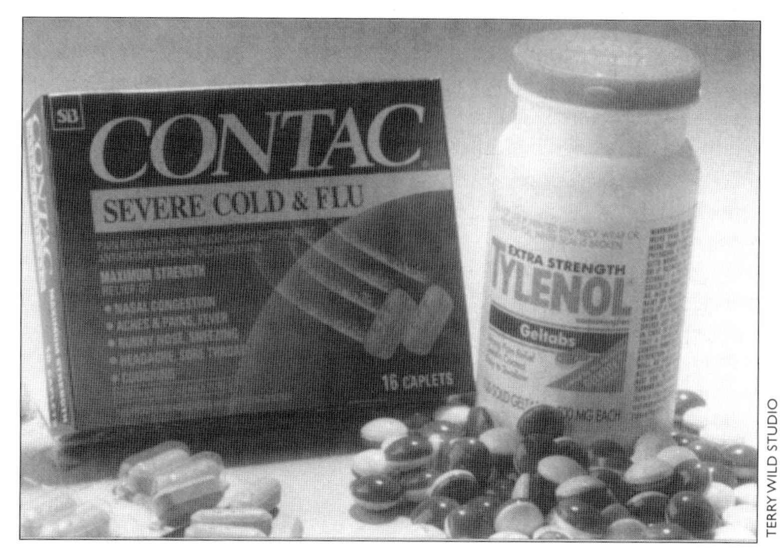

TERRY WILD STUDIO

Figuur 7.3 Veel vrij verkrijgbare medicijnen (OTC) voor gewone aandoeningen als verkoudheid of hoofdpijn kunnen stoffen bevatten die op de IOC-lijst van verboden middelen staan.

moet roeien met de riemen die je hebt.' 'De riemen die je hebt' verwees oorspronkelijk naar de natuurlijke aanleg van de atleet, door keiharde training onder begeleiding van een coach nog eens extra ontwikkeld. Maar een groeiend aantal topsporters echter, leert tegenwoordig hun natuurlijke aanleg voorbij de training te ontwikkelen door gebruik van technieken – niet noodzakelijk unfaire technieken – waarmee ze voordeel kunnen behalen op hun tegenstanders. Ze worden daarbij geholpen door een scala aan sportwetenschappers, zoals sportartsen, inspanningsfysiologen, sportvoedingwetenschappers, sportpsychologen, sportbiomechanici en zelfs sportfarmacologen.

Het gebruik van sportergogene middelen die nadrukkelijk zijn vermeld op de dopinglijst van het IOC, zoals anabole steroïden en bloeddoping, zou zeker beschouwd worden als on-ethisch. Een algemene IOC-definitie van doping stelt echter, dat elke fysiologische substantie in abnormale hoeveelheden genomen met het doel op kunstmatige en oneerlijke wijze voordeel te behalen gezien moet worden als doping. De afgelopen decennia hebben sportwetenschappers de belangrijke rol van diverse nutriënten en fysiologische substanties op de energiestofwisseling bij inspanning onderzocht. En hoewel alle nutriënten en fysiologische substanties direct of indirect via de normale voeding kunnen worden verkregen, geloven sommige onderzoekers dat de inname van diverse nutriënten of fysiologische substanties die belangrijk zijn voor de energiestofwisseling via de normale voeding onvoldoende is. Met behulp van de moderne biotechnologie is tegenwoordig een groot aantal voedingssupplementen en fysiologische substanties geïsoleerd en in de handel gebracht. Een aantal van deze veronderstelde ergogene producten, zoals humaan groeihormoon, wordt als medicijnen beschouwd en het gebruik ervan is door het IOC verboden. Andere producten, zoals bepaalde aminozuren waarvan men veronderstelt dat ze de natuurlijke afgifte van groeihormoon bevorderen, zijn niet verboden. Vermoedelijk omdat ze als nutriënten worden beschouwd.

Het gebruik van farmacologische en fysiologische ergogene middelen kan reden voor schorsing van competitie zijn, dus is er behoorlijk wat onderzoek gedaan naar effectieve, veilige en legale nutritionele ergogene middelen als alternatief. Geen nutritioneel of fysiologisch voedingssupplement is verboden tenzij het supplement een stof bevat die op de dopinglijst staat. De stimulant efedrine, bijvoorbeeld, komt in diverse commerciële voedingssupplementen voor. Recent onderzoek lijkt erop te wijzen, dat diverse fysiologische sportergogene middelen, zoals creatine, bepaalde SPF kunnen verbeteren wanneer ze genomen worden in hoeveelheden die hoger liggen dan geconsumeerd in de normale dagelijkse voeding. Wanneer fysiologische en nutritionele sportergogene middelen nu effectief blijken te zijn, betekent gebruik van deze middelen dan overtreding van de IOC-regel aangaande elke fysiologische substantie genomen in een hoeveelheid groter dan normaal en met de bedoeling op kunstmatige en oneerlijke wijze voordeel te behalen?

Volgens het IOC is gebruik van een verondersteld sportergogeen middel alleen verboden als het met name genoemd wordt, wat in strijd lijkt te zijn met de algemene regel van elke fysiologische substantie genomen in een hoeveelheid groter dan normaal, etc. Deze bepaling van het IOC kan een ethisch probleem vormen voor sommige sporters, doordat ze hem of haar in een nadelige positie brengen als ze niet net als hun collega-sporters gebruik maken van effectieve en legale ergogene middelen.

Zoals in hoofdstuk 8 aan de orde komt, zijn er effectieve, veilige en legale ergogene middelen voorhanden. Of het gebruik ervan al dan niet ethisch verantwoord is, is afhankelijk van de eigen, individuele ethiek van de sporter. Bepaalde autoriteiten kunnen uitgaan van de veronderstelling, dat als een ergogeen middel legaal is het gebruik ook ethisch verantwoord is. Anderen kunnen een tegenovergestelde positie innemen, dat gebruik van zo'n ergogeen middel strijdig is met de ethiek van de anti-dopingregel van het IOC. In dit soort zaken ligt de uiteindelijke beslissing een legaal, veilig en effect ergogeen middel al dan niet te gebruiken bij de individuele sporter.

AANBEVELINGEN EN INDIVIDUALITEIT

De onderzoeken die in wetenschappelijke tijdschriften worden gepubliceerd richten zich op het effect van een ergogeen middel op een groep personen. Hoewel alle mensen overeenkomen in de basisanatomie en -fysiologie, bezitten we een biologische individualiteit die te maken heeft met erfelijke verschillen of omgevingsverschillen. De respons die je bijvoorbeeld vertoont op inname van natriumbicarbonaat voor de wedstrijd kan verschillen. Hoewel uit sportwetenschappelijk onderzoek blijkt dat natriumbicarbonaat een effectief ergogeen middel is, kan het gebruik ervan bij sommige mensen verkeerd vallen. Omgekeerd, al blijkt uit sportwetenschappelijk onderzoek dat een ergogeen middel niet effectief is, kunnen sommige mensen er toch voordeel van ondervinden. Hoewel vitaminesuppletie over het algemeen als sportergogeen middel weinig effect heeft, zou je er voordeel van kunnen hebben als je voor je sport op dieet bent om in een bepaalde gewichtscategorie uit te komen, en via de voeding te weinig vitamines binnen krijgt.

De aanbevelingen die worden gedaan in hoofdstuk 8 met betrekking tot het gebruik van de verschillende sportergogene middelen, zijn niet alleen gebaseerd op degelijk wetenschappelijk onderzoek, maar hebben ook betrekking op de veiligheid en de juridische en ethische status van de besproken ergogene middelen.

8

De taxatie van sportergogene middelen

Sporters consumeren of gebruiken honderden verschillende sportergogene middelen in een poging hun fysieke power, mentale kracht, of mechanisch voordeel op te voeren. De bekendste en meest gebruikte ergogene middelen, waarvan de effectiviteit ook is bestudeerd, passeren in dit hoofdstuk de revue.

Elk sportergogeen middel wordt met betrekking tot de volgende vier elementen besproken:

Classificatie en gebruik

Wat is het en hoe wordt het gebruikt? Een sportergogeen middel kan worden geclassificeerd als nutritioneel, farmacologisch, of fysiologisch. De namen, types, bronnen en standaardgebruik komen indien beschikbaar aan de orde.

Sportprestatiefactor

Welke sporters hebben voordeel bij gebruik van het ergogene middel? Een ergogeen middel kan bedoeld zijn om een of meer SPF te beïnvloeden met betrekking tot fysieke power, mentale kracht, of mechanisch voordeel. In hoofdstuk 6 werden deze factoren kort samengevat. Voor een uitgebreide behandeling, zie hoofdstuk 3, 4, en 5.

Theorie

Hoe wordt het geacht te werken? Een sportergogeen middel dient een degelijke theoretische basis te hebben aangaande het verondersteld effect op het sportprestatievermogen. De logica daarvan zal worden onderzocht.

Effectiviteit

Werkt het? Het eventuele vermogen van een sportergogeen middel het fysieke prestatievermogen gunstig te beïnvloeden dient te worden ondersteund door degelijk wetenschappelijk onderzoek, bij voorkeur in zowel laboratorium- als veldstudies. Beschikbaar recent onderzoek zal worden vermeld. Voor onderzoeksomstandigheden kan je hoofdstuk 7 raadplegen.

Veiligheid

Is het gebruik veilig? Bij normaal gebruik, zou een sportergogeen middel ongevaarlijk moeten zijn. Mogelijke acute en chronische gezondheidsrisico's zullen worden besproken. Ook met betrekking tot de veiligheid kan hoofdstuk 7 geraadpleegd worden.

Legale status en ethische kwesties

Is het gebruik legaal en ethisch verantwoord? Overkoepelende sportorganisaties als het IOC hebben de meeste werkzame farmacologische en fysiologische ergogene middelen verboden; dus mag het gebruik daarvan als illegaal en onethisch worden beschouwd. Een aantal werkzame, legale ergogene middelen is niet verboden, maar het gebruik ervan wordt door sommigen als onethisch ervaren. Deze punten worden in de bespreking opgenomen. Voor verdere informatie omtrent juridische en ethische kwesties kan hoofdstuk 7 worden geraadpleegd.

Aanbevelingen

Zou je het moeten gebruiken? In het algemeen kunnen we stellen, dat een ergogeen middel kan worden aangeraden als het gebruik ervan effectief, veilig, legaal en ethisch verantwoord is. Omgekeerd, zal een ergogeen middel niet worden aanbevolen als het gebruik ervan ineffectief, onveilig, illegaal en ethisch niet verantwoord is. Voor elk ergogeen middel zal een algemene aanbeveling worden gedaan, maar altijd met oog op potentiële gezondheidsrisico's of ethisch verantwoord zijn. Een waarschuwing: als je van plan bent voor een wedstrijd een sportergogeen middel te gebruiken, is het verstandig om het middel eerst in de training uit te proberen.

GEBRUIK MAKEN VAN DIT HOOFDSTUK

Als je geïnteresseerd bent in sportergogene middelen die het prestatievermogen voor jouw specifieke sport kunnen bevorderen, moet je de volgende drietraps-procedure volgen:

1. Zoek in tabel 6.2 de sportprestatiefactor of factoren (SPF) die kenmerkend zijn voor je sport. Wanneer jouw tak van sport niet genoemd wordt, ga dan uit van de sport die er het dichtst bij komt.
2. Zoek in tabel 6.3 de sportergogene middelen die zijn onderzocht om de SPF van jouw specifieke sport te verbeteren.
3. Lees de informatie over elk ergogeen middel in dit hoofdstuk om de juiste keus te kunnen maken.

Alcohol

Classificatie en gebruik

Alcohol kan worden geclassificeerd als een farmacologisch ergogeen middel. Alcohol (ethylalcohol, ethanol) is een sociale drug, die is geclassificeerd als onderdrukkend middel, hoewel van het gebruik van alcohol merkwaardig genoeg een stimulerend effect kan uitgaan. Alcohol wordt bereid door fermentatie van suikers in fruit, groenten en granen en heeft een calorische waarde van 7 calorieën per gram. Een alcoholische versnapering, het equivalent van een flesje bier, 115-140 gram wijn, of een borrel bevat ongeveer 14 gram alcohol (figuur 8.1). Sporters die voordeel hebben bij het gebruik van alcohol, nuttigen het over het algemeen 30-60 minuten voor de wedstrijd.

Sportprestatiefactor

Mentale kracht. Alcohol is voornamelijk bestudeerd als middel om de nadelige effecten van psychologische stress te verminderen bij precisiesporten als boogschieten, geweerschieten en darten. Omdat alcoholgebruik een veelvuldig en maatschappelijk geaccepteerd verschijnsel is, zijn de effecten van alcohol op fysieke power goed onderzocht.

Theorie

Door het dempende effect van alcohol op het zenuwstelsel, kan alcohol bijdragen aan het sportprestatievermogen voor precisiesporten door vermindering van de nadelige effecten van angst op de (fijne) motoriek, met een vastere hand als gevolg. Sommige onderzoekers beweren dat alcohol het zelfvertrouwen kan vergroten, wat het prestatievermogen voor verschillende sporten gunstig kan beïnvloeden.

Er wordt verondersteld dat alcohol een energiebron kan zijn voor duursport.

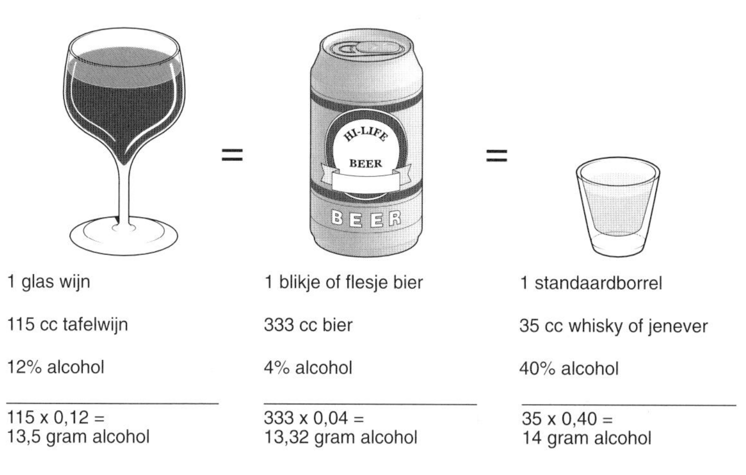

Figuur 8.1 Een blikje bier, een glas wijn en een borrrel bevatten ongeveer dezelfde hoeveelheid alcohol.

Effectiviteit

Hoewel je er theoretisch van kunt uitgaan dat alcohol het prestatievermogen verbetert door angst en beven te verminderen, zijn er slechts een paar onderzoeken geweest die het effect van alcohol op precisiesporten daadwerkelijk hebben bestudeerd. In een goed opgezet onderzoek onder boogschutters, bleek alcohol een aantal averechtse effecten te hebben. Kleine doseringen alcohol hadden een trager reactievermogen en een minder vaste hand als resultaat – factoren die het prestatievermogen nadelig beïnvloeden. Het gebruik van alcohol had ook een vloeiender loslaten van de pijl tot gevolg, hetgeen het prestatievermogen ten goede kwam. Helaas geeft het onderzoek geen resultatenoverzicht. In een ander onderzoek bleek de accuratesse van het darten toe te nemen bij een *bloedalcoholpromilage* (BAP) van 0.02, het equivalent van een alcoholische versnapering, maar af te nemen bij een BAP van 0.05, ongeveer twee alcoholische versnaperingen.

Gebruik van alcohol kan bij andere sporten nadelig uitpakken voor het prestatievermogen. Voor het overgrote deel komt men in onderzoek tot de conclusie dat alcohol het prestatievermogen nadelig beïnvloedt bij perceptuele-motorische sporten – waarvoor vaardigheden als reactievermogen, balans, hand/oogcoördinatie en visuele waarneming belangrijk zijn – zoals tennis.

Daarbij komt, dat alcoholconsumptie het anaërobe en aërobe duurvermogen nadelig beïnvloedt; alcohol bleek nadelig op de 800 en 1500 meter hardlopen, waarbij het negatieve effect groter werd naarmate de dosis alcohol toenam.

Voor sporters die sociale drinkers zijn, is uit onderzoek gebleken dat matige alcoholconsumptie (1-2 alcoholische versnaperingen) het sportprestatievermogen de volgende dag niet nadelig beïnvloedt. Overmatig drankgebruik heeft de volgende dag wel een nadelige invloed op motorische vaardigheden en aëroob prestatievermogen, en chronisch drankgebruik is zeer nadelig voor de training, en uiteindelijk ook voor het sportprestatievermogen.

Veiligheid

Met mate genuttigd als sociaal smeermiddel, is alcohol veilig en kan zelfs een gezondheidsbevorderend effect hebben, zoals een kleinere kans op hart- en vaatziekten. Omgekeerd, betekent een acute consumptie van een overdosis alcohol een groter risico voor plotseling overlijden, terwijl chronisch alcoholmisbruik in verband wordt gebracht met pathologische aandoeningen als leverschade, hartziekte en kanker.

Juridische en ethische aspecten

Het gebruik van alcohol in combinatie met een wedstrijd is formeel alleen verboden bij de moderne vijfkamp, dat schietonderdelen kent. Het testen op alcohol kan door elke nationale sportbond worden geëist en een positieve uitslag kan schorsing tot gevolg hebben. Sancties zijn het waarschijnlijkst voor sporters in de 11 pistool en 2 boogschietevenementen van de Olympische Spelen, maar ook voor sporten waar een grote nervositeit het prestatievermogen kan belemmeren, zoals kunstschaatsen, schansspringen, duiken, schermen, turnen en synchroonzwemmen. Het gebruik van alcohol in deze sporten moet als onethisch worden beschouwd.

Aanbevelingen

Hoewel het onderzoek beperkt is, maar het prestatieverhogende effect van alcohol bij precisiesporten als boogschieten en darten wel ondersteunt, is het gebruik ervan bij deze sporten verboden en daarom niet aanbevolen. Gebruik van alcohol is niet verboden voor andere sporten. Zoals gezegd, echter, kan alcoholconsumptie bij wedstrijden of in grote hoeveelheden tijdens de training of op de avond voor de training genuttigd bij tal van sporten nadelig zijn voor het sportprestatievermogen.

Amfetaminen

Classificatie en gebruik

Amfetaminen kunnen worden geclassificeerd als farmacologisch sportergogeen middel. Amfetaminen zijn medicijnen die alleen op recept verkrijgbaar zijn en worden gebruikt voor de behandeling van narcolepsie (een slaapstoornis), hyperactiviteit bij kinderen en als eetlustremmer.

Hoewel er voor amfetaminen goede medische toepassingen zijn, zijn het ook populaire drugs in het uitgaanscircuit. Amfetaminen als Benzedrine en Dexedrine (bennies, uppers, peppillen) waren in de jaren vijftig en zestig vrij makkelijk te verkrijgen, tot er wetgeving kwam die hun verkrijgbaarheid sterk inperkte. Andere derivaten van amfetamine, zoals methamfetamine (meth, speed) en methylenedioxymethamfetamine (MDMA, ecstasy), worden in het uitgaanscircuit gebruikt voor hun stemmingsveranderende werking. Amfetaminen komen voor in tablet- of poedervorm en worden geslikt, geïnhaleerd, of geïnjecteerd (figuur 8.2). Benzedrine en Dexedrine zijn wetenschappelijk het meest onderzocht, in doseringen van 5-15 milligram.

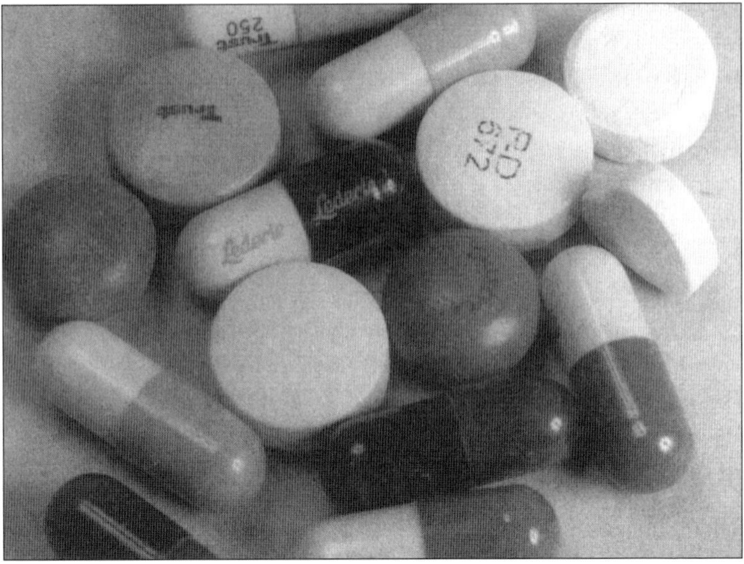

TERRY WILD STUDIO

Figuur 8.2 Amfetaminen zijn krachtige stimulantia die een heel scala aan sportprestatiefactoren kunnen beïnvloeden.

Sportprestatiefactor

Mentale kracht, fysieke power, en mechanisch voordeel. Amfetaminen zijn bestudeerd voor hun mogelijke gunstige invloed op diverse sportprestatiefactoren, die bevorderd zouden kunnen worden bij mentale stimulatie, maar ook het effect op alledrie energiesystemen van de fysieke power – ATP-CP, melkzuur- en zuurstof-energiesysteem. Amfetaminen kunnen door stimulering van de vetstofwisseling ook mechanisch voordeel (vetverlies) geven.

Theorie

Amfetaminen zijn krachtige stimulatoren van het centrale zenuwstelsel (CZS) die voornamelijk werken door verhoging van de hersenactiviteit van norepinefrine en dopamine, waarbij psychologische sensaties van alertheid, opwinding, concentratie en zelfvertrouwen worden opgevoerd. Fysiologische responsen van amfetamine-gerelateerde stimulatie van het CZS zijn verhoogd contractievermogen van de spieren, verhoogde bloedtoevoer naar de spieren en vermindering van vermoeidheidsgevoelens. In het algemeen veronderstelt men, dat de psychologische werking van amfetaminen sporters helpen hun normale fysiologische grenzen te verleggen. Amfetaminen zijn ook krachtige eetlustremmers.

Effectiviteit

Amfetaminen lijken krachtige sportergogene middelen te zijn. Hoewel niet uit alle onderzoek een positief resultaat wordt gemeld, ondersteunt het in grote lijnen wel de ervaring dat amfetamine bij vermoeidheid de reactiesnelheid opvijzelt, kracht en uithoudingsvermogen doet toenemen, de acceleratie verbetert, de melkzuurspiegels bij maximale inspanning verhoogt, en het aërobe uithoudingsvermogen opvoert. Uit onderzoek blijkt ook, dat amfetaminen de eetlust onderdrukken en de vetstofwisseling stimuleert, waardoor vetverlies optreedt.

Veiligheid

Bekende bijwerkingen van recreatief amfetaminegebruik zijn hoofdpijn, duizeligheid, slapeloosheid en angst. Gebruik van hogere doseringen kunnen geestelijke verwarring, hallucinaties, huidaandoeningen, en maagzweren veroorzaken. Chronisch misbruik kan schade aan de hersenen veroorzaken. Er is een hoog percentage geboorteafwijkingen en sterfte onder kinderen waarvan de moeder chronisch misbruik maakt van amfetaminen. Gebruik van naalden om amfetaminen te injecteren verhoogt het risico op hepatitis en AIDS.

Het gebruik van amfetaminen kan een behoorlijk gezondheidsrisico voor de sporter betekenen, zoals blijkt uit de diverse amfetamine-gerelateerde sterfgevallen in de sport.

Amfetaminen kunnen de temperatuurregulatie van het lichaam verstoren, hetgeen tijdens training hypothermie tot gevolg kan hebben. De dood van een Deense wielrenner tijdens de Olympische Spelen in 1960 te Rome en andere amfetamine-gerelateerde sporttragedies waren aanleiding voor versnelde ontwikkeling van anti-dopingregels door het Internationaal Olympisch Comité.

De zuiverheid van amfetamineproducten op de zwarte markt kan sterk variëren. Deze ‘zwakkere broeders’ bevatten minder krachtige stimulantia, zoals cafeïne en efedrine, waardoor een grotere dosis genomen moet worden om een echt amfetamine-achtige werking te krijgen. Wanneer iemand pure amfetamine heeft gekocht, maar denkt met een minder krachtig product te maken te hebben en een grotere dosis neemt, kan het resultaat toxisch zijn.

Juridische en ethische aspecten

Het gebruik van amfetamine is verboden door de meeste sportorganisaties en wordt als onethisch beschouwd. Bij dopingcontrole kunnen de afbraakproducten of metabolieten van amfetamine in de urine van de sporters worden teruggevonden. Vergelijkbaar met amfetaminen, is gebruik van talloze verwante stimulantia en zelfs vrij verkrijgbare medicijnen (hoestdranken en verkoudheidsmiddelen) door het IOC verboden. Een gedeeltelijke lijst kan in de appendix achterin dit boek worden gevonden. Daar komt bij dat amfetaminen alleen verkrijgbaar zijn op doktersrecept en dat op illegale handel gevangenisstraf staat.

Aanbevelingen

Onderzoek bevestigt de ergogene effectiviteit van amfetaminen. Het gebruik van amfetaminen wordt echter niet aanbevolen, want het is illegaal en onethisch, en kan bij bepaalde sporten de gezondheid ernstige schade toebrengen.

Anabole fytosterolen (plantaardige sterolen)

Classificatie en gebruik

Fytosterolen, of plantaardige sterolen, zijn voedingssupplementen die kunnen worden geclassificeerd als nutritionele sportergogene middelen. Ze worden gewonnen uit verschillende planten en groenten. Diverse fytosterolen en hun derivaten worden speciaal voor krachtsporters in de handel gebracht; bekende typen zijn gamma oryzanol, Smilax, betasitosterol en ferulaatzuur. Andere plantenextracten, zoals ginseng en yohimbe, worden ook speciaal voor sporters op de markt gebracht.

Anabole fytosterolen worden apart of in combinatie met andere nutritionele sportergogene middelen verkocht. De aanbevolen doseringen variëren per product.

Sportprestatiefactor

Mechanisch voordeel en fysieke power. Anabole fytochemicaliën worden voornamelijk gebruikt voor vergroting van de spiermassa en vermindering van lichaamsvet voor extra kracht en power, of voor een esthetischer verschijning in sporten als bodybuilding.

Theorie

Anabole fytosterolen worden onder de aandacht gebracht als een middel om de afgifte van testosteron of groeihormoon te stimuleren, allebei anabole hormonen die de spiermassa kunnen vergroten en het lichaamsvet verminderen.

Effectiviteit

In diverse recente literatuurstudies werd de conclusie getrokken dat er geen wetenschappelijk bewijs is dat anabole fytosterolen de afgifte van testosteron of groeihormoon bevorderen, laat staan dat ze de spiermassa doen toenemen en de vetmassa verminderen. Humaan onderzoek ontbreekt zo goed als geheel en uit een literatuurstudie, gebaseerd op dierexperimenteel onderzoek, kwam zelfs naar voren dat gamma oryzanolsupplementen de testosteronproductie onderdrukken.

Veiligheid

Bij veel kruidenproducten, zoals fytosterolen, ontbreken gegevens over de veiligheid van het product. Met enige regelmaat zijn er berichten dat sommige producten gezondheidsproblemen opleveren, en er zijn zelfs sterfgevallen bekend door anafylatictische reactie.

Juridische en ethische aspecten

Suppletie met zogenaamde anabole fytosterolen als sportergogeen middel is zowel legaal als ethisch verantwoord.

Aanbevelingen

Suppletie met zogenaamde anabole fytosterolen wordt niet aanbevolen als sportergogeen middel omdat er geen degelijke wetenschappelijke gegevens voorhanden zijn die hun effectiviteit onderschrijven. Sterker nog, het gebruik van anabole fytosterolen kan in sommige gevallen schadelijk zijn voor de gezondheid.

Anabole/Androgene steroïden (AAS)

Classificatie en gebruik

Anabole/androgene steroïden (AAS) kunnen worden geclassificeerd als farmacologische sportergogene middelen. AAS zijn medicijnen die alleen op recept zijn te verkrijgen en bedoeld zijn om de effecten van testosteron, het mannelijk geslachtshormoon, na te bootsen. Anabole effecten van testosteron zijn groei en ontwikkeling van tal van lichaamsweefsels, zoals spierweefsel. Androgene effecten zijn de ontwikkeling van secundaire mannelijke geslachtskenmerken, zoals gezichtsbeharing.

AAS zijn er in orale of injecteerbare vorm. Een aantal van de meer populaire anabole steroïden wordt genoemd in tabel 8.1; een kompletere lijst is te vinden in de appendix. AAS kennen gunstige medische toepassingen, waarbij de normale therapeutische dosering voor orale inname 5 tot 10 milligram per dag is. Het is bekend dat veel sporters dagelijks 300 milligram of meer nemen. Sommige sporters gebruiken een techniek die *stacken* heet, waarbij twee of meer typen steroïden tegelijk worden genomen, meestal zowel orale als injecteerbare AAS. Stacken kan ook betekenen dat er een progressieve toename van typen en doseringen AAS is om een optimaal anabool effect te creëren. Spor-

TABEL 8.1

MERK EN STOFNAMEN VAN EEN AANTAL BEKENDE ANABOLE/ANDROGENE STEROÏDEN

Orale middelen

- Anadrol (oxymetholone)
- Anavar (oxandrolone)
- Dianabol (methandrostenolone)
- Metandren (methyltestosteron)
- Primobolan (methenolone)
- Stromba (stanozolol)

Injecteerbare middelen

- Deca-durabolin (nandrolone decanoaat)
- Delatestryl (testosteron enanthaat)
- Depo-testosteron (testosteron cypionaat)
- Testosteronoplossing

ters gebruiken soms ook andere medicamenten om een aantal van de ongewenste bijwerkingen van AAS te voorkomen. Zo voorkomt Human chorionic Gonadotropin (HcG) de atrofie van de testikels en anti-oestrogenen voorkomen vrouwelijke tepelvorming bij mannen (gynaecomastia). Het gebruik van twee of meer medicamenten tegelijkertijd is wel het *polydrug abuse syndrome* genoemd.

Sportprestatiefactor

Mechanisch voordeel en fysieke power. AAS zijn voornamelijk onderzocht op hun vermogen spiermassa op te bouwen voor kracht en power of voor een esthetischer fysiek bij sporten als bodybuilding. AAS heeft ook effect op mentale processen en verhoogt de agressie.

Theorie

Het gebruik van AAS heeft invloed op zowel fysiologische als psychologische processen die in verband staan met een verbeterd sportprestatievermogen. Het anabole mechanisme wordt in figuur 8.3 weergegeven. De AAS stimuleren de celkern tot verhoogde opbouw van spiereiwitten. AAS helpen ook spierafbraak tegen te gaan, en zorgen daarmee tevens voor een versneld herstel na zware training. Verdere, androgene, effecten van AAS zijn toename van opwinding en agressiviteit, althans bij sommige personen. Psychologische effecten die sporters helpen harder te trainen en beter te presteren. Hoewel AAS op grote schaal worden gebruikt door kracht/power sporters, kunnen ook duur-

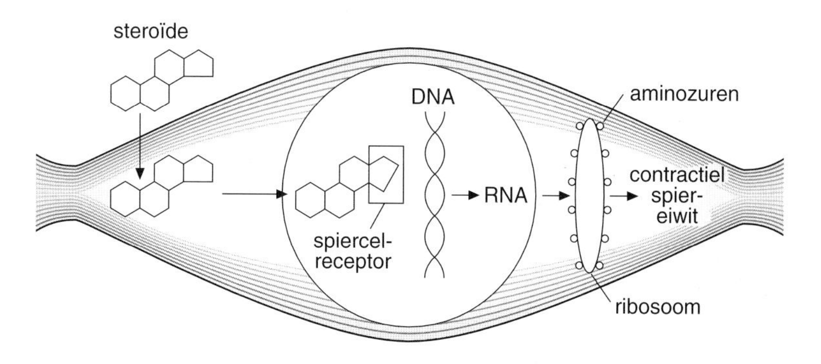

Figuur 8.3 Anabole steroïden opgepakt door de receptoren in de celkern stimuleren de opbouw van eiwitten in (spier)cellen.

sporters er van profiteren door het verhoogde herstelvermogen dat intensievere training mogelijk maakt.

Effectiviteit

In tientallen studies is de ergogene effectiviteit van AAS onderzocht. Deze onderzoeken zijn in een aantal zeer uitgebreide literatuurstudies samengevat, waarvan die van het American College of Sport Medicine en dr. Janet Elashoff wel de bekendsten zijn, en waarvan de laatste een gedeeltelijke meta-analyse betreft. Hoewel deze reviewers opmerkten, dat de onderzoeksgegevens enigszins dubbelzinnig waren vanwege verschillen in onderzoeksopzet, concludeerden ze dat het gebruik van AAS in combinatie met een goed gewichttrainings- en voedingsprogramma spiermassa en kracht significant doen toenemen. De in de laboratoriumstudies gebruikte doseringen waren meestal aan de lage kant, ongeveer 5-10 milligram, met als gevolg dat de winst in spiermassa en kracht ook kleiner waren. Echter, case studies onder kracht/power sporters die hogere doseringen en stackingtechnieken gebruikten, en het gebruik afwisselden met perioden van niet-gebruik, leverden het bewijs dat er met AAS een grote winst in spiermassa en kracht valt te boeken.

AAS zijn effectief als farmacologisch sportergogeen middel in het opvoeren van spiermassa en kracht. De effecten van AAS op het actuele sportprestatievermogen zijn niet uitgebreid onderzocht, maar aangenomen mag worden dat de winst in spiermassa en kracht zich ook laat vertalen in winst bij sporttaken waar explosieve kracht en power van belang zijn.

Veiligheid

AAS zijn krachtige medicijnen; gebruik ervan kan negatieve bijwerkingen met zich meebrengen, van cosmetische veranderingen als acne, tot levensbedreigende aandoeningen, zoals hartziekte. Daarbij komt dat er met AAS die op de zwarte markt te koop zijn vaak onverantwoord is geknoeid voor wat zuiverheid en betrouwbaarheid van samenstelling betreft, hetgeen de risico's ook nog eens verhoogt. * AAS kunnen het hormonale huishouden grondig van slag brengen door de normale feedback tussen de hypothalamus, hypofyse en de geslachtsklieren te verstoren. AAS, vooral de orale varianten, worden in de lever afgebroken en kunnen de lever zwaar belasten. AAS kan ook agressief gedrag veroorzaken, en gestoord gedrag verergeren. In tabel 8.2 worden de belangrijkste risico's van AAS-gebruik op een rijtje gezet.

TABEL 8.2

MOGELIJKE GEZONDHEIDSRISICO'S DOOR GEBRUIK VAN ANDROGENE/ANABOLE STEROÏDEN

Cosmetisch-gerelateerde effecten
- Gezichts- en lichaamsbeharing
- Vrouwelijke borstontwikkeling bij mannen (gynaecomastia)
- Voortijdige kaalheid
- Vermannelijking bij vrouwen
- Gezichts- en lichaamsbeharing bij vrouwen
- Voortijdige sluiting van de epifysairschijven bij pubers, hetgeen leidt tot remming van de groei
- Verdieping van de stem bij vrouwen

Psychologische effecten
- Verhoogde agressiviteit en mogelijk gewelddadig gedrag

Effecten op de voortplanting
- Afname omvang testikels
- Vermindering spermaproductie
- Afname van het libido
- Impotentie bij mannen
- Vergroting van de prostaat
- Vergroting van de clitoris

Risico's hart- en vaatziekten
- Verkalking van de bloedvaten
- Afname HDL-cholesterol
- Toename LDL-cholesterol
- Hoge bloeddruk
- Verminderde glucosetolerantie
- Beroerte
- Hartziekte

Leverfunctie
- Geelzucht
- Peliosis hepatitis (bloedcysten)
- Levertumoren

Sportblessures
- Afscheuren pezen

AIDS
- Gebruik van besmette naalden

Juridische en ethische aspecten

AAS behoren tot de meest gebruikte dopingvormen in de sport. Het gebruik van AAS is door nagenoeg alle sportorganisaties verboden en wordt als onethisch beschouwd. Via dopingcontrole kunnen de afbraakproducten of metabolieten van AAS in de urine worden teruggevonden, hetgeen heeft geleid tot diskwalificatie van tal van olympische atleten. Sommige sporters die ontkenden AAS te hebben gebruikt, bleken bij controle positief. AAS wordt bij dieren in de spieren gespoten, zoals bij kippen, om meer mager vlees aan te zetten voor de slacht. Recent onderzoek toonde aan dat atleten ook positief kunnen zijn als ze vlees hadden gegeten dat met hormonen (AAS) was behandeld. *

Het illegaal verhandelen van AAS op de zwarte markt is strafbaar.

Aanbevelingen

Onderzoek bevestigt de ergogene effectiviteit van AAS. Het gebruik van AAS wordt echter niet aanbevolen omdat het illegaal en onethisch is, en gepaard kan gaan met behoorlijke gezondheidsrisico's.

Antioxidanten

Classificatie en gebruik

Antioxidanten zijn nutriënten of voedingssupplementen die kunnen worden geclassificeerd als nutritioneel sportergogeen middel. Hoewel een aantal commerciële antioxidantproducten speciaal voor de sporter in de handel zijn gebracht, zijn de meest bekende de vitamines betacaroteen, vitamine C, vitamine E, het mineraal selenium en het voedingssupplement coënzym Q_{10}. Ze worden apart verkocht, of in combinatie, of met andere vermeende antioxidante stoffen in een antioxidantenmix. Sommige sportrepen zijn verrijkt met antioxidanten.

*Voor de Nederlandse situatie verwijzen wij naar het NeCeDo-rapport 'De Handel in Doping' van Ir. Willem Koert.
In 1999 ontstond grote verwarring doordat een aantal topatleten als Linford Christie en Merlene Ottey, en tal van anderen, positief werden bevatten op het AAS nandrolon, dat in vlees, vuile voedingssupplementen en zelfs tanpasta zou zitten.

De doseringen antioxidantmixen die gebruikt zijn in humaan onderzoek variëren. In een studie werden 22.5 mg beta-caroteen, 750 mg vitamine C, 600 International Units (IU) vitamine E, en 100 mg coënzym Q_{10} in combinatie gegeven.

Sportprestatiefactor

Fysieke power. Antioxidantmixen kunnen worden gebruikt om alle vormen van fysieke power gebaseerd op de drie energie-systemen, het ATP-CP systeem, het melkzuur-energiesysteem en het zuurstof-energiesysteem, te vergroten.

Theorie

Intensieve training verhoogt de productie van vrije zuurstofradicalen tijdens of na de training. Om de schadelijke peroxide-effecten van vrije radicalen op de vetten van celmembranen en andere celstructuren te neutraliseren, produceren weefsels in het menselijk lichaam diverse antioxidant-enzymen (glutathione peroxidase, katalase, superoxide dismutase). De theorie is dat antioxidantsupplementen deze natuurlijke antioxidantverdediging ondersteunen en spier- en andere weefselschade tijdens inspannende duurtraining voorkomen (figuur 8.4). Door

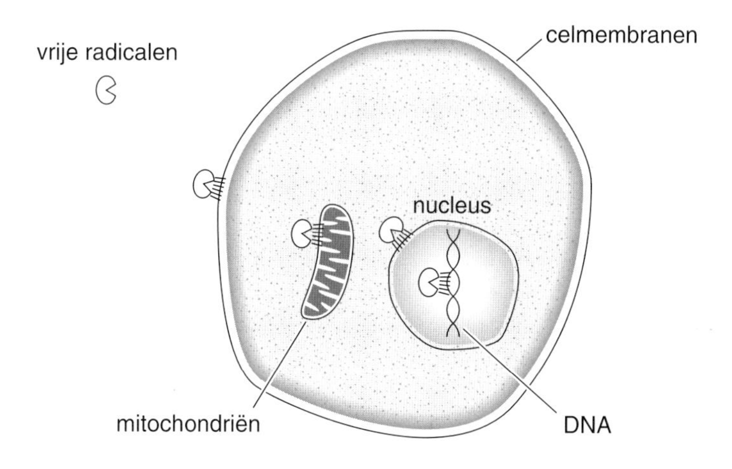

Figuur 8.4 Vrije radicalen kunnen celmembranen en membranen van intracellulaire structuren, waaronder mitochondria, de celkern en DNA, beschadigen.

het voorkomen van deze schade is de sporter in staat om alle drie energiesystemen effectiever te trainen en zijn sportprestatievermogen te verhogen.

Effectiviteit

Tal van studies hebben het effect van antioxidantsuppletie op o.a. spierweefselschade onderzocht; de resultaten waren niet echt duidelijk, maar toch beloftevol. Wetenschappelijke deskundigen wijzen er op, dat hoewel getrainde sporters mogelijk een grotere behoefte hebben aan antioxidanten, het vermogen van antioxidantsupplementen op het voorkomen van trainingsgerelateerde lipide-peroxidatie en spierschade nog moet worden bewezen.

Veiligheid

Vitamine- en mineraalantioxidanten, gebruikt in hoeveelheden die niet groter zijn dan aanbevolen in de RDA (dagelijks aanbevolen hoeveelheid), zijn waarschijnlijk veilig. Zeer hoge doseringen antioxidanten kunnen toxische bijwerkingen vertonen.

Juridische en ethische aspecten

Antioxidantsuppletie is legaal en ethisch verantwoord.

Aanbevelingen

Gebaseerd op de beschikbare wetenschappelijke literatuur, is niet aangetoond dat antioxidantsuppletie het sportprestatievermogen verhoogt en kan dus niet worden aanbevolen als een effectief sportergogeen middel.

Sommige onderzoekers stellen, dat suppletie met antioxidante vitamines misschien een vast onderdeel moet worden voor sporters die intensief trainen, aangezien antioxidanten mogelijk een rol spelen in het voorkomen van spierweefselschade, en omdat het gebruik ervan relatief ongevaarlijk is.

Een wetenschapper adviseert sporters die intensief trainen forse hoeveelheden beta-caroteen (50.000 IU), vitamine C (vrouwen 2000 milligram en mannen 3000 milligram), en vitamine E (1200 IU). Deze aanbevelingen worden niet zozeer gedaan om het sportprestatievermogen op te voeren, maar waarschijnlijk om negatieve gezondheidseffec-

TABEL 8.3

GOEDE VOEDINGSBRONNEN EN DE ANTIOXIDANTE VITAMINES DIE ZE ONGEVEER BEVATTEN

Beta-caroteen

1 middelgrote abrikoos = 800 International Units
1/2 kop gekookte broccoli = 550 International Units
1 kop watermeloen = 5000 International Units
1 wortel = 20.000 International Units
1 mango = 8000 International Units
1 papaya = 6000 International Units
1/2 kop gekookte spinazie = 7000 International Units
1 gepofte zoete aardappel = 25.000 International Units

Vitamine C

1/2 kop gekookte broccoli = 50 milligram
100 gram grapefruitsap = 45 milligram
1 mango = 55 milligram
100 gram sinaasappelsap = 60 milligram
1 papaya = 190 milligram
1/2 kop aardbeien = 40 milligram

Vitamine E

25 gram amandelen = 8 International Units
1 eetlepel margarine = 8 International Units
1 eetlepel mayonaise = 10 International Units
1 eetlepel zonnebloemolie = 6 International Units
25 gram zonnebloempitten = 14 International Units
1/4 kop droge tarwekiemkorrels = 4 International Units
1 eetlepel tarwekiemolie = 20 International Units

ten zoals kanker te voorkomen, aangezien die in verband worden gebracht met extreme productie van vrije zuurstofradicalen. Deze aanbevelingen zijn nogal aan de stevige kant en kunnen alleen met behulp van supplementen worden opgevolgd omdat inname van deze hoeveelheden bij normale voeding onmogelijk is.

De meeste sporters dienen ideaal gezien voldoende hoeveelheden nutritionele antioxidanten uit hun voeding te halen, waarbij ze voedingsmiddelen moeten kiezen die rijk zijn aan beta-caroteen, vitamine C, en vitamine E, zoals vermeld in tabel 8.3. Een gezonde voeding, rijk aan groenten en fruit zal de inname van beta-caroteen en vitamine C verhogen, terwijl plantaardige oliën een goede bron zijn van vitamine E. Natuurlijke voedingsmiddelen bevatten vaak ook nog andere bestanddelen, die fytochemicaliën worden genoemd, die mogelijk bescherming bieden tegen het ontwikkelen van chronische ziekten als kanker.

Als je besluit antioxidantsupplementen te gebruiken als ondersteuning van je intensieve trainingsprogramma, zijn 500 tot 1000 milligram vitamine C, 400 tot 800 IU vitamine E, en 50 tot 100 microgram selenium veilige doseringen die je natuurlijke antioxidantenzymen kunnen aanvullen, vooral als je voeding niet rijk is aan deze nutriënten.

Vitamine C en E, selenium, en coënzym Q_{10} zijn apart bestudeerd voor hun mogelijke sportergogene potentieel en worden verderop in dit hoofdstuk behandeld.

Arginine, lysine en ornithine

Classificatie en gebruik

Arginine, lysine en ornithine kunnen worden geclassificeerd als nutritionele sportergogene middelen. *Arginine* en *ornithine* zijn niet-essentiële aminozuren, hetgeen betekent dat het lichaam ze zelf uit andere aminozuren kan samenstellen; *lysine* is een essentieel aminozuur, en dat betekent dat opname via de voeding noodzakelijk is. Deze aminozuren zijn natuurlijke bouwstenen van eiwit, maar ze komen in de voedingsmiddelen die we eten niet in vrije vorm voor. De RDA (dagelijks aanbevolen hoeveelheid) voor lysine is iets minder dan 1 gram per dag, waar je via de voeding makkelijk aan komt.

Arginine, lysine en ornithine zijn apart of in combinatie te koop in tablet- of poedervorm. Standaarddoseringen in onderzoek komen op ongeveer 2-3 gram per dag, meestal in gelijke hoeveelheden als de aminozuren in combinatie worden gebruikt.

Sportprestatiefactor

Mechanisch voordeel en fysieke power. Arginine, lysine, en ornithine zijn voornamelijk bestudeerd op hun eventuele vermogen spiermassa te winnen en vet te verliezen voor grotere kracht en power, of voor een esthetischer fysiek in sporten als bodybuilding. Van sommige producten beweert men dat ze effectiever zijn dan anabole/androgene steroïden.

Theorie

Orale inname van arginine, lysine of ornithine wordt geacht de plasmawaarden van diverse hormonen te verhogen, met name *groeihormoon (hGH)* en insuline. Kort gezegd, komt de theorie erop neer dat hGH en insuline helpen spiermassa te winnen en lichaamsvet te verliezen.

Effectiviteit

Hoewel een infusie van bepaalde aminozuren de circulerende hGH en insulinespiegels kan verhogen, blijkt uit vier degelijk opgezette onderzoeken dat orale suppletie van de aminozuren geen vergelijkbaar effect oplevert. Uit deze onderzoeken, waarbij de proefpersonen allemaal ervaren krachttrainers waren, bleek geen effect van orale suppletie met arginine, lysine, ornithine, of combinaties daarvan met andere aminozuren op de hGH en insuline-bloedspiegels. Een Fins onderzoek rapporteerde dat 4 dagen suppletie met 2 gram arginine, lysine en ornithine elk, over 24 uur geen effect had op de plasmawaarden van hGH en insuline. Een ander onderzoek leek te suggereren dat zeer hoge doseringen orale ornithine wel de circulerende hGH- maar niet de insulinespiegels deed stijgen. Helaas veroorzaakten deze doseringen van ongeveer 10 gram of meer, maagdarmproblemen, diarree, om precies te zijn.

Diverse van deze onderzoeken keken ook naar het ergogene potentieel van arginine-, lysine- of ornithinesupplementen voor ervaren krachttrainers, maar vonden geen significant effect op lichaamsvetpercentage, vetvrije spiermassa, of spierkracht, power of uithoudingsvermogen.

Veiligheid

Hoewel er voor de onderzoeken waarbij tot 6 gram per dag werd gebruikt geen berichten bekend zijn van negatieve bijwerkingen, kan de inname van grotere hoeveelheden individuele aminozuren wel voor maagdarmproblemen zorgen. Verder stellen sommige deskundigen, dat de consumptie van grote hoeveelheden specifieke orale aminozuursupplementen de opname van andere aminozuren in het lichaam kan belemmeren.

Juridische en ethische aspecten

Arginine, lysine en ornithinesupplementen zijn legaal. Er lijkt op dit moment ook geen ethisch probleem te zijn met gebruik voor verhoging van het sportprestatievermogen.

Aanbevelingen

Sporters die aan krachttraining doen hebben meer eiwit nodig in hun voeding als ze bezig zijn meer vetvrije spiermassa aan te zetten, maar er is geen enkel degelijk wetenschappelijk bewijs dat arginine-, lysine- en ornithinesupplementen daarbij enig voordeel bieden. Suppletie met deze aminozuren wordt dan ook niet aanbevolen.

Aspartaten (asparaginezuurzouten)

Classificatie en gebruik

Aspartaten, zouten van asparaginezuur, kunnen worden geclassificeerd als nutritionele sportergogene middelen. *Asparaginezuur* is een niet-essentieel aminozuur en een natuurlijk bestanddeel van eiwit, maar het komt in onze voeding niet in vrije vorm voor.

Aspartaten zijn te koop als kalium- en magnesiumaspartaam, in tablet- of poedervorm. De dagelijkse doseringen die in onderzoeken werden gebruikt waren gemiddeld 7 tot 10 gram per etmaal.

Sportprestatiefactor

Fysieke power. Aspartaten zijn bedoeld om de aërobe power en het uithoudingsvermogen te verhogen voor sporten waarbij het zuurstof-energiesysteem de belangrijkste motor is.

Theorie

Hoewel het mechanisme dat de basis vormt voor het vermeende ergogene effect van aspartaamsuppletie nog niet helder is, zijn er verschillende hypothesen opgeworpen. Als eerste de veronderstelling dat aspartaten het gebruik van vrije vetzuren (FFA) voor energieproductie verhogen, wat spierglycogeensparend kan werken. Ten tweede de veronderstelling, dat aspartaten de opbouw van ammonia in het bloed kunnen verminderen; een toename in ammoniaconcentraties in het bloed kan vermoeidheid veroorzaken, maar het mechanisme is nog niet duidelijk. Theoretisch kan glycogeensparing en een verminderde opbouw van ammonia bij duursporten het prestatievermogen vergroten.

Effectiviteit

De onderzoeksbevindingen aangaande het ergogene effect van aspartaatsupplementen zijn nog onvoldoende duidelijk. Vijf degelijk opgezette onderzoeken, waarbij gebruik werd gemaakt van soortgelijke doseringen aspartaten (6 tot 10 gram kalium- en magnesiumaspartaat per etmaal) en duurtrainingsprotocollen (hardlopen op de loopband of fietsergometer tot uitputting toe bij een inspanningsniveau van 60-75 procent van de VO_2 max) lieten uiteenlopende resultaten zien. Twee van de studies kwamen tot de conclusie dat aspartaatsuppletie geen significant effect had op de fysiologische of metabole responsen op inspanning, zoals hartslag, melkzuurspiegels, en een toegenomen gebruik van vrije vetzuren voor energie, of de tijd waarin tot uitputting toe werd gegaan. Daar staat tegenover, dat in drie onderzoeken duidelijke verbeteringen werden waargenomen van 15, 22 en 37 procent in de tijd waarin tot uitputting toe werd gegaan, waarbij een onderzoek ook nog eens een verhoogde mobilisatie van vrije vetzuren en een verminderde opbouw van ammonia in het bloed vond.

Hoewel aanvullend onderzoek nodig is om deze verschillen te verklaren en de onderliggende mechanismen helder te krijgen, is kalium- en magnesiumaspartaatsuppletie mogelijk een effectief sportergogeen middel. Hier moet bij worden opgemerkt, dat van magnesium waarschijnlijk een ergogeen effect uitgaat bij duursporten.

Veiligheid

Er zijn geen nadelige bijwerkingen bekend bij consumptie van kalium- en magnesiumaspartaten op korte termijn (10 gram per etmaal) of lange termijn (18 maanden dagelijks 8 gram). Hogere doseringen kunnen osmotische diarree veroorzaken.

Juridische en ethische aspecten

Aspartaten zijn legaal. Op het moment lijkt er geen ethisch probleem te zijn verbonden met het gebruik van aspartaten voor verhoging van het sportprestatievermogen. Wanneer zij echter effectieve sportergogene middelen blijken, kan het gebruik mogelijk als onethisch worden beschouwd.

Aanbevelingen

Suppletie met kalium- en magnesiumaspartaten is legaal, veilig, ogenschijnlijk ethisch verantwoord en kan een ergogeen effect hebben, hoewel aanvullend onderzoek nodig is.

Koolhydraten zijn de aanbevolen energiebron voor de duursporter, dus consumptie van een koolhydraatrijke voeding is nodig zowel voor als na een duurtraining. Aanvulling met kalium- en magnesiumaspartaten kan de koolhydraten in de voeding ondersteunen maar niet vervangen. Hoewel het effect niet echt bewezen is, is inname van ongeveer 10 gram kalium- en magnesiumaspartaten geconsumeerd in vijf 2-grams doseringen per etmaal een acceptabele procedure. Experimenteer met aspartaten in de training voor je ze inzet voor een wedstrijd.

Bijenpollen

Classificatie en gebruik

Bijenpollen is een voedingssupplement dat kan worden geclassificeerd als nutritioneel sportergogeen middel. Hoewel de preciese chemische analyse onduidelijk is, zijn geoogste bijenpollen een mix van vitamines, mineralen, aminozuren en sporenelementen. De bijenpollen die als supplement in de handel worden gebracht, worden meestal in de vorm van capsules verkocht. Voor onderzoek naar eventuele ergogene effecten van bijenpollen zijn doseringen tot 2.7 gram dagelijks gebruikt.

Sportprestatiefactor

Fysieke power. Bijenpollen worden onder de aandacht gebracht als middel dat high power, conditionele power, en aërobe power vergroot, waarmee alledrie energiesystemen van de mens worden aangesproken.

Theorie

In bijenpollen is geen specifieke ergogene substantie aangetroffen, maar het voordeel van bijenpollen wordt geacht te liggen in de collectieve kracht van de verschillende nutriënten. De claims die in de advertenties worden gedaan, gaan uit van de theorie dat bijenpollen een goede energiebron zijn, vooral bedoeld om het herstel na een intensieve training te bevorderen. Hoewel deze theorie is gebaseerd op niet erg degelijk veldonderzoek, krijgen we af en toe berichten te horen van topsporters die er baat bij zouden hebben gehad.

Effectiviteit

Er zijn geen degelijke wetenschappelijke onderzoeken bekend die een mogelijk ergogeen effect van bijenpollensuppletie ondersteunen. In zes goed opgezette onderzoeken werd geen enkel effect van bijenpollen waargenomen op de metabole, fysiologische en psychologische responsen op training, VO_2 max, of uithoudingsvermogen voor diverse trainingstaken. Een onderzoek keek in het bijzonder naar de theorie van het verbeterde herstelvermogen van duursporters en nam geen significant effect waar van verschillende doseringen bijenpollen op het herstelvermogen, gemeten aan de hand van meerdere sessies maximale inspanning op de loopband met vaste herstelperioden tussendoor.

Veiligheid

Bijenpollen bevatten voornamelijk nutriënten, en mogen dus veilig geacht worden voor de meeste mensen. Sommige allergiegevoelige mensen echter reageren heel vervelend op bijenpollen. Er zijn in de medische literatuur tal van gevallen bekend die allergische reacties vertoonden na inname van bijenpollen, zoals hoofdpijn, misselijkheid, diarree, buikpijn, en *anafylaxie,* een levensbedreigende vorm van overgevoeligheid waarbij onmiddellijk medisch ingrijpen noodzakelijk is.

Juridische en ethische aspecten

Gebruik van bijenpollensupplementen is legaal en ethisch verantwoord.

Aanbevelingen

Bijenpollensuppletie wordt niet aanbevolen als middel om het sportprestatievermogen op te voeren. Er zijn geen wetenschappelijke onderzoeksgegevens beschikbaar die een mogelijk sportergogeen effect van bijenpollen ondersteunen. Daarbij komt, dat sommige mensen zeer allergisch kunnen reageren op bijenpollen. Sporters met allergische gevoeligheden dienen hiermee rekening te houden.

Bèta-blokkers

Classificatie en gebruik

Bèta-blokkers kunnen worden geclassificeerd als farmacologisch sportergogeen middel. Bèta-blokkers, of *bèta-adrenerge blokkers,* zijn medicijnen die alleen op recept verkrijgbaar zijn en bedoeld om de stimulerende werking van epinefrine en norepinefrine op de in verschillende weefsels gelegen bèta-receptoren, zoals het hart, te onderdrukken. Er zijn tal van bèta-blokkers beschikbaar voor behandeling van hart- en vaatziekten en hoge bloeddruk. Een bekende bèta-blokker is propranolol, waarvan Inderal een van de merknamen is. Bèta-blokkers worden ongeveer 1-4 uur voor de wedstrijd genomen. De dosering is afhankelijk van het type bèta-blokker.

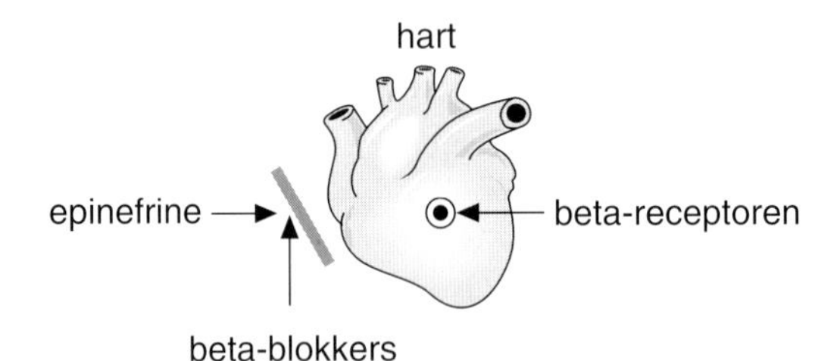

Figuur 8.5 Bèta-blokkers remmen de werking van epinefrine (adrenaline) op verschillende receptoren in het lichaam, waaronder ook het hart.

Sportprestatiefactor

Mentale kracht. Bèta-blokkers zijn onderzocht op hun vermogen een toestand van kalmte op te wekken, met name het vermogen nadelige effecten van psychische stress bij precisiesporten als geweerschieten, boogschieten en kunstschaatsen te onderdrukken.

Theorie

Grote psychische stress kan de afgifte stimuleren van epinefrine en norepinefrine, die angst, beverige handen, en verhoogde hartslag kunnen veroorzaken. Bèta-blokkers kunnen het prestatievermogen bij precisiesporten verhogen door vermindering van de nadelige effecten van angst op de fijne motoriek, hetgeen bij schieten door verminderd beven een vastere hand geeft, en een kalmere hartslag zodat de schutter meer tijd heeft om te schieten tussen de hartslagen door (figuur 8.5).

Effectiviteit

Onderzoek naar bèta-blokkers ondersteunt hun waarde als effectief sportergogeen middel voor schietsporten. Uit wetenschappelijke onderzoeken onder pistoolschutters blijkt dat bèta-blokkers angst, gevoelens van spanning, en de door emoties opgevoerde hartslag en bloeddruk die met de spanning voor een wedstrijd gepaard gaan kunnen verminderen. Het prestatievermogen bij pistoolschieten nam toe met meer dan 13 procent, waarbij de oorzaak van verbetering vooral gelegen was in een afname van spierspanning en een grotere geestelijke rust. Uit onderzoek bleek ook dat bèta-blokkers angst verminderen en een rustiger hartslag geven, wat voordelig is bij stressvolle sporten als schansspringen.

Uit onderzoek bleek ook, dat bèta-blokkers diverse sportprestatiefactoren kunnen verstoren, vooral die van het uithoudingsvermogen van getrainde duursporters, waarschijnlijk door het onderdrukken van het normale stimulerende effect van epinefrine. Daarbij komt, dat bètablokkers ook het anaërobe prestatievermogen van sporters kan aantasten, en hun gebruik is hier dus niet aanbevolen.

Veiligheid

Bèta-blokkers zijn nuttige medicijnen voor patiënten met hartklachten en hoge bloeddruk, maar kunnen voor normale mensen schadelijk zijn voor de gezondheid. Nadelige bijwerkingen zijn onder andere slaperigheid, vermoeidheid, misselijkheid, en zwakte. Overdoseringen kunnen de ademhaling verstoren, bloeddruk verlagen, flauwvallen veroorzaken en mogelijk ook zorgen voor een verhoogde bloedtoevoer naar het hart, wat bij hartpatiënten gevaarlijk kan zijn.

Juridische en ethische aspecten

Gebruik van bèta-blokkers is verboden voor sporters in de 11 pistool- en 2 boogschietonderdelen van de Olympische Spelen, maar ook voor andere sporten waar angst en stress het prestatievermogen belemmeren, zoals bobsleeën, sleeën, freestyle skiën, figuurschaatsen, schansspringen, schoonspringen, paardrijden, schermen, turnen, vijfkamp, zeilen en synchroonzwemmen. Het gebruik van deze middelen wordt in deze sporten als onethisch beschouwd.

Aanbevelingen

Hoewel wetenschappelijk onderzoek het ergogene effect van bèta-blokkers voor precisiesporten als pistoolschieten onderschrijft, moeten ze als illegaal en onveilig worden beschouwd; het gebruik van bèta-blokkers voor genoemde sporten kan dan ook niet worden aanbevolen. Het gebruik van bèta-blokkers hoeft voor andere sporten niet verboden te zijn, maar kunnen voor de sportprestatiefactoren van verschillende sporten nadelig zijn.

Beta-2 agonisten

Classificatie en gebruik

Gezamenlijk, kunnen *bèta-2 agonisten* worden geclassificeerd als farmacologisch sportergogeen middel. De bèta-2 agonist clenbuterol heeft als sportergogeen middel de afgelopen jaren behoorlijk wat aandacht gekregen van de media, maar de effecten van albuterol en andere beta-2 agonisten op mensen zijn uitgebreider bestudeerd.

Clenbuterol en andere bèta-2 agonisten vallen onder de stimulantia. *Clenbuterol* is een niet vrij verkrijgbaar medicijn, een bèta-2 agonist die in Europa en andere landen wordt gebruikt voor de behandeling van astma. Merknamen zijn onder andere Clenasma en Prontovent. De

Food and Drug Administration heeft het gebruik van clenbuterol in Amerika verboden, hoewel het op de zwarte markt gewoon verkrijgbaar is. *Albuterol* (salbutamol) is een soortgelijke bèta-2 agonist die door de FDA wel is goedgekeurd voor gebruik in Amerika. Merknamen zijn onder andere Proventil en Ventolin.

Clenbuterol is in de vorm van een verstuiver voor inhalatie, of in tabletvorm voor orale inname, en in depotvorm voor injecties verkrijgbaar. Sporters gebruiken gewoonlijk alleen de tabletvorm; de therapeutische dosis voor de behandeling van astma is .02 tot .03 milligram tweemaal daags, maar het is bekend dat er onder sporters doseringen genoten worden die dubbel zo hoog zijn. Albuterol is voornamelijk in verstuivingsvorm bestudeerd. Geïnhaleerde doseringen van 200 tot 400 microgram zijn onderzocht op hun mogelijke ergogene effectiviteit.

Sportprestatiefactor

Mentale kracht, fysieke power en mechanisch voordeel. Bèta-2 agonisten zijn bestudeerd op hun vermogen sportprestatiefactoren die voordeel hebben bij een mentaal stimulerend effect te verbeteren, waaronder de effecten op fysieke power die ontleend is aan alledrie energiesystemen, het ATP-CP, het melkzuur- en het zuurstof-energiesysteem.

Hoewel clenbuterol en andere bèta-2 agonisten in de categorie stimulantia vallen, zijn ze ook bestudeerd op hun eventuele vermogen spiermassa aan te zetten voor kracht en power, of voor een esthetischer fysiek in sporten als bodybuilding.

Theorie

Bèta-2 agonisten verbeteren in theorie de longfuncties. Deze medicijnen stimuleren bèta-2 receptoren in de bronchioli, waardoor ze verwijden en het ademen makkelijker wordt. Theoretisch heeft zo'n effect implicaties voor het verbeteren van het zuurstof-energiesysteem, maar ook mogelijke mentale stimulerende effecten van bèta-2 agonisten kunnen het prestatievermogen van andere energiesystemen verhogen.

Hoewel bèta-2 agonisten geen anabole/androgene steroïden zijn, worden sommigen, met name clenbuterol, spieropbouwende eigenschappen toegeschreven. Het achterliggende mechanische is nog onduidelijk, maar gedacht wordt dat clenbuterol de intracellulaire enzymen stimuleert tot opbouw van spiereiwitten. Clenbuterol heeft ook een sterke vetafbraakstimulerende werking.

Effectiviteit

Uit diverse degelijk opgezette studies waarbij bèta-2 agonisten in verstuivingsvorm werden onderzocht, voornamelijk albuterol (salbutamol), bleek een duidelijk verbeterde longfunctie. Uit dezelfde, en andere onderzoeken echter, bleek geen duidelijke verbetering in metabole of psychologische responsen bij inspanning op de fietsergometer, een maximale 30-seconden of 60-seconden Wingate fietstest op anaërobe capaciteit, een fietsergometertijdtest tot uitputting toe, of een op de fietsergometer gesimuleerde tijdrit op de 20 kilometer.

Dierexperimenteel onderzoek ondersteunt de effectiviteit van clenbuterol bij het vermogen vetvrije spiermassa op te bouwen en lichaamsvet te verminderen tijdens voedingsstudies. Individuele hypertrofie van de spiercel en toename van contractiel eiwit wordt zowel bij de fast-twitch als slow-twitch spiercellen gevonden.

In een recente overzichtsstudie werd opgemerkt dat er geen experimenteel humaan onderzoek naar de effecten van clenbuterolsuppletie beschikbaar is, en al helemaal niet bij gewichtstrainers die een adequate voeding consumeren.

Diverse onderzoeken rapporteerden dat suppletie met orale beta-2 agonisten, meest albuterol, geen toename van spiergroei te zien gaf bij proefpersonen op een gewichtstrainingsprogramma, maar wel een toename in kracht. In een onderzoek werden 6 meeteenheden van zowel concentrisch als excentrisch krachtprestatievermogen beoordeeld, en albeturol bleek het prestatievermogen bij 5 van de 12 meeteenheden te verbeteren. Het achterliggende mechanisme voor deze winst in kracht werd niet opgehelderd.

Veiligheid

Zenuwachtigheid, hoofdpijn, spierbevingen, spierkrampen en hartkloppingen zijn een aantal van de nadelige bijwerkingen van clenbuterol bij astmapatiënten. Soortgelijke symptomen zijn waargenomen bij sporters die illegaal clenbuterol gebruikten. Clenbuterolstudies bij ratten lieten ernstige effecten op het hart zien, met name een pathologische vergroting van het hart.

Juridische en ethische aspecten

Gebruik van clenbuterol en bèta-2 agonisten is verboden door het IOC. Interessant is, dat het gebruik ervan is verboden vanwege de anabole/androgene werking, niet die van stimulerend middel. Gebruik van clenbuterol door sporters moet als onethisch worden beschouwd.

Wereldkampioen sprint Katrin Krabbe werd voor twee jaar geschorst vanwege een positieve dopingtest op clenbuterol in 1992.

Astmatische sporters moeten andere legale medicijnen gebruiken dan orale of injecteerbare bèta-2 agonisten om hun astma onder controle te houden, want ze zijn verboden. Op medische indicatie mogen sporters diverse bèta-2 agonisten gebruiken, maar alleen in verstuivingsvorm omdat inhalatie niet de systemische effecten (eiwitopbouw, vetafbraak) heeft van de orale of injecteerbare vormen. Generieke bèta-2 agonisten als salbutamol, salmeterol en terbutaline mogen door artsen worden voorgeschreven, maar sporters moeten daarover het IOC raadplegen.

Aanbevelingen

Hoewel de uitkomsten van het dierexperimenteel onderzoek interessant zijn, is er geen humaan onderzoek beschikbaar die de effectiviteit van clenbuterol als anabolicum heeft onderzocht. Sommige onderzoeksgegevens lijken erop te wijzen dat bèta-2 agonisten kracht kunnen vergroten. De gezondheidsrisico's van langdurige gebruik van anabole doseringen voor mensen zijn niet bekend. Gebruik van clenbuterol en andere bèta-2 agonisten is verboden, behalve in verstuivingsvorm, en moet dus als onethisch worden beschouwd. Daarom kunnen we het gebruik van clenbuterol en andere bèta-2 agonisten niet aanbevelen. Astmatische sporters kunnen de toegestane bèta-2 agonisten in verstuivingsvorm gebruiken.

Bloeddoping

Classificatie en gebruik

Bloeddoping, ook bekend als *geïnduceerde erythrocythemie,* kan worden geclassificeerd als fysiologisch sportergogeen middel. Bloeddoping kan op verschillende manieren worden bereikt. Een techniek is die van de *homologe transfusie,* waarbij bloed van hetzelfde type van de ene naar de andere persoon wordt gebracht. Bij de tweede methode, die bekend staat als *autologe transfusie* krijgt de ontvanger zijn eigen bloed toegediend, met name de rode bloedlichaampjes die eerder waren afgenomen, bevroren en opgeslagen tot de normale waarden voor rode bloedlichaampjes en hemoglobine terugkeerden. In onderzoeken varieerde de hoeveelheid geïnfuseerd bloed of bloedlichaampjes normaal van 500 milliliter tot 2 liter.

Sportprestatiefactor

Fysieke power. Bloeddoping is voornamelijk bestudeerd voor de mogelijke toename in aërobe power en uithoudingsvermogen bij sporten die hun energie voornamelijk ontlenen aan het zuurstof-energiesysteem.

Theorie

Bloeddoping is bedoeld om de concentratie van rode bloedlichaampjes en hemoglobine in het bloed te verhogen. De hemoglobine in de rode bloedlichaampjes bindt zich met zuurstof in de longen voor transport naar de spieren; op die manier heeft de toename in zuurstoftransportcapaciteit mogelijk een ergogeen effect bij sporten waarbij het zuurstof-energiesysteem is betrokken – aërobe power-onderdelen en onderdelen waarbij het uithoudingsvermogen langer dan 5 minuten op de proef wordt gesteld.

Effectiviteit

In diverse recente grote overzichtsstudies werd de conclusie getrokken dat bloeddoping een effectief sportergogeen middel is voor duursporten. Bloedtransfusies van 900-2000 milliliter bleken de totale hoeveelheid hemoglobine, de hemoglobineconcentratie, de dichtheid van bloedlichaampjes, en het zuurstofgehalte van het bloed beduidend te verhogen (zie figuur 8.6). Deze hematologische veranderingen gaan gepaard met een duidelijke toename in VO_2 max en verminderde stress tijdens submaximale inspanning, zoals blijkt uit een lagere hartslag, lactaatspiegel, en psychologische waardering van de ervaren inspanning. Het inspanningsprestatievermogen neemt ook toe door bloeddoping. Laboratoriumstudies hebben aangetoond dat bloeddoping de tijd dat vermoeidheid intreedt uitstelt, zoals blijkt bij loopband en fietsergometertests tot uitputting toe (zie figuur 8.7); in veldonderzoek werden snellere tijden genoteerd bij hardlopen van de 1500 tot 10.000 meter. Bloeddoping lijkt een van de meest effectieve sportergogene middelen te zijn waar de sporter gebruik van kan maken.

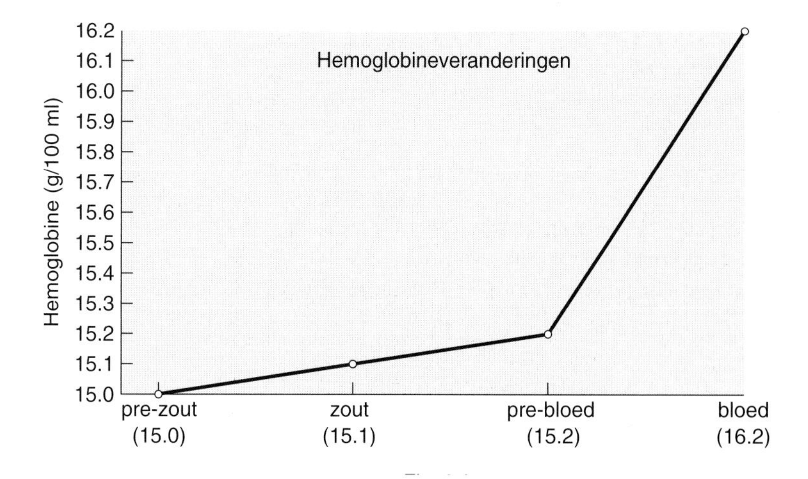

Figuur 8.6 Hemoglobinewaarden stijgen na bloeddoping met 2 liter in vergelijking met de normale waarden en de placebo zoutoplossing.

Veiligheid

Homologe bloedtransfusies brengen het risico op hepatitis B, hepatitis C en HIV (AIDS) infectie met zich mee. Autologe bloedtransfusies zijn veiliger, maar administratieve missers, verwisseling van gegevens en incorrecte behandeling van bloedproducten kunnen ernstige gezondheidsproblemen veroorzaken. Een infusie met een verkeerde bloedgroep kan fataal zijn.

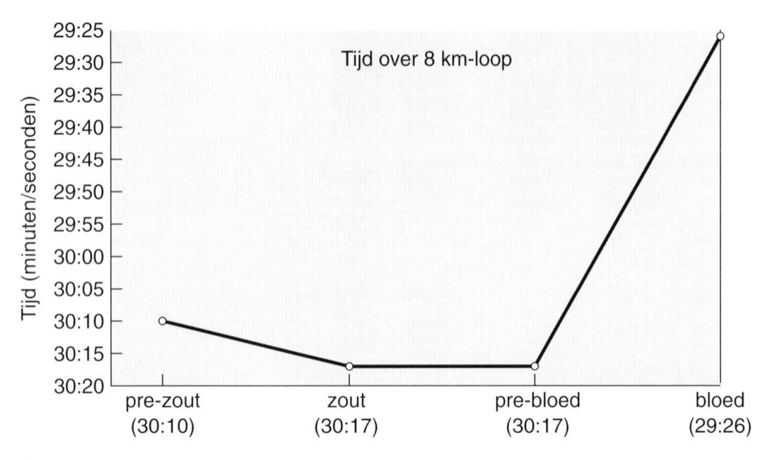

Figuur 8.7 Hardlopers verbeterden hun prestatie op de 8000 meter met bijna 45 seconden na ontvangst van 2 liter bloed (bloeddoping).

Juridische en ethische aspecten

Diverse medaillewinnaars van het wielrenteam van de Olympische Spelen 1984 gaven toe bloeddoping te hebben gebruikt. Het jaar daarop kwam bloeddoping op de IOC-lijst van verboden middelen en technieken te staan. De huidige dopingcontroletechnieken waarbij de urine wordt gecontroleerd zijn niet in staat bloeddoping op te sporen. Recent echter begon de Internationale Wielren Unie met het testen op bloeddoping en heeft sporters geschorst wanneer hun hematocrietwaarde (percentage rode bloedlichaampjes) hoger is dan 50. Het gebruik van bloeddoping als sportergogeen middel is illegaal en onethisch. Het American College of Sports Medicine, een internationale organisatie, verklaarde het gebruik van bloeddoping als prestatieverhogend middel als ethisch niet verantwoord.

Aanbevelingen

Hoewel bloeddoping een effectief sportergogeen middel of techniek is en veilig bij correct medisch gebruik, is het gebruik ervan verboden en kan daarom niet worden aanbevolen. Zie verder ook de aanbevelingen voor erythropoëtine (EPO).

Boor

Classificatie en gebruik

Boor, een niet-essentieel mineraal, kan worden geclassificeerd als nutritioneel sportergogeen middel. Boor of borium komt van nature voor in plantaardige voeding, vooral gedroogd fruit, noten, appelmoes en druivensap. Voor boor is geen RDA (dagelijks aanbevolen hoeveelheid) gegeven. Boor lijkt echter toch enkele belangrijke rollen te spelen in de menselijke stofwisseling, zoals verhoging van botmineralisatie, en sommige wetenschappers menen dan ook dat boor van nutritioneel en klinisch belang is.

Boorsupplementen zijn verkrijgbaar in tabletvorm, waarbij sommige als steroidcomplexen vooral op sporters zijn gericht. Doseringen gebruikt in humaan onderzoek komen ongeveer op 2.5 milligram per dag, twee maanden lang.

Sportprestatiefactor

Mechanisch voordeel en fysieke power. Boorsuppletie is voornamelijk bestudeerd op het vermogen spiermassa aan te zetten en lichaamsvet te verlagen voor meer kracht en power of voor een esthetischer fysiek in sporten als bodybuilding.

Theorie

In een studie om de effecten van boorsuppletie op botmineralisatie te evalueren, werd postmenopauzale vrouwen 4 maanden lang boor onthouden, waarna ze 48 dagen een boorsupplement kregen. Een van de waargenomen effecten in deze studie was een verhoogde testosteronspiegel volgend op de boorsuppletieperiode. Snel daarna kwamen de eerste advertenties waarin boorsupplementen voor sporters werden aanbevolen, waarbij werd gesuggereerd dat het de testosteronspiegel in het bloed zou doen stijgen, met als gevolg stimulatie van anabole activiteit en toename in spiermassa en vermindering van lichaamsvet.

Effectiviteit

Verschillende studies hebben aangetoond dat boorsuppletie geen hogere testosteronspiegel veroorzaakt bij vrouwen of mannen die een normale voeding consumeren. Ook uit onderzoek bij bodybuilders bleek geen significant effect van boorsuppletie op de testosteronspiegel, vetvrije spiermassa, lichaamsvet, of kracht. Boor lijkt geen effectief sportergogeen middel te zijn.

Veiligheid

Hoewel er voor boor geen RDA is vastgesteld, stelt een wetenschapper voor ongeveer 1 milligram per dag te gebruiken, dat gebruik tot 10 milligram per dag veilig is, en dat een inname van 50 milligram of meer mogelijk toxisch is en de eetlust en spijsvertering kan verstoren.

Juridische en ethische aspecten

Boorsuppletie in de sport is legaal en ethisch verantwoord.

Aanbevelingen

Op basis van beschikbare wetenschappelijke gegevens moet worden gesteld dat boor geen effectief sportergogeen middel is, en het gebruik ervan kan dan ook niet worden aanbevolen.

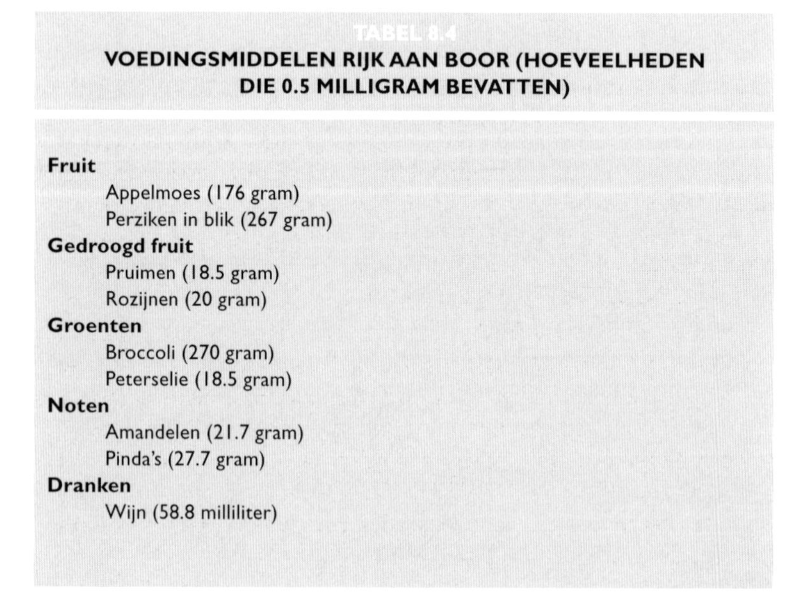

TABEL 8.4

VOEDINGSMIDDELEN RIJK AAN BOOR (HOEVEELHEDEN DIE 0.5 MILLIGRAM BEVATTEN)

Fruit	
	Appelmoes (176 gram)
	Perziken in blik (267 gram)
Gedroogd fruit	
	Pruimen (18.5 gram)
	Rozijnen (20 gram)
Groenten	
	Broccoli (270 gram)
	Peterselie (18.5 gram)
Noten	
	Amandelen (21.7 gram)
	Pinda's (27.7 gram)
Dranken	
	Wijn (58.8 milliliter)

Een vooraanstaand expert op het gebied van boor stelt echter, dat een tekort aan boor van ongeveer drie weken een nadelig effect heeft op training. Sporters die een normale gevarieerde voeding consumeren zullen geen last hebben van boortekorten. Het kiezen van voedingsmiddelen die rijk zijn aan boor, zoals die in tabel 8.4, garandeert dat er voldoende boor binnenkomt.

Ketenaminozuren (BCAA)

Classificatie en gebruik

Leucine, isoleucine en valine, de drie essentiële ketenaminozuren, kunnen worden geclassificeerd als nutritioneel sportergogeen middel. De dagelijks aanbevolen hoeveelheid voor de BCAA is iets minder dan 3 gram per dag, en daar kom je in een normale voeding makkelijk aan.

BCAA-supplementen zijn te koop in tablet- of poedervorm, vaak in combinatie met andere aminozuren. BCAA worden ook verwerkt in sportdranken. Bij onderzoek naar suppletie met aminozuren werden aminozuren in tabletvorm gebruikt in doseringen van 5 tot 20 gram per dag, terwijl voor vloeibare aminozuren 1 tot 7 gram BCAA per liter werd aangehouden.

Sportprestatiefactor

Mentale kracht en fysieke power. BCAA zijn voornamelijk bestudeerd voor het vermogen mentale vermoeidheid te voorkomen waardoor het prestatievermogen voor duursporten als lange afstandlopen, wielrennen, of voetbal- en tenniswedstrijden in de verlenging verbetert.

Theorie

Mentale vermoeidheid tijdens inspanning wordt toegeschreven aan nadelige effecten op het centraal zenuwstelsel, voornamelijk de hersenen, en wordt daarom vaak *CZS-vermoeidheid* genoemd. Eric Newsholme, een biochemicus van Oxford University, kwam met de stelling dat lage BCAA-spiegels in combinatie met hoge *vrije-tryptofaan (F-tryp)* spiegels in het bloed vermoeidheid van het centrale zenuwstelsel kunnen veroorzaken.

F-tryp is nodig voor opbouw van de hersenneurotransmitter serotonine, die het centrale zenuwstelsel kan onderdrukken en symptomen als slaperigheid en vermoeidheid kan veroorzaken. Normaal gesproken is de hoeveelheid F-tryp die de hersenen bereikt om twee redenen beperkt. Ten eerste omdat hoge BCAA-spiegels in het bloed de entree van F-tryp in de hersenen blokkeren (zie figuur 8.8) en ten tweede, omdat tryptofaan normaal gesproken gebonden is aan het bloedeiwit albumine en dus niet vrij is. Tijdens de latere fasen van een duurevenement, krijgen F-tryp-spiegels in het bloed makkelijker toegang tot de hersenen, en wel om twee redenen. Ten eerste, wanneer de spierglycogeenvoorraden uitgeput raken, zakken de BCAA-spiegels in het bloed mogelijk ook omdat ze gebruikt worden om de verminderde energieproductie van glycogeen te compenseren. Ten tweede, omdat de vrije vetzuurspiegels (FFA), die gebonden waren aan albumine voor transport in het bloed, toenemen, waardoor de hoeveelheid beschikbare albumine voor binding met tryptofaan afneemt. Zo kunnen hoge F-tryp-spiegels in verhouding met de BCAA de ingang van tryptofaan in de hersen doen toenemen, hetgeen leidt tot een verhoogde serotonine-opbouw met vermoeidheid als gevolg. J. Mark Davis heeft deze hypothese over CZS-vermoeidheid uitgebreid bestudeerd en merkt in een recent artikel op, dat de resultaten deze stelling onderschrijven.

Theoretisch gezien, zou BCAA-suppletie helpen een optimale verhouding F-tryp versus BCAA te bewerkstelligen, en de snelle entree van F-tryp in de hersenen voorkomen, waardoor vermoeidheid wordt verhinderd.

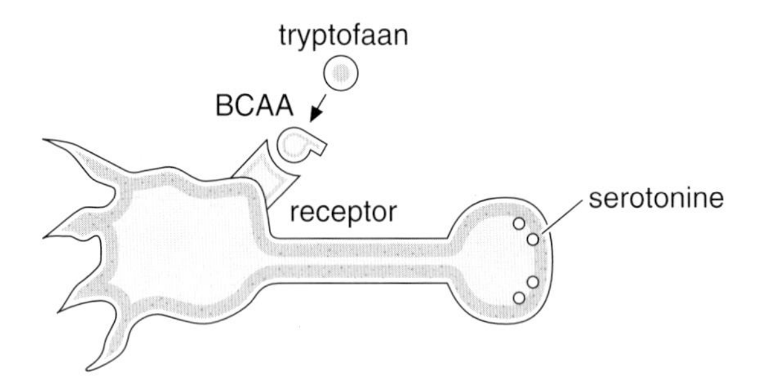

Figuur 8.8 Ketenaminozuren (BCAA) blokkeren waarschijnlijk de entree van vrij tryptofaan in de hersenen, waardoor de opbouw van de neurotransmitter serotonine afneemt, die vermoedelijk mede oorzaak is van vermoeidheid bij duurevenementen.

Effectiviteit

Hoewel de theorie achter het vermogen van BCAA-suppletie op het voorkomen van CZS-vermoeidheid zinnig is, zijn de onderzoeksgegevens nog niet eenduidig.

Daar staat echter tegenover, dat in vergelijking met een placebo, acute BCAA-suppletie voor en tijdens inspanning het mentale prestatievermogen kan opvoeren zodat sporters na afloop van de wedstrijd frisser zijn, en verbetert het het uithoudingsvermogen onder warme weersomstandigheden. In een onderzoek met 193 marathonlopers verbeterde BCAA-suppletie niet het algehele prestatievermogen, maar toen de hardlopers werden verdeeld in langzamere (3:05-3:30 uren: minuten) en snellere (<3:05 uren: minuten), liepen de langzamere hardlopers die BCAA hadden gekregen sneller dan de langzamere hardlopers die geen BCAA hadden gekregen. De onderzoekers veronderstelden, dat de langzamere lopers mogelijk hun spierglycogeen eerder hadden uitgeput, waardoor eerder in de test de BCAA-spiegels lager waren zodat ze meer baat hadden bij de suppletie.

Sommige onderzoeken lijken te suggereren dat chronische BCAA-suppletie het prestatievermogen kan bevorderen. In een goed opgezet, dubbel blind, placebo en cross-over onderzoek, rapporteerden onderzoekers van de University of Virginia dat goed getrainde wielrenners hun tijd op de 40 km na twee weken suppletie met 6.8 minuten verbeterden, terwijl de verbetering bij de placebo slechts 1.4 minuten bedroeg.

Daar staat tegenover, dat, in vergelijking met een placebo, acute BCAA-suppletie voor en na inspanning in fietstests tot uitputting toe het prestatievermogen niet verbeteren, zelfs niet als de spierglycogeenvoorraden van de fietsers waren uitgeput. Vergeleken met een glucosesupplement in een ander onderzoek, hielp een BCAA-glucosesupplement voor en tijdens de 100 km fietstest de F-tryp: BCAA verhouding te verlagen, maar verbeterde het prestatievermogen niet, en bleek ook geen sprake van vermindering van CZS-vermoeidheid. Verder bleek in het University of Virginia-onderzoek van zoëven, dat 2 dagen suppletie met BCAA geen effect had op het prestatievermogen voor een 40 km fietstest.

Van chronische BCAA-suppletie, in combinatie met andere aminozuren en nutriënten, is geen aantoonbaar effect op het prestatievermogen gebleken in een duurtest op 65 procent van de VO_2 max of op de totaaltijd nodig om een halve triatlon af te werken.

BCAA zijn wel toegevoegd aan koolhydraatoplossingen om te bekijken of BCAA een goede aanvulling vormen in sportdranken. Voor de gebruikelijke onderzoekscondities werden een placebo, een koolhydraatoplossing en een koolhydraatoplossing met toegevoegde BCAA ingezet; in een onderzoek werd ook een oplossing met alleen BCAA gebruikt. Diverse studies hebben het effect van deze oplossingen onderzocht op duurtaken tot 4 uur en in een studie op 40 km wielrennen na enkele uren fietsen. Hoewel zowel de pure koolhydraatoplossing als die met toegevoegde BCAA het prestatievermogen verbeterden in vergelijking met de placebo, zat er tussen de pure en met BCAA verrijkte koolhydraatoplossing geen verschil. Koolhydraatsuppletie kan voor adequate energie zorgen en de energiebijdragen van BCAA en FFA verminderen, waardoor een stijging in de F-tryp: BCAA verhouding wordt voorkomen en vermoeidheid vertraagt.

Veiligheid

BCAA zijn betrekkelijk veilige supplementen. Ze bevatten nutrinten die ook in de eiwitten van onze dagelijkse voeding voorkomen. Sommige sportvoedingswetenschappers stellen echter, dat grote hoeveelheden orale BCAA-supplementen de opname van andere aminozuren in het lichaam kunnen belemmeren. Daar komt bij, dat hoge doseringen BCAA voor maagdarmproblemen kunnen zorgen, doordat ze vocht vasthouden in het darmkanaal. Een veilige dosering is 7 gram aminozuren per liter.

Juridische en ethische aspecten

BCAA-supplementen zijn legaal. Mochten het uiteindelijk effectieve sportergogene middelen blijken te zijn, dan kan gebruik ervan door sommigen als onethisch worden ervaren, maar op dit moment lijkt er zich in verband met het prestatievermogen nog geen ethisch probleem voor te doen.

Aanbevelingen

Koolhydraten zijn de belangrijkste brandstof voor duursporters, en zij doen dan ook aan koolhydraatladen voor de wedstrijd en maken onderweg gebruik van koolhydraatdranken. BCAA toevoegen aan de koolhydraatdrank lijkt weinig extra nut te hebben, maar kwaad kan het voor een duurinspanning ook niet.

Een enkele studie suggereert dat chronische BCAA-suppletie het prestatievermogen kan bevorderen. Een mogelijke theorie is, dat BCAA-suppletie de spierafbraak tijdens training kan verminderen, waardoor misschien wat consistenter kan worden getraind, maar koolhydraat-suppletie is in dit opzicht misschien ook effectief. Om spierafbraak te voorkomen is een adequate inname van eiwit natuurlijk ook essentieel.

Koolhydraten zijn de aanbevolen energiebron voor duursporters. Als er een gebrekkige koolhydraatinname is, kan BCAA-suppletie helpen. Toekomstig onderzoek geeft mogelijk een beter inzicht in de potentiële ergogene effecten van BCAA-suppletie.

Cafeïne

Classificatie en gebruik

Cafeïne, een *trimethylxanthine,* kan worden geclassificeerd als farmacologisch ergogeen middel. Het kan ook als nutritioneel ergogeen middel worden beschouwd omdat het een natuurlijk bestanddeel vormt van diverse dranken die we dagelijks consumeren, met name koffie.

Een normale therapeutische dosis cafeïne is 100-300 milligram. Een kop gekookte koffie van 150-175 cc bevat ongeveer 100-150 milligram. De hoeveelheden in andere producten worden opgesomd in tabel 8.5. Het veronderstelde sportergogene effect van sommige kruidensupplementen, zoals guarana en maté, kan afkomstig zijn van de cafeïne die ze bevatten. De hoeveelheden die in onderzoek zijn gebruikt lopen van 3 tot 15 milligram per kilogram lichaamsgewicht. Voor een man van 70 kg heeft men dan hoeveelheden van 210 to 1050 milligram cafeïne gebruikt.

Sportprestatiefactor

Fysieke power en mentale kracht. Cafeïne is onderzocht voor het vermogen fysieke power van alledrie energiesystemen, het ATP-CP-, melkzuur- en zuurstof-energiesysteem te verhogen. Voornamelijk via zijn werking als stimulerend middel.

TABEL 8.5

GEMIDDELDE HOEVEELHEID CAFEÏNE IN BEKENDE DRANKEN, PILLEN EN ANDERE PRODUCTEN

Gekookte koffie – kop (150 cc) = 100 mg
Decafé – kop (150 cc) = 3 mg
Thee van gemiddelde sterkte – 1 kop (150 cc) = 50 mg
Cacao – 1 kop (150 cc) = 5 mg
Cola-limonade, blikje = 40 mg
Excedrine – 1 tablet = 65 mg
No Doz – 1 tablet = 100 mg
Vivarin – 1 tablet = 200 mg
Guarana – 100 milligram = 100 mg

Theorie

Cafeïne wordt geacht op verschillende manieren het prestatievermogen te verhogen. Ten eerste stimuleert cafeïne het centrale zenuwstelsel en brengt het de psyche in grotere staat van alertheid of opwinding. Ten tweede stimuleert cafeïne de afgifte van epinefrine door de bijnieren, die, samen met de stimulatie van het centrale zenuwstelsel, voor inspanning belangrijke fysiologische processen als hart-longfunctie en brandstofverbruik opvoeren. Met betrekking tot brandstofverbruik ligt het ergogene effect van cafeïne voor duursport vooral in de mobilisatie van vrije vetzuren en het sparen van spierglycogeen. Ten derde bevordert cafeïne de vrijmaking van calciumvoorraden in de spiercellen, waardoor calcium de spiercontractie vlotter kan laten verlopen. Dit effect kan tijdens explosieve inspanning, die afhankelijk is van het ATP-CP-energiesysteem, voor een kortdurende toename in spierkracht en power zorgen; de productie van power in het melkzuur- en zuurstofenergiesysteem kan er ook door toenemen. Al deze effecten kunnen worden veroorzaakt door de werking van cafeïne, epinefrine, of metabole afbraakproducten van cafeïne, dimethylxanthinen geheten.

Effectiviteit

Het sportergogene potentieel van cafeïne wordt al bijna 100 jaar bestudeerd. Honderden onderzoeken zijn er sindsdien uitgevoerd, en hoewel de opzet en resultaten van deze individuele studies verschillen, blijkt uit het merendeel dat cafeïne het prestatievermogen voor een heel scala

TABEL 8.6

VERBETERD PRESTATIEVERMOGEN IN DE DRIE HUMANE ENERGIESYSTEMEN EN IN PSYCHISCHE ALERTHEID/OPWINDING NA INNAME VAN CAFEÏNE

ATP-CP energie-systeem
Maximale powerproductie in 6 seconden
Toegenomen isokinetische kracht en power

Melkzuur-energiesysteem
100 meter zwemmen

Melkzuur-/zuurstof-energiesystemen
1500 meter hardlopen

Zuurstof-energiesysteem
1500 meter zwemmen
Wielren- en looptijd tot uitputting toe> 60 minuten

Psychische staat van alertheid/opwinding
Toegenomen arbeids-output bij een gegeven waarde van 'subjectief inspanningsgevoel'.

inspanningstaken kan vergroten. Tabel 8.6 geeft een overzicht van een aantal recente onderzoeksresultaten die het ergogene effect van cafeïne voor alle drie de energiesystemen ondersteunen.

In diverse recente reviews van degelijk opgezette onderzoeken van internationaal bekende wetenschappers als Lawrence Spriet en Terry Graham, wordt de conclusie getrokken dat cafeïne een effectief sportergogeen middel is, zelfs als het gebruikt wordt in toegestane doseringen (zie de juridische en ethische aspecten.)

Dat geldt vooral voor aërobe power- en duurevenementen afhankelijk van het zuurstof-energiesysteem. Gebruiken we loopnummers als voorbeeld, dan kan cafeïne het prestatievermogen op de 1500 en 5000 meter en de marathon (42 km) verhogen. Extrapolatie van andere inspanningsfysiologische onderzoeksgegevens lijkt te suggereren dat cafeïne ook een effectief ergogeen middel is voor kortere loopnummers, zoals de 100 en 400 meter, maar de onderzoeksgegevens zijn minder overtuigend dan die voor de langere loopnummers.

Hoewel deze onderzoekers er op wijzen dat cafeïne het fysieke prestatievermogen kan verbeteren, is het meeste onderzoek gedaan in het laboratorium of onder omstandigheden buiten het wedstrijdseizoen. Het is dus mogelijk, dat de stress van de echte wedstrijd de afgifte van epinefrine dusdanig opvoert dat het mogelijke extra effect van cafeïne erbij in het niet valt. Zo bleek bijvoorbeeld uit een onderzoek dat 5 tot 9 milligram cafeïne per kg lichaamsgewicht het prestatievermogen van hardlopers op de halve marathon (21.1 km) onder warme weersomstandigheden niet verhoogde. Er is meer onderzoek nodig om de effectiviteit van cafeïne als sportergogeen middel bij testinspanning of daadwerkelijke wedstrijd te meten.

Veiligheid

Cafeïne is betrekkelijk veilig voor gezonde sporters. Overconsumptie kan cafeïnisme veroorzaken, met als mogelijke bijwerkingen rood aanlopen, nervositeit, beven, angst en hartkloppingen. Mensen met gezondheidsklachten als hoge bloeddruk, kunnen in verband met cafeïnegebruik beter eerst hun huisarts raadplegen.

Juridische en ethische aspecten

Cafeïne wordt door het IOC geclassificeerd als stimulerend middel. Hoewel het gebruik van de meeste stimulerende middelen door het IOC is verboden, is een zekere mate van cafeïne wel toegestaan omdat het een natuurlijk bestanddeel vormt van bepaalde dranken. Overmatig cafeïnegebruik met als gevolg een stijging van de cafeïneconcentratie in de urine tot 12 microgram per ml urine of daarboven is voldoende om 'positief' te worden bevonden. Het Amerikaanse OC (USOC) meldt dat de inname van 100 milligram cafeïne een urinespiegel van 1.5 microgram/millimeter als gevolg heeft. Dat betekent dat er een inname nodig is van 800 milligram om in de illegale zone te komen. De hoeveelheid die nodig is om in de illegale zone te geraken kan verschillen per lichaamsgewicht, geslacht en lichaamswater. Voor sommige sporters kan een veel lagere dosis dan 800 milligram al een 'positief' opleveren. De volgende hoeveelheden cafeïnebevattende producten kunnen de grens van het legale overschrijden:

8 koppen sterke koffie
16-20 blikjes cola-limonades
8 NoDoz tabletten
4 Vivarin tabletten
12 Excedrine tabletten

> De ergogene effecten van cafeïne... zijn merkbaar in door het IOC net toegestane waarden. Daarmee doemt de vraag op, of het gebruik van cafeïne als sportergogeen middel ethisch wel toelaatbaar is.
>
> *– Lawrence Spriet, inspanningsfysioloog (Canada)*

Aanbevelingen

Cafeïne lijkt een effectief sportergogeen middel te zijn, zelfs al wordt het geconsumeerd in doseringen die als legaal worden beschouwd. Cafeïne is ook betrekkelijk veilig. Er zijn echter onderzoekers, die het gebruik van cafeïne als onethisch beschouwen en hebben het IOC aangeraden de toegestanen urinewaarden te verlagen. Op dit moment ligt de verantwoordelijkheid voor gebruik van cafeïne bij de sporter zelf.

Als je besluit cafeïne te gebruiken, kan een aanbevolen dosering 5 milligram per kg lichaamsgewicht zijn. Een hardloper van 60 kg kan dus 300 milligram gebruiken. Uit voorbereidend onderzoek blijkt, dat cafeïnepillen, zoals Vivarin, effectiever zijn dan cafeïne-inname via koffie; dus een tot twee Vivarintabletten komt op 200 tot 400 mg cafeïne. Als je aan koffie de voorkeur geeft, dan zijn twee tot drie koppen voldoende. Vijf milligram per kg lichaamsgewicht is net zo effectief gebleken als hogere doseringen, maar geeft geen urinewaarden boven de 12 microgram/millimeter. Drie dagen voor de wedstrijd geen cafeïnehoudende dranken drinken kan ook helpen. Uit sommige studies, niet allemaal, blijkt dat periodieke onthouding het epinefrinestimulerende effect van cafeïne versterkt.

De individuele respons op cafeïne kan verschillend zijn, en personen die gevoelig zijn voor de bijwerkingen, zoals gejaagdheid en beven, kunnen er voor hun sportprestatievermogen eerder nadeel dan voordeel van ondervinden.

Calcium

Classificatie en gebruik

Calcium is een essentieel mineraal, dat kan worden geclassificeerd als sportergogeen middel. Calcium is een natuurlijk bestanddeel van verschillende voedingsmiddelen, vooral zuivelproducten, donkere bladgroenten en peulvruchten. Sommige voedingsmiddelen, zoals jus d'orange worden met calcium verrijkt. De RDA (dagelijks aanbevolen hoeveelheid) is 800 milligram voor volwassenen en 1200 milligram voor jongeren in de leeftijd van 11 tot 25 jaar.

Calciumsupplementen zijn in verschillende vormen beschikbaar, zoals calciumcarbonaat en calciumgluconaat. Rennies tegen brandend maagzuur bevatten ook calcium. Supplementen van 200 milligram worden meestal tijdens de maaltijd genomen.

Sportprestatiefactor

Fysieke power. Calciumsuppletie wordt voornamelijk gebruikt om de fysieke power van alledrie energiesystemen, het ATP-CP-, het melkzuur- en het zuurstofenergiesysteem op te voeren.

Theorie

Bijna al het calcium (99%) in het lichaam wordt opgeslagen in de botten en tanden, maar de resterende 1% in andere weefsels is van essentieel belang voor tal van stofwisselingsfuncties. Calcium is met name belangrijk voor contractie van alle spieren in het lichaam, en dus kan een tekort het sportprestatievermogen van zowat alle sporten belemmeren. Calcium activeert ook een aantal enzymen dat belangrijk is voor het sportprestatievermogen, zoals enzymen die spierglycogeen afbreken voor energieproductie.

Effectiviteit

Er zijn geen wetenschappelijke bewijzen die het ergogene effect van calciumsuppletie onderschrijven. Het lichaam beschikt over een krachtig hormonaal syteem om de calciumconcentraties in de weefsels op peil te houden. Wanneer de concentraties in de weefsels te laag worden, mobiliseren hormonen het overschot aan calcium van de botten naar deze weefsels. De hoeveelheden calcium die aan de botten worden onttrokken kunnen later via de voeding weer worden aangevuld.

Veiligheid

Calciumsuppletie om de dagelijkse inname op 800 tot 1200 milligram te brengen, lijkt veilig te zijn. Overmatige consumptie van calcium kan constipatie veroorzaken of de opname van andere essentiële mineralen als ijzer en zink verstoren. Bij bepaalde daarvoor gevoelige personen, kan een te hoge calciuminname bijdragen aan de ontwikkeling van nierstenen of hartritmestoornissen.

TABEL 8.7

CALCIUMGEHALTE VAN BEKENDE VOEDINGSMIDDELEN IN DE VERSCHILLENDE VOEDINGSGROEPEN EN FAST FOOD

Melk
- 1 kop halfvolle melk = 300 milligram
- 1 kop magere yoghurt = 350 milligram

Vlees/gevogelte/kaas
- 30 gram Zwitserse kaas = 270 milligram
- 30 gram mager rundvlees = 3 milligram
- 30 gram garnalen = 11 milligram

Brood/granen/peulvruchten/zetmeelgroenten
- 1 snee tarwebruin = 18 milligram
- 1 kop gebakken bonen = 127 milligram
- 1 kop mais = 8 milligram

Groenten
- 1 kop gekookte broccoli = 70 milligram
- 1 kop gekookte spinazie = 245 milligram

Fruit
- 1 banaan = 6 milligram
- 1/4 kop rozijnen = 18 milligram

Fast food
- 1 Burger King BK = 60 milligram
- 1 middelgrote punt kaaspizza van Pizza Hut = 250 milligram

Juridische en ethische aspecten

In het algemeen wordt calciumsuppletie niet aanbevolen als sportergogeen middel omdat er geen bewijs is dat het effectief is als sportergogeen middel.

Sporters dienen via de normale voeding voldoende calcium binnen te krijgen, waarbij ze calciumrijke voedingsmiddelen kunnen kiezen, zoals vermeld in tabel 8.7 Als voedingsmiddelen niet verstandig gekozen worden, kunnen sommige sporters wel baat hebben bij calciumsuppletie, waaronder zij (a) die geen zuivelproducten eten, (b) zij die een sport beoefenen in een bepaalde gewichtscategorie, (c) jonge vrouwen bij wie de menstruatie uitblijft, (d) oudere vrouwen. In zulke gevallen is de aanbevolen procedure de normale calciuminname aan te vullen met 200 milligram, driemaal daags bij de maaltijd, om aan de gestelde inname van 800 tot 1200 milligram te komen.

Calciumsuppletie is op zich niet ergogeen, maar kan helpen in het voorkomen van osteoporose, vooral bij jonge maar ook bij oudere sporters. Osteoporose verzwakt de botten en maakt ze gevoeliger voor scheurtjes en zelfs complete fracturen.

Koolhydraatsupplementen

Classificatie en gebruik

Koolhydraatsupplementen kunnen worden geclassificeerd als nutritionele sportergogene middelen. Koolhydraten komen van nature voor in tal van voedingsmiddelen en in allerlei varianten, gezamenlijk bekend als *enkelvoudige koolhydraten (suikers)* en *complexe koolhydraten (zetmeel)*. Glucose en fructose, twee van de meest basale enkelvoudige suikers, komen van nature voor in allerlei soorten fruit. Sucrose (gewone tafelsuiker) en lactose (melksuiker) zijn eveneens enkelvoudige suikers. Zetmeel, dat voorkomt in granen en groenten, bestaat uit complexe koolhydraten die bestaan uit lange ketens glucose. Sucrose is een gefabriceerde suiker, zoals ook het fructoserijke maissiroop en glucosepolymeren, waarvan de laatste een keten van meer dan 10 glucosemoleculen is. Er is geen RDA vastgesteld voor koolhydraten, maar voedingsdeskundigen zijn van mening dat de dagelijkse voeding voor 55 tot 60 procent uit koolhydraten zou moeten bestaan, en voor sporters zelfs een hoger percentage.

De belangrijkste functie van koolhydraten in het menselijk lichaam is energieleverantie. De rol van koolhydraten als energiebron voor zowel het melkzuur-energiesysteem als het zuurstof-energiesysteem kwam eerder ter sprake.

De talloze koolhydraatsupplementen voor sporters zijn in allerlei vormen verkrijgbaar, van sportdranken, sportrepen, glucosetabletten en suikergels tot glucosepolymeerpoeders. De soorten en hoeveelheden koolhydraten die gebruikt zijn in onderzoek om het effect ervan op het sportprestatievermogen te onderzoeken, varieerden nogal.

De meeste aanbevelingen voor koolhydraatsuppletie worden in grammen gegeven. De meeste voedingslabels geven de grammen koolhydraten weer per portie, dus dat is een makkelijke manier om de dagelijkse inname in grammen te achterhalen, hoewel je de hoeveelheid voedingsvezels er vanaf moet trekken. Wanneer wordt aanbevolen je dagelijkse voeding voor 60 procent te laten bestaan uit koolhydraten, moet je gewoon 60 procent van je dagelijkse calorieën nemen en die door 4 delen; dit geeft je een redelijk betrouwbare schatting van hoeveel gram koolhydraten je per dag dient te eten. Een sporter, bijvoorbeeld, die 3000 calorieën per dag consumeert heeft ongeveer 450 gram koolhydraten nodig. Om de rekensom te maken, moet je 60 vermenigvuldigen met 30 calorieën, hetgeen gelijk staat aan 1800 calorieën van koolhydraten. Een gram koolhydraten staat gelijk aan 4 calorieën, dus deel de 1800 calorieën door 4, en dan krijg je 450 gram.

Sportprestatiefactor

Fysieke power. Koolhydraatsuppletie wordt gebruikt om de aërobe power en uithoudingsvermogen te verbeteren voor sporten die hun energie voornamelijk onttrekken aan het zuurstof-energiesysteem, maar kan ook voordelig zijn bij intensieve anaërobe intervalsporten als voetbal.

Theorie

Koolhydraten zijn de belangrijkste energiebron als je traint boven de 65 procent van je VO_2 max tijdens duursporten. Koolhydraten zijn een efficiëntere brandstof dan vet; dat wil zeggen, je produceert meer ATP per eenheid geconsumeerde zuurstof als je koolhydraten verbrandt in vergelijking met vet. Het lichaam bevat slechts beperkte hoeveelheden in de vorm van spierglycogeen, leverglycogeen en bloedglucose. Wanneer de koolhydraatspiegels te laag zijn, kan vermoeidheid optreden omdat:

(a) de uitgeputte spierglycogeenniveaus de afhankelijkheid van vet als energiebron doet toenemen, hetgeen de ATP-productie vermindert en dwingt tot een langzamer tempo; (b) uitgeputte leverglycogeenvoorraden de hoeveelheid bloedglucose verminderen, waardoor de spier verstoken blijft van een koolhydratenergiebron; (c) afname van bloedsuikerwaarden (**hypoglycemie**) de hersenen kan beroven van hun belangrijkste energiebron, waardoor een normaal functioneren van de hersenen wordt bemoeilijkt en zwakte en disoriëntatie wordt veroorzaakt; (d) onvoldoende spierglycogeen en bloedsuiker de aminozuurstofwisseling in de hersenen kunnen verstoren, waardoor via een verhoogde productie van de neurotransmitter serotonine vermoeidheid optreedt. (Zie de theorie over CZS-vermoeidheid bij de bespreking van BCAA.)

Koolhydraten, opgeslagen als spierglycogeen, zijn de enige energiebron in het melkzuur-energiesysteem die voornamelijk worden gebruikt tijdens zeer intensieve, anaërobe inspanning.

Theoretisch kan koolhydraatsuppletie duursport ondersteunen door voor optimale koolhydraatopslag (spier- en leverglycogeen) te zorgen en de bloedsuikerspiegel op peil te houden. Koolhydraatsuppletie kan ook de prestatie bij intensieve anaërobe intervalsporten verbeteren door een verhoogde opslag van spierglycogeen in of verbetering van glucosetoevoer aan de fast-twitch (FT) spiervezels.

Effectiviteit

Koolhydraatsuppletie en de effecten ervan op het sportprestatievermogen is van alle sportergogene middelen het meest bestudeerd. Duizenden studies en talloze reviews hebben de effectiviteit ervan op verschillende vormen van het sportprestatievermogen geëvalueerd. Bijna alle reviewers zijn het erover eens dat koolhydraatsuppletie een zeer effectief sportergogeen middel is voor vertraging van vermoeidheid, maar alleen wanneer het koolhydraatsupplement de voortijdige uitputting van de normale koolhydraatvoorraden in het lichaam weet te voorkomen; een uitputting die vermoeidheid zou veroorzaken.

In het algemeen ondersteunt onderzoek de volgende conclusies met betrekking tot de effectiviteit van koolhydraatsuppletie als sportergogeen middel:

1. Koolhydraatsuppletie bevordert het prestatievermogen niet bij duursportactiviteiten onder de 60 minuten, tenminste, wanneer de sporter bij de start normale spier- en leverglycogeenvoorraden heeft.

2. Koolhydraatsuppletie kan het prestatievermogen bevorderen bij duursportactiviteiten, vooral die van 90 minuten of langer. Marathonlopen (42.2 km), century cycle-lopen (162 km), en lange afstand-triatlons zijn daarvan voorbeelden. Hoewel sporters in het beginstadium van deze evenementen misschien niet sneller gaan, stelt koolhydraatsuppletie hen in staat om langer een optimale snelheid vol te houden, waardoor de loop uiteindelijk in minder tijd afgelegd wordt.

3. Koolhydraatsuppletie kan het prestatievermogen verbeteren bij intensieve, intervalachtige duursporten als voetbal, hockey en tennis. Onderzoek heeft aangetoond dat koolhydraatsuppletie voetballers in staat stelt langer en sneller te lopen in het laatste kwart van de tweede helft en meer goals te scoren en te verhinderen.

Veiligheid

Koolhydraatsuppletie wordt als veilig beschouwd. Overmatige consumptie van bepaalde enkelvoudige koolhydraten, met name fructose, of glucose-polymeren, kunnen een osmotisch effect veroorzaken en te veel water naar de darmen trekken, waardoor diarree ontstaat.

Juridische en ethische aspecten

In combinatie met sport zijn koolhydraatsupplementen legaal en ethisch verantwoord.

Aanbevelingen

Veel sporters eten over het algemeen te weining koolhydraten. Een basisaanbeveling voor sporters, met name duursporters, zou dus zijn, een volwaardige voeding te consumeren die rijk is aan natuurlijke enkelvoudige en complexe koolhydraten, waarbij je via die koolhydraten ook nog eens vitamines, mineralen, wat eiwit, en andere gezonde voedingsstoffen, zoals vezels, binnen krijgt. Natuurlijke voedingsmiddelen die rijk zijn aan koolhydraten vind je in voedingsgroepen als zetmeel/brood, fruit en groenten.

Ongeveer 60 tot 70 procent van het dagelijkse aantal calorieën dient uit koolhydraten van genoemde voedingsgroepen te bestaan. Sporters die dagelijks al ruim voldoende koolhydraten nuttigen, mogen iets zakken om aan de norm van adequate koolhydraatinname te voldoen. Een sporter die dagelijks 4000 calorieën consumeert waarvan 50 procent op koolhydraatbasis, krijgt 500 gram koolhydraten binnen, en dat is bepaald niet weinig. Sporters die op dieet moeten, kunnen beter op een koolhydraatinname van 60 procent, of iets eronder, gaan zitten om voor voldoende eiwit en vet in de voeding te zorgen.

Tabel 8.8 geeft het koolhydraatgehalte in grammen per portie van een aantal basisvoedingsgroepen, samen met het aantal calorieën per portie; de aanvullende calorieën zijn afkomstig van het koolhydraat/of vetgehalte van het voedingsmiddel. Een volwaardige voeding met koolhydraatrijke voedingsmiddelen helpt het lichaam voldoende koolhy-

TABEL 8.8

GRAMMEN KOOLHYDRATEN EN CALORIEËN PER PORTIE VOOR BASISVOEDINGSGROEPEN

Halfvolle/magere melk – 12 gram koolhydraten en 90 calorieën per portie

1 kop halfvolle melk	1 kop magere yoghurt

Zetmeelgroenten, peulvruchten, brood, granen – 15 gram koolhydraten en 80 calorieën per portie

1/2 kop gekookte of ongekookte granen	1 kleine gepofte aardappel
1/2 kop gekookte pasta	1/3 kop opgewarmde bonen
1/2 kop gekookte grutten	1/2 kop mais
1/3 kop gekookte rijst	1/2 Engelse muffin
1/2 bagel	20 gram zoutjes
1 snee brood	6 zoute crackers

Groenten – 5 gram koolhydraten en 25 calorieën per portie

1/2 kop gekookte groenten	1/2 kop groentensap
1 kop rauwe groenten	

Voorbeelden: wortelen, tuinbonen, broccoli, bloemkool, uien, spinazie, tomaten, tomatensap.

Fruit – 15 gram koolhydraten en 60 calorieën per portie

1 kleine appel	1/2 banaan

Andere koolhydraten – 15 gram koolhydraten en 60 calorieën per portie

2 kleine vetarme koekjes	3 gemberkoekjes
1 eetlepel vruchtencompote	1/2 kop magere vriesyoghurt

Opmerking: Bewerking van voeding- en maaltijdlijsten van de American Diabetes Association en American Dietetic Association 1995, Alexandria, VA: American Diabetes Association en Chicago: American Dietetic Association draten op te slaan als spier- en leverglycogeen voor een kracht- of duurtraining.

Hoewel volwaardige, natuurlijke voedingsmiddelen de beste manier zijn om aan koolhydraten te komen, kan het gebruik van koolhydraatsupplementen in sommige gevallen handig zijn, bijvoorbeeld als tussendoortje of drank voor tijdens de training. Het is belangrijk erop te wijzen dat koolhydraatsupplementen gebruikt dienen te worden als een ondersteuning, niet als vervanging van volwaardige voeding.

In het algemeen ondersteunt onderzoek de volgende aanbevelingen met betrekking tot de koolhydraatinname voor training en wedstrijden waarbij uitgeputte koolhydraatvoorraden de sporter gevoelig maken voor voortijdige vermoeidheid. Omdat ieder anders kan reageren, echter, is het belangrijk dat je met verschillende koolhydraattypen en -hoeveelheden experimenteert voor ze bij een wedstrijd in praktijk te brengen en mogelijk verkeerd te laten uitpakken.

KOOLHYDRAATINNAME VOOR DE TRAINING

1. Om als energiebron tijdens training gebruikt te kunnen worden, moeten de ingenomen koolhydraten de maag verlaten hebben en via de darmen zijn opgenomen in de bloedstroom voor transport naar de spieren. In dit opzicht, heeft onderzoek de ergogene effecten van verschillende koolhydraattypen (glucose, fructose, sucrose, glucosepolymeren) en vormen (vast, gelvorm, vloeibaar), en de glycemische index (hoog, laag) ervan onderzocht.
   In het algemeen zijn er in type, vorm en glycemische index geen verschillen tussen de verschillende koolhydraten die voor het opvoeren van het prestatievermogen de voorkeur verdienen. Recent onderzoek lijkt erop te wijzen dat voedingsmiddelen met een lage glycemische index de bloedsuikerspiegel beter op peil houden tijdens inspanning, maar er is meer onderzoek nodig om dit mogelijke aanvullende ergogene effect van koolhydraathoudende voedingsmiddelen met een lage GI boven die met een hoge GI aan te tonen.

2. De hoeveelheid koolhydraten die je moet consumeren voor een training is afhankelijk van je lichaamsgewicht; de volgende aanwijzingen zijn raadzaam.

   a. 4 uur voor de training: 4 gram per kg lichaamsgewicht
   b. 1 uur voor de training: 1 gram per kg lichaamsgewicht
   c. 10 minuten voor de training: 0.5 gram per kg lichaamsgewicht

Als je bijvoorbeeld 65 kg weegt, eet je 4 uur voor de training 260 gram koolhydraten, 1 uur voor de training 65 gram koolhydraten, en vlak voor de training 35 gram koolhydraten.

KOOLHYDRAATINNAME TIJDENS TRAINING

1. Hoewel je spieren misschien in staat zijn 200 gram koolhydraten per uur of meer te verbranden, lijkt onderzoek te suggereren dat sporters mogelijk in staat zijn om wel 30 tot 60 gram koolhydraten per uur training te verbranden. 240 Milliliter van een doorsnee sportdrank (ongeveer 6 procent koolhydraten) levert bijna 15 gram koolhydraten. Deze hoeveelheid om het kwartier drinken levert je per uur 60 gram koolhydraten (figuur 8.9). Als je minder vocht tot je wilt nemen, kun je experimenteren met dranken die een hoger koolhydraatge-

HUMAN KINETICS/TOM ROBERTS

Figuur 8.9 Uit onderzoek is gebleken dat koolhydraatinname tijdens duurinspanning een effectief ergogeen middel is.

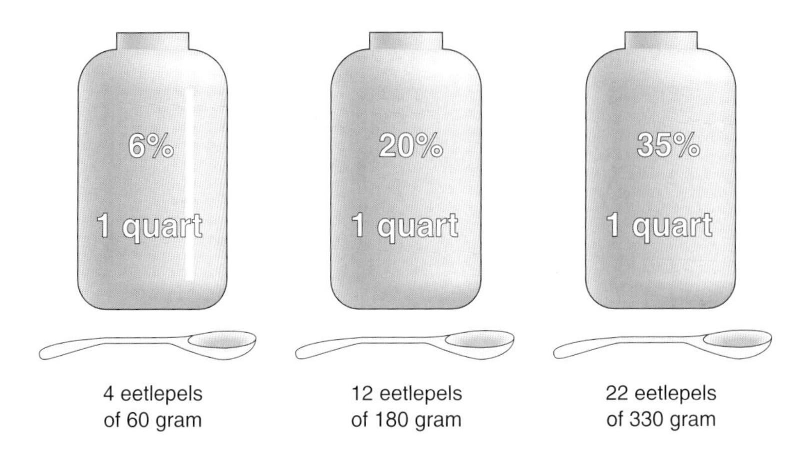

Figuur 8.10 De verdeling voor een oplossing van 6, 20 of 35% glucose polymeer in een liter water (1 quart = ca. 1 liter).

halte hebben. Het koolhydraatgehalte van sportdranken varieert nogal. Gatorade is een 5-6 procent oplossing, terwijl anderen misschien wel tot 10 procent gaan. Als je je eigen sportdrank wilt maken, zijn er voor dat doeleinde prima glucosepolymeerpoeders te koop. Om een oplossing van een bepaald percentage te maken, moet je een bepaald aantal scheppen van het poeder oplossen in een hoeveelheid water. 60 Gram op een liter water geeft een oplossing van ongeveer 6 procent.Als je een normale eetlepel (15 gram) van het polymeer in een glas water (250 cc) doet, heb je een oplossing van 6-7 procent. Figuur 8.10 laat de verdeelsleutel zien voor een oplossing van 6, 20 en 35 procent door het vereiste aantal scheppen polymeerpoeder per liter toe te voegen. Je kan ook gewoon de bijsluiter van de producten zelf volgen.

2. Bij training onder warme tot zeer warme weersomstandigheden, zijn vloeibare koolhydraten de aangewezen manier om koolhydraten voor energie en vocht voor temperatuurregulatie binnen te krijgen. Zie vochtsuppletie (sportdranken) en tabel 8.9 om de koolhydraat- en vochtbehoefte tijdens inspanning te berekenen.

TABEL 8.9

MILLILITER VOCHTSUPPLETIE BIJ EEN OPLOSSING VAN 6%, 8%, EN 10% VOOR INNAME VAN 30 TOT 60 GRAM KOOLHYDRATEN

	Gram koolhydraten			
Concentratie	**30**	**40**	**50**	**60**
6%	500	666	833	1000
8%	375	500	625	750
10%	300	400	500	600

KOOLHYDRAATINNAME NA DE TRAINING

1. Voor sporters die dagelijks intensief trainen, waaronder intensieve gewichttraining, anaërobe of aërobe training, is koolhydraatinname na de training noodzakelijk om de koolhydraatvoorraden in het lichaam weer op peil te brengen. Een koolhydraatrijke voeding consumeren, waarvan ongeveer 60 tot 70 procent van het dagelijks aantal calorieën van koolhydraten komt, moet voldoende zijn om de glycogeenvoorraden aan te vullen en de volgende dag een nieuwe, intensieve training aan te kunnen.
   Een aanbeveling is over een periode van 24 uur 8 tot 10 gram koolhydraten per kg lichaamsgewicht te consumeren. Voor een sporter van 65 kg betekent dat 520 tot 650 gram koolhydraten, of ongeveer 2080 tot 2600 koolhydraatcalorieën per dag. Bij een calorische inname van 3500 calorieën per dag, betekent dit dat de calorische waarde van de voeding voor 60 tot 75 procent uit koolhydraten moet bestaan.

2. Om de glycogeenopbouw na de training te versnellen, moeten sporters 15 minuten na de training ongeveer 1 gram koolhydraten per kilogram lichaamsgewicht consumeren, en deze procedure de volgende 4 tot 6 uur om de twee uur herhalen. In dit geval, moet onze sporter van 65 kg na de training binnen zes uur vier maal 65 gram koolhydraten consumeren. De koolhydraatrijke maaltijden verhogen en stabiliseren de insulinespiegels om de opbouw van spier- en leverglycogeen te bevorderen.

Ongeveer 500 gram koolhydraten in de dagelijkse voeding
6 sneden tarwebruin (90 gram)
2 koppen gekookte pasta (60 gram)
2 glazen halfvolle melk (24 gram)
2 bananen (60 gram)
1 gepofte aardappel, middelgroot (30 gram)
2 kleine bagels (60 gram)
1 kop ongekookte granen (30 gram)
1/2 kop opgewarmde bonen (15 gram)
1 kop ananassap (30 gram)
1/4 kop perziken in blik (15 gram)
30 gram zoutjes (20 gram)

3. Sommige onderzoeken suggereren dat het combineren van eiwit met koolhydraten na training de opbouw van spierglycogeen zelfs nog sneller doet verlopen dan de consumptie van koolhydraten alleen. Insuline is ook een anabool hormoon en kan helpen de eiwitafbraak na gewichttraining te verminderen.
   De verhouding koolhydraten – eiwit in grammen, moet ongeveer 3:1 zijn. Gebruiken we de hierboven staande waarden, dan moet een sporter van 65 kg ongeveer 65 gram koolhydraten en 21 gram eiwit eten. Deze hoeveelheden kunnen makkelijk uit normale voedingsmiddelen als melk, bananen en granen worden gehaald. Sommige sportdranken bevatten naast koolhydraten ook eiwit en kunnen een gemakkelijke manier zijn om van deze aanvultechniek gebruik te maken. Een blikje Gatorade, bijvoorbeeld, bevat bijna 60 gram koolhydraten en 17 gram eiwit.

KOOLHYDRAAT LADEN

Een compleet koolhydraatlaadprogramma kan worden aanbevolen bij belangrijke wedstrijden, zoals de marathon (42.2 km), een wielrenrit van 160 km, of een 2-3 daags voetbaltournooi. Tabel 8.10 geeft een aanbevolen schema voor een koolhydraatlaadprogramma van 1 week. Op dag 1, moet je een duurtraining verrichten, maar niet tot uitputting toe, om de spier- en leverglycogeenvoorraden te verminderen. Deze training wordt gevolgd door 3 dagen afbouwende training of rust en een gemiddelde koolhydraatinname, gevolgd door 3 dagen afbouwende training of rust en een hoge koolhydraatinname (ongeveer 8 tot 10 gram koolhydraten per kg lichaamsgewicht per dag, of ongeveer 500 tot 600 gram).

Tabel 8.8 geeft een aantal richtlijnen voor het koolhydraatgehalte van verschillende koolhydraatrijke voedingsmiddelen. Deze voedingsmiddelen moeten in de dagelijkse voeding een prominente plaats krijgen, samen met 200-250 gram mager vlees, gevogelte of vis als garantie voor de inname van hoogwaardig eiwit. De voedingsmiddelen die in de tabel genoemd worden, leveren als ze bij de hoofdmaaltijden en tussendoor worden gegeten meer dan 500 gram koolhydraten.

TABEL 8.10

AANBEVOLEN KOOLHYDRAATLAADPROGRAMMA

Dag 1 Middellange training (niet tot uitputting toe)
Dag 2 Gemengde voeding, gemiddelde koolhydraatinname, afbouwende training
Dag 3 Gemengde voeding, gemiddelde koolhydraatinname, afbouwende training
Dag 4 Gemengde voeding, gemiddelde koolhydraatinname, afbouwende training
Dag 5 Koolhydraatrijke voeding; afbouwende training
Dag 6 Koolhydraatrijke voeding; afbouwende training of rust
Dag 7 Koolhydraatrijke voeding; afbouwende training of rust
Dag 8 Wedstrijd

Opmerking: De gemiddelde koolhydraatinname moet op ongeveer 200 tot 300 gram koolhydraten per dag komen; de hoge koolhydraatinname moet op ongeveer 500 tot 600 gram koolhydraten per dag komen. De werkelijke koolhydraatinname kan afhankelijk zijn van het lichaamsgewicht. Zie de tekst voor meer informatie.

Carnitine (L-Carnitine)

Classificatie en gebruik

Carnitine is een voedingssupplement dat geclassificeerd kan worden als fysiologisch sportergogeen middel. De biologisch actieve vorm in het lichaam is L-Carnitine. Hoewel L-Carnitine een vitamine-achtige substantie is, wordt het niet beschouwd als een essentieel nutriënt omdat het in het lichaam uit diverse aminozuren kan worden opgebouwd. De voornaamste voedingsbronnen van carnitine zijn vlees en melkproducten. Commerciële L-Carnitineproducten worden apart of in combinatie met andere vermeende nutritionele sportergogene middelen verkocht. De doseringen die bij onderzoek zijn gebruikt lopen van 5 tot 6 gram per dag over een periode van 1 dag tot 4 weken.

Sportprestatiefactor

Fysieke power. L-Carnitine is voornamelijk bestudeerd om het vermogen conditionele power en aërobe power en uithoudingsvermogen op te voeren voor evenementen waarbij zowel het melkzuur- als het zuurstof-energiesysteem wordt betrokken.

Theorie

L-Carnitine, als co-factor voor diverse enzymen in de spiercel, kan de stofwisseling van vetzuren en energiesubstraat voor de citroenzuurcyclus op diverse wijze beïnvloeden die mogelijk belangrijke implicaties hebben voor het sportprestatievermogen.

L-Carnitinesuppletie kan de vetzuurstofwisseling beïnvloeden, en het transport van de lange-keten vetzuren in de mitochondria voor energieproductie vergemakkelijken. Een verhoogde verbranding van vrije vetzuren kan het verbruik van koolhydraten als energiebron verminderen, waarbij glycogeen wordt gespaard voor duurinspanning. Verder kunnen andere metabole effecten van L-Carnitine de ingang van pyruvaat (een bijproduct van glucose-afbraak) in de mitochondria voor energieproductie vergemakkelijken. Theoretisch kan L-Carnitinesuppletie de opbouw van melkzuur verminderen en de anaërobe conditionele power verhogen.

Omgekeerd, gaan sommige onderzoekers er vanuit dat L-Carnitinesuppletie het aërobe uithoudingsvermogen kan verminderen door verhoging van de suikerstofwisseling; een toename in pyruvaatbenutting zou kunnen leiden tot een voortijdige uitputting van spierglycogeen.

Effectiviteit

Om effectief te kunnen zijn moeten bij L-Carnitinesuppletie de carnitineconcentraties in de spieren toenemen. L-Carnitinesuppletie verhoogt bij mensen de L-Carnitinespiegels in het bloed, maar de L-Carnitinespiegels in de spier lijken bij een suppletie van 4 tot 6 gram over twee weken niet te stijgen. Eén onderzoek, echter, rapporteerde verhoogde spier-L-Carnitinespiegels na een suppletie van 2 gram per dag over een half jaar.

L-Carnitinesuppletie lijkt de opbouw van melkzuur tijdens intensieve training niet te doen afnemen. Deze uitkomst is in tal van degelijk opgezette onderzoeken bevestigd, waarbij de melkzuurspiegels in het bloed werden gemeten na inspanningstaken als 600 meter hardlopen, 4 minuten hardlopen op vol vermogen, 5 km hardlopen, en herhaalde intensieve fietstests van 1 minuut.

Het effect van L-Carnitinesuppletie op de verbranding van vrije vetzuren tijdens training is nog onopgehelderd. Twee studies vonden na L-Carnitinesuppletie een verminderde *respiratorische quotiënt* (RQ) tijdens submaximale inspanning, een teken van toegenomen verbranding van vetzuren. Diverse andere studies, echter, die gebruik maakten van strategieën als vetladen of uitputting van spierglycogeen om het gebruik van vetzuren als energiebron te bevorderen, vonden geen enkel effect van L-Carnitine op het RQ.

Het effect van L-Carnitinesuppletie op de VO_2 max is ook twijfelachtig. In twee onderzoeken werd een verbetering van de VO_2 max waargenomen tot 6 procent na twee weken suppletie van 4 gram per dag; in drie andere onderzoeken werd bij suppletie van 2 tot 3 gram per dag over 1 tot 4 weken geen significant effect gevonden.

Wanneer L-Carnitinesuppletie bij mensen met een carnitine-tekort wordt ingezet, valt vaak wel een verbetering van het prestatievermogen waar te nemen. Er zijn geen onderzoeken waaruit blijkt dat L-Carnitinesuppletie bij gezonde mensen effect heeft op het melkzuur- of zuurstof-energiesysteem. Uit degelijk opgezet onderzoek blijkt dat L-Carnitinesuppletie geen verbetering in conditionele power op de 91.4 meter zwemmen geeft (melkzuur-energiesysteem), of in aërobe power van getrainde hardlopers bij een 5 km hardlooptest op de loopband (zuurstof-energiesysteem).

Er zijn geen onderzoeken waarin het spierglycogeensparende effect van L-Carnitinesuppletie op duurinspanning wordt bekeken. Spierglycogeen sparen is een van de bekendste theorieën over het mogelijk nut van L-Carnitinesuppletie, en deze theorie moet in gedegen onderzoek nog waargemaakt worden.

Veiligheid

Farmacologisch zuivere L-Carnitine lijkt veilig te zijn. Uit onderzoek waarbij hoeveelheden werden gebruikt van 2 tot 6 gram per dag een maand lang zijn geen bijwerkingen gebleken. Hogere doseringen kunnen diarree veroorzaken. Een onderzoeker merkte op, dat er maar weinig onderzoeksgegevens bekend zijn aangaande de gezondheidsrisico's bij hoge doseringen. Verder kan de zuiverheid van de commerciële L-Carnitinesupplementen variëren. D-, L-Carnitine kan beter niet gebruikt worden omdat het de normale werking van L-Carnitine in het lichaam kan verstoren.

Juridische en ethische aspecten

Carnitinesuppletie is legaal en ethisch verantwoord.

Aanbevelingen

Carnitinesuppletie wordt niet aanbevolen als manier om het sportprestatievermogen te verbeteren. Er zijn onvoldoende wetenschappelijke gegevens over een daadwerkelijk sportergogeen effect beschikbaar. Sommige, niet alle, gegevens lijken te suggereren dat L-Carnitinesuppletie de vetzuurverbranding kan opvoeren, wat bij duursporten voordelig kan zijn. Duursporters die risico lopen op lage spier-L-Carnitinespiegels (vegetariërs die geen dierlijke producten eten) kunnen baat hebben bij L-Carnitinesuppletie.

Choline (lecithine)

Classificatie en gebruik

Choline is een voedingssupplement dat geclassificeerd kan worden als fysiologisch sportergogeen middel. Hoewel choline een vitamine-achtige stof is, wordt het niet beschouwd als essentieel nutriënt omdat de rol die het speelt in de stofwisseling door andere voedingsstoffen kunnen worden overgenomen. De belangrijkste voedingsbronnen van choline zijn lecithine (fosfatidylcholine) in dierlijke voedingsmiddelen als eierdooiers en orgaanvlees als lever, en vrije choline in planten, vooral noten, tarwekiem, bloemkool, spinazie en sojabonen. De voedingsinname is ongeveer 0.4 tot 0.9 gram per dag, en dat is voldoende om de behoefte van het lichaam te dekken.

Commerciële cholineproducten zijn verkrijgbaar als lecithine of cholinezouten. Het choline-gehalte in commerciële producten varieert omdat choline maar een deel is van lecithineverbindingen en cholinezouten.

Controleer de labels voor de choline-inhoud. Choline wordt ook op de markt gebracht in de vorm van een poeder met koolhydraten en elektrolyten, zoals Pro Enhancer, dat is bedoeld om er een sportdrank van te maken. Doseringen gebruikt in onderzoek lopen van 2.5 tot 5.0 gram cholinezouten en tot 14 gram lecithine, meestal een uur voor inspanning genomen.

Sportprestatiefactor

Fysieke power. Choline is voornamelijk bestudeerd om zijn vermogen duursport en het zuurstof-energiesysteem te ondersteunen.

Theorie

Choline is op diverse manieren belangrijk voor het menselijk metabolisme, maar werd als een sportergogeen middel beschouwd vanwege zijn rol in de opbouw van acethylcholine, een belangrijke neurotransmitter in het centrale zenuwstelsel en op het kruispunt tussen zenuw en spier. Afgifte van acethylcholine zet het spiercontractieproces in beweging. Diverse onderzoeken hebben aangetoond dat bloedcholinespiegels afnemen na duursport, zoals een marathon. Theoretisch zou cholinesuppletie helpen de normale acethylcholinespiegels op peil te houden voor optimale werking van zenuwen en spieren.

Effectiviteit

Onderzoek heeft behoorlijk eenduidig aangetoond dat cholinezouten of lecithinesuppletie in rust en bij inspanning de bloedcholinespiegels opvoert. Dit effect kan ergogeen zijn. Inleidende laboratorium- en veldstudies bijvoorbeeld, lieten zien dat cholinesuppletie de tijd op de 32 km hardlopen duidelijk omlaag bracht, en dat het de stemming verbeterde van wielrenners, 40 minuten nadat een fietsergometertest tot uitputting toe was afgelegd. Daar staat tegenover, dat uit degelijk opgezet laboratoriumonderzoek is gebleken dat cholinesuppletie geen effect heeft op korte, intensieve anaërobe fietstests van ongeveer 2 minuten, of op duurinspanningen van ongeveer 70 minuten.

Deze bevindingen zijn echter twijfelachtig en dwingen tot meer onderzoek met cholinesuppletie, vooral goed opgezette laboratoriumstudies waarbij duurinspanningen van meer dan 2 uur worden getest.

In ander onderzoek is cholinesuppletie niet in staat gebleken de accuratesse bij geweerschieten in biathlononderdelen te verhogen, waaruit blijkt dat cholinesuppletie geen kalmerend effect heeft.

Veiligheid

Er zijn geen bijwerkingen bekend van studies die gebruik maakten van cholinezouten of lecithinesuppletie van in totaal 1.5 tot 2.0 gram choline.

Juridische en ethische aspecten

Cholinesuppletie is legaal, veilig en ethisch verantwoord. De wetenschappelijke gegevens over zijn vermeende ergogene effectiviteit zijn echter twijfelachtig. Cholinesuppletie kan daarom niet worden aanbevolen.

Desalniettemin rapporteerden sommige onderzoekers dat de koolhydraatrijke voeding genuttigd door duursporters misschien weinig choline bevat en dat duursporters door dagelijkse duurinspanning hun lichaamsvoorraden sterk uitputten. De ideale oplossing is meer voedingscholine (eierdooiers, orgaanvlees, spinazie, bloemkool, noten en tarwekiem) te consumeren, maar cholinesuppletie kan hierbij een rol spelen. Er is meer degelijk opgezet onderzoek nodig om over dit probleem uitsluitsel te geven.

Chroom

Classificatie en gebruik

Chroom is een essentieel mineraal, maar kan worden geclassificeerd als nutritioneel sportergogeen middel. Chroom komt van nature voor in voedingsmiddelen, vooral volle graanproducten, kaas, noten, biergist, en groenten als champignons en asperges. De geschatte veilige en adequate dagelijkse inname van chroom is 50 tot 200 microgram.

Chroomsupplementen zijn verkrijgbaar in diverse zoutvormen, zoals chroompicolinaat en chroomnicotinaat. Doseringen bij humaan onderzoek lopen van 200 tot 400 microgram per dag over een periode van enkele maanden.

In een recent onderzoek naar bodybuilding-fitnessmagazines bleek chroom een van de toptwee voedingssupplementen waarmee werd geadverteerd.

Sportprestatiefactor

Mechanisch voordeel en fysieke power. Chroomsuppletie is voornamelijk bestudeerd voor het vermogen spiermassa te ontwikkelen en lichaamsvet te verminderen, zodat kracht en power toeneemt of voor een esthetischer verschijning bij sporten als bodybuilding. Chroom kan ook worden gebruikt om te proberen het prestatievermogen te verbeteren bij duursporten.

Theorie

Chroom is een onderdeel van een biologisch actief organisch complex in het lichaam dat bekend staat als de *glucosetolerantiefactor (GTF)*, waarvan wordt aangenomen dat het de insulinegevoeligheid verhoogt. Theoretisch verhoogt chroomsuppletie de anabole activiteit van insuline, waarbij het de opbouw van spierweefsel stimuleert door het bevorderen van het transport van aminozuren naar de spiercel, en door vermindering van afbraak van spiereiwitten (figuur 8.11). Een verhoogde insulinegevoeligheid kan het hongercentrum in de hypothalamus beïnvloeden, waarbij de inname van voeding wordt verminderd en uiteindelijk ook het lichaamsvetpercentage wordt verlaagd. In advertenties wordt beweerd dat chroomsupplementen een alternatief zouden kunnen zijn voor androgene/anabole steroïden.

Verhoogde insulinegevoeligheid kan de opslag van spier- en leverglycogeen bevorderen en het efficiënt gebruik van glucose tijdens training bevorderen, factoren die theoretisch gezien het prestatievermogen bij duursporten kunnen verbeteren.

Effectiviteit

Uit dierexperimenteel onderzoek blijkt dat chroomsuppletie bij jonge dieren in de groei de opbouw van vetvrij spierweefsel stimuleert en lichaamsvet vermindert. Onderzoeksgegevens over de effecten van

TERRY WILD STUDIO

Figuur 8.11 Chroomsupplementen zijn populair bij bodybuilders vanwege hun vermeend vermogen spiermassa op te bouwen en lichaamsvet te verminderen. Uit onderzoek blijkt daarvan echter weinig.

korte-termijn chroomsuppletie op de lichaamssamenstelling van volwassen mensen zijn beduidend schaarser en ook minder duidelijk. Eerder onderzoek onder studenten en footballers lijkt te suggereren dat chroomsuppletie over een periode van 12 weken de opbouw van vetvrije spiermassa bevordert. Deze onderzoeken zijn bekritiseerd vanwege onzuivere onderzoeksmethoden,omdat ze onbetrouwbare technieken gebruikten om de lichaamssamenstelling te bepalen en de voedingsinname van de proefpersonen niet controleerden.

In recenter onderzoek repliceerden de onderzoeken deze vroegere studies. Met gebruik van wetenschappelijk waardevoller methoden en controle van de lichaamssamenstelling en voeding, konden zij belangrijk effect ontdekken van chroomsuppletie op de vetvrije massa, lichaamsvet, of spierkracht en uithoudingsvermogen.

Hoewel chroomsuppletie in theorie mogelijk duurinspanning kan bevorderen door een gunstige invloed op de suikerstofwisseling, is er op dit gebied nog geen onderzoek verricht.

De beter opgezette onderzoeken onderschrijven de effectiviteit van chroomsuppletie als middel om de lichaamssamenstelling te veranderen of spierkracht te bevorderen voor wedstrijden niet, en er zijn geen onderzoeksgegevens die een ergogeen effect op duursport ondersteunen.

Veiligheid

Chroomsuppletie in hoeveelheden hoger dan de geschatte veilige en adequate dagelijkse inname van 50 tot 200 microgram lijkt veilig te zijn. Hogere doseringen zijn gebruikt in de behandeling van suikerziekte. Een recent onderzoeksoverzicht stelde dat chronische suppletie met bepaalde vormen van chroomsupplementen, zoals chroompicolinaat, kan leiden tot een opbouw van chroom in het lichaam in concentraties die bij dierexperimenteel onderzoek tot schade in het DNA van de proefdieren heeft geleid. Sommige wetenschappers stellen daarom dat er nog eens goed naar het chronisch gebruik van chroomsupplementen moet worden gekeken, juist omdat de biologische effecten van langdurige chroomsuppletie bij mensen nog onvoldoende bekend zijn.

Juridische en ethische aspecten

Chroomsupplementen zijn legaal en in verband met sportwedstrijden ethisch verantwoord.

Aanbevelingen

Gebaseerd op het beschikbare wetenschappelijke bewijs, moeten we stellen dat chroomsupplementen geen effectieve sportergogene middelen zijn, en dat het gebruik daarom niet wordt aanbevolen.

Net als met andere mineralen zoals ijzer, krijgen sommige sporters via hun voeding mogelijk niet voldoende chroom binnen. Helaas, kunnen sporters niet bepalen of ze chroomdeficiënt zijn, want er zijn geen betrouwbare tests die de chroomstatus kunnen bepalen.

Ideaal gesproken zouden sporters voldoende chroom via hun voeding moeten binnenkrijgen, en chroomrijke voedingsmiddelen kiezen als die in tabel 8.11 worden genoemd. Wanneer voedingsmiddelen niet verstandig worden gekozen, kunnen sommige sporters mogelijk baat hebben bij chroomsupplementen, waaronder (a) sporters die veel geraffineerde voedingsmiddelen arm aan chroom eten, en (b) sporters die een sport beoefenen waarbij gewichtscategorieën worden gehanteerd en onvoldoende chroom binnen krijgen, (c) sporters die koolhydraatrijke voeding eten, waardoor de chroombehoefte mogelijk toeneemt, en (d) sporters die zeer intensief trainen, want training verhoogt

TABEL 8.11

CHROOMGEHALTE VAN ALLEDAAGSE VOEDINGSMIDDELEN/GROEPEN EN FAST FOOD

Vlees/gevogelte/kaas
30 gram Canadese bacon = 4 microgram
30 gram gerookte ham = 3 microgram

Brood/granen/peulvruchten/zetmeelgroenten
1 kop ongekookte havermout = 5 microgram
1 kop cornflakes = 24 microgram
4 graham crackers = 17 microgram
1 kop opgewarmde bonen = 140 microgram

Groenten
1 kop bindsla = 16 microgram
30 gram groene peper = 5 microgram

Fruit
1 Banaan = 18 microgram
1/4 watermeloen = 20 microgram
1 dl jus d'orange = 15 microgram

Fast food/snacks/gevarieerd
1 McDonald's quarter-pound hamburger = 47 microgram
30 gram Doritos tortilla chips = 39 microgram
1 kop gekookte koffie = 21 microgram

Bron: G.A. Leville, M.E. Zabik, en K.J. Morgan. 1983 Nutrients in Foofds. Cambridge. MA: The Nutrition Guild

de chroomuitscheiding via de urine. In zulke gevallen is de aanbevolen procedure de normale chroominname via de voeding te supplementeren met 100-200 microgram chroom per dag. Het Amerikaanse Olympisch Comité wijst erop, dat chroominname boven de veilige dagelijks aanbevolen hoeveelheid geen wetenschappelijke basis heeft.

Cocaïne

Classificatie en gebruik

Cocaïne kan worden geclassificeerd als farmacologisch sportergogeen middel. Cocaïne, een alkaloïd gewonnen uit de bladeren van de cocaplant, is een medicijn dat alleen op doktersrecept verkrijgbaar is en dat therapeutisch gebruikt wordt als lokaal verdovingsmiddel. Cocaïne is een populaire recreatiedrug bekend onder straatnamen als coke, snow, en crack, het laatste is cocaïne in zijn krachtiger basevorm. Cocaïne wordt via de neus gesnoven, gerookt, of geïnjecteerd. Doseringen gebruikt in humaan onderzoek lopen van 4 tot 5 gram.

Sportprestatiefactor

Mentale kracht en fysieke power. Cocaïne wordt in sport waarschijnlijk vooral gebruikt om diverse sportprestatiefactoren te verbeteren die voordeel hebben bij een stimulerend effect, en is bestudeerd als middel om de aërobe power en uithoudingsvermogen te verhogen.

Theorie

Cocaïne stimuleert het centrale zenuwstelsel, waaronder ook het sympathische zenuwstelsel, en wekt daarbij gevoelens van opwinding en maakt dat je je minder moe voelt. De fysiologische responsen van het sympathische zenuwstelsel zijn een verhoogde hartslag en bloeddruk. Men gaat er vanuit dat de psychologische en fysiologische effecten van cocaïne het prestatievermogen bij verschillende sporten verhoogt door vermoeidheidsgevoelens te verminderen.

Effectiviteit

Het meeste onderzoek naar de ergogene effecten van cocaïne is verricht op dieren, zoals muizen, ratten en paarden. Daarbij zijn fysiologische, metabole en prestatietesten uitgevoerd, waarbij de prestatietest meestal een inspanningstaak tot uitputting toe betrof. De resultaten van het dierexperimenteel onderzoek zijn twijfelachtig, waarbij het onderzoek vermeerdering, vermindering, of helemaal geen verandering vond in een gegeven tijd bij inspanning tot uitputting toe.

Sommige anekdotische onderzoeksgegevens lijken te suggereren dat cocaïne een effectief ergogeen middel is, maar degelijk onderzoek bij mensen is er nauwelijks, waarschijnlijk vanwege de risico's hieronder genoemd. Verschillende studies uit de vroege jaren zeventig, waarbij de autochtone cocabladeren kauwende bevolking van de Andes als proefpersonen werden gebruikt, konden geen significant effect van cocaïne op de fysiologische responsen op inspanning of fietstijd tot uitputting toe waarnemen. De onderzoeker merkte echter op, dat de inspanning langer volgehouden kon worden met cocaïne dan met een placebo, en hoewel het statistisch non-significant was, stelde hij dat deze waarneming aansloot op zijn empirische observaties.

Hoewel onderzoek het acute gebruik van cocaïne als prestatiebevorderende middel niet ondersteunt, lijkt het onder bepaalde omstandigheden als stimulerend middel toch een effectief sportergogeen middel te zijn, vergelijkbaar met stimulantia als amfetaminen en cafeïne.

Veiligheid

Cocaïne is een zeer verslavende drug, en de Public Health Service adviseert dat men beter niet met cocaïne kan experimenteren omdat eenmalig gebruik al tot verslaving kan leiden.

Hoewel het gebruik van cocaïne tot euforie kan leiden, kan acuut cocaïnegebruik fataal zijn, zoals gebleken is uit de sterfgevallen van enkele veelbelovende jonge sporters. Cocaïne stimuleert het hart, maar vermindert tegelijkertijd de bloedtoevoer naar de hartspier, een toestand die ventriculaire fibrillatie (zeer snelle, ongecoördineerde hartslag) en hartverlamming kan veroorzaken.

Chronisch cocaïnegebruik kan ook tot andere gezondheidsproblemen leiden, zoals vergiftiging van de lever, beroerte, en psychische problemen. Het gebruik van naalden om cocaïne te injecteren brengt het risico op hepatitis en HIV-infectie met zich mee.

Juridische en ethische aspecten

Gebruik van cocaïne als sportergogeen middel is verboden door de meeste sportorganisaties en wordt beschouwd als onethisch gedrag. Cocaïne gebruiken als recreatiedrug wordt eveens door de meeste sportorganisaties verboden. Verkoop of gebruik van cocaïne is illegaal en dus strafbaar.

Aanbevelingen

Gebruik van cocaïne als sportergogeen middel wordt niet aanbevolen, want het is illegaal, onethisch, en verbonden met een aantal ernstige gezondheidsrisico's. Hoewel theoretisch het gebruik van cocaïne als sportergogeen middel overtuigend is, zijn er onvoldoende onderzoeksgegevens over daadwerkelijke verbetering van het sportprestatievermogen. Sommige onderzoeken lijken te suggereren dat acuut cocaïnegebruik het prestatievermogen kan verstoren.

> Ik denk dat het (cocaïne) me langzamer heeft gemaakt, en niet alleen op het lichamelijke vlak.
>
> – *Lonnie Smit, Kansas City Royals*

Coënzym Q_{10} (CoQ_{10}, ubiquinone)

Classificatie en gebruik

Coënzym Q_{10}, ook bekend als CoQ_{10} en ubiquinone, is een voedingssupplement dat kan worden geclassificeerd als nutritioneel sportergogeen middel. CoQ_{10} supplementen zijn verkrijgbaar in pil- en capsulevorm, apart of in combinatie met andere vermeende nutritionele erogene middelen als inosine en vitamine E.

In onderzoek zijn doseringen gebruikt lopend van 100 tot 150 milligram per dag over een periode van enkele maanden.

Sportprestatiefactor

Fysieke power. CoQ_{10} suppletie is bestudeerd voor het vermogen de aërobe power en het uithoudingsvermogen te verhogen voor sporten waarbij de energieproductie voornamelijk steunt op het zuurstof-energiesysteem.

Theorie

CoQ_{10} is betrokken bij diverse stofwisselingsprocessen in het lichaam die belangrijk kunnen zijn voor het optimaal functioneren van het zuurstof-energiesysteem. CoQ_{10} wordt gevonden in de mitochondria van alle weefsels en is een belangrijk onderdeel van het elektrontransportsysteem dat ATP genereert via de verbranding. CoQ_{10} is een antioxidant die kan helpen celschade te voorkomen, die wordt veroorzaakt door tijdens intensieve aërobe inspanning vrijkomende zuurstofradicalen.

Omdat uit onderzoek is gebleken dat CoQ_{10} suppletie de hartfunctie, VO_2 max, en het vermogen inspanning te leveren verbeterde bij hartpatiënten, meenden CoQ_{10} adepten dat het een effectief sportergogeen middel zou kunnen zijn voor gezonde duursporters.

Effectiviteit

Hoewel in sommige onderzoeken die gepubliceerd zijn in een boek over het klinisch gebruik van CoQ_{10} suggereren dat het een effectief sportergogeen middel is, lijden deze onderzoeken aan een of meer methodologische gebreken, zoals het ontbreken van een controlegroep of placebo, en zijn ze niet gepubliceerd in betrouwbare wetenschappelijke tijdschriften.

Onderzoeken gepubliceerd in wetenschappelijke tijdschriften onderschrijven de effectiviteit van CoQ_{10} suppletie als sportergogeen middel niet, noch apart genomen noch als onderdeel van commerciële producten waarin vermeende ergogene voedingsmiddelen verwerkt zijn. Van deze supplementen is niet aangetoond dat ze peroxidatie van vetten tijdens intensieve inspanning voorkomen of dat ze de metabole responsen op submaximale of maximale inspanning, de anaërobe- of melkzuurgrens, VO_2 max, of fietsergometertijd tot uitputting toe verbeteren bij jonge of oude(re) sporters. Daarbij komt, dat in een recent Zweeds onderzoek naar anaërobe training, de proefpersonen die een placebo kregen hun anaërobe prestatievermogen bij herhaalde maximale fietstests met 10 seconden flink verbeterden, terwijl de proefpersonen die 20 dagen lang CoQ_{10} supplementen hadden gekregen geen verbetering vertoonden. Uit degelijk opgezet wetenschappelijk onderzoek blijkt dus niets van de vermeende effectiviteit van CoQ_{10} suppletie als sportergogeen middel, en lijkt het zelfs te suggereren dat suppletie het prestatievermogen bij anaërobe inspanning vermindert.

Veiligheid

CoQ_{10} suppletie in doseringen van 100 tot 150 milligram per dag over enkele maanden lijkt veilig te zijn. Er werden geen bijwerkingen genoemd in de meeste onderzoeken die deze doseringen gebruikten. Echter, in bovengenoemde Zweedse studie, vertoonden proefpersonen die dagelijks over een periode van 20 dagen supplementeerden met 120 milligram CoQ_{10} spierweefselschade in vergelijking met proefpersonen die een placebo kregen. De auteurs vermoeden dat dit mogelijk te wijten is aan een pro-oxidanteffect en verhoogde schade door vrije radicalen. De auteurs vermoeden ook dat dit de reden was waarom het anaërobe prestatievermogen niet verbeterde, terwijl dit bij de placebo-groep wel het geval was.

Juridische en ethische aspecten

CoQ_{10} suppletie is legaal en in combinatie met sport ethisch verantwoord.

Aanbevelingen

Gebaseerd op het beschikbare wetenschappelijk onderzoek (hoewel meer onderzoek gewenst is), is het huidige standpunt dat CoQ_{10} suppletie geen effectief sportergogeen middel is en daarom wordt het gebruik ervan niet aanbevolen.

Creatine

Classificatie en gebruik

Creatine kan worden geclassificeerd als fysiologisch sportergogeen middel, maar sommigen zien het mogelijk als nutritioneel sportergogeen middel. Creatine is een amine, een natuurlijk voedingsbestanddeel dat in kleine hoeveelheden voorkomt in voeding van dierlijke oorsprong, maar dat ook kan worden opgebouwd uit verschillende aminozuren door de lever en de nieren.

De meeste studies naar het ergogene effect van creatinesuppletie gebruikten doseringen van ongeveer 20-30 gram per dag, over de dag verspreid geconsumeerd in 4-5 kleine porties, voor de duur van een week. De meest gebruikte vorm was creatinemonohydraatpoeder opgelost in water of vruchtensap. Veel olympische teams in Amerika gebruiken creatinesupplementen. Afbeelding 8.12 toont een bekend merk creatine.

Sportprestatiefactor

Fysieke power en mechanisch voordeel. Creatinesuppletie wordt gebruikt voor het vermogen high power en snelheid te verhogen voor sporten waarbij de energie voornamelijk loopt via het ATP-CP energiesysteem. Creatinesuppletie is ook bestudeerd met betrekking tot de opbouw van spiermassa.

Theorie

De normale dagelijks aanbevolen hoeveelheid voedings- en endogeen opgebouwde creatine komt op ongeveer 2 gram, een hoeveelheid die voldoende is voor het op peil houden van de intramusculaire creatinefosfaat (CP) spiegels.

Creatinesuppletie kan de hele creatinepool in het lichaam opvoeren, en zou theoretisch gezien op die manier de productie van CP bevorde-

Afbeelding 8.12 Creatinesupplementen zijn populair bij krachtsporters.

ren. De CP-voorraden in de spier kunnen splitsen en energie vrijmaken voor snelle resynthese van ATP, hoeveel de voorraad CP, net als die van ATP, beperkt is. De gecombineerde totale hoeveelheid ATP en CP kan de maximale energieproductie bij maximale inspanning ongeveer 5-10 seconden volhouden, en is daarmee dus de belangrijkste energiebron voor sprintonderdelen van 50-100 meter. Vermoeidheid bij deze onderdelen kan worden veroorzaakt door een snelle afname van CP. Een sneller herstel van CP bevordert de opbouw van ATP en verbetert het prestatievermogen voor sporten waarbij high power en snelheid van essentieel belang zijn.

Effectiviteit

Diverse studies hebben aangetoond dat orale creatinesuppletie in doseringen van 20-30 gram per dag gedurende een week de intramusculaire contracties van zowel vrije creatine en CP tijdens rust en na herstel van intensieve training beduidend verhoogde. Sommige proefpersonen, echter, reageerden helemaal niet op creatine. Vegetariërs, die een beperkte creatine-inname hebben, zijn het meest gebaat bij creatinesuppletie. Creatine consumeren in combinatie met glucose kan de opname van creatine in het lichaam vergroten.

In enkele tientallen recente, goed opgezette laboratoriumonderzoeken en veldstudies zijn de ergogene effecten van creatinesuppletie op inspanningstaken die afhankelijk zijn van het ATP-CP energiesysteem onderzocht, maar de uitkomsten waren niet erg eenduidig. Sommige studies vonden dat creatinesuppletie het prestatievermogen verbeterde in de latere fasen van herhaalde, korte (4-10 seconden) zeer intensieve ergometersprinttests, terwijl anderen duidelijke toenamen in spierkracht tijdens herhaalde series isotone, isometrische, en isokinetische weerstandtests lieten zien. Onderzoeksbevindingen van onderzoeken die de effecten van creatinesuppletie onderzochten op een niet herhaalde serie zeer intensieve inspanningen zijn minder bevestigend. Daarbij komt, dat uit goed opgezette veldstudies naar het effect van creatinesuppletie op herhaalde 60 meter sprints en 25 of 50 meter zwemsprints geen ergogeen effect van creatine is gebleken.

Sommige onderzoeken suggereren dat creatinesuppletie zou kunnen werken als spierbuffer en mogelijk de opbouw van melkzuur vermindert, waardoor het prestatievermogen bij sporten die steunen op het melkzuur-energiesysteem wordt verbeterd. De beschikbare onderzoeksgegevens zijn echter te schaars en niet erg eenduidig bovendien. Met betrekking tot het sportprestatievermogen, werd in een studie gevonden dat creatinesuppletie de roeiprestatie op de 1000 meter met 2.3 seconden verbeterde. Andere studies vonden geen significant effect op de 100 meter zwemtest of anaërobe fietstests op supramaximaal niveau (115-125% van de VO_2 max) opgezet om het melkzuur-energiesysteem te belasten. Er is meer onderzoek nodig om deze tegenstrijdige bevindingen op te helderen.

Creatinesuppletie kan nadelig zijn voor het prestatievermogen bij sporten die voornamelijk op het zuurstof-energiesysteem steunen. Creatinefosfaat is niet zo'n heel belangrijke energiebron voor duursporten, en een van de bijwerkingen van creatinesuppletie is een toename van de lichaamsmassa, hetgeen als nadelig wordt gezien voor prestaties op de 6 km terreinloop. Het kost gewoon meer energie om het grotere lichaamsgewicht voort te bewegen.

Een consistente uitkomst in de meeste studies is toename van de lichaamsmassa. Een week creatinesuppletie kan het lichaamsgewicht met 0.9 tot 2.2. kilogram verhogen. De vraag is in hoeverre deze toename ook allemaal vetvrij spierweefsel is, maar gegeven de snelheid in toename, lijkt de oorzaak eerder binding van creatine met vocht te zijn. Sommige onderzoeken melden een verminderde urineproductie, wat een duidelijk signaal is van vochtretentie.

Wanneer, echter, creatinesuppletie op termijn gewichttraining wel degelijk extra voordeel oplevert, kan het resultaat toename in spiermassa of vetvrije lichaamsmassa zijn en de daarmee gepaard gaande winst in kracht en power.

In diverse recente onderzoeksreviews trok men de conclusie dat creatinesupplementen een effectief sportergogeen middel zijn. Dat is misschien wel waar, maar daarbij moet worden aangetekend dat het ergogene effect heel specifiek kan zijn voor bepaalde typen sportprestatievermogen, zoals herhaalde, zeer intensieve, en kortdurende inspanningstaken met een korte herstelperiode. Het is ook mogelijk dat creatinesuppletie de sporter in staat stelt intensiever te trainen, wat zich uiteindelijk kan vertalen in een groter sportprestatievermogen. Goed

> Creatine moet niet worden gezien als een of ander nieuw supplementje; het gebruik ervan is een mogelijkheid om directe en beduidende verbeteringen in sportprestatievermogen te realiseren, met name voor de explosieve sporten.
>
> – *Paul Greenhaff, inspanningsfysioloog (Engeland).*

opgezet laboratorium- en veldonderzoek is nodig om het potentieel van creatinesuppletie als sportergogeen middel in kaart te brengen.

Veiligheid

Creatinesuppletie lijkt veilig te zijn, en in onderzoek naar het sportergogene potentieel van creatine is nergens sprake van negatieve bijwerkingen. Gezondheidsrisico's bij langdurig gebruik van creatine zijn niet gevonden. Er zijn enkele meldingen dat creatinesuppletie spierkrampen kunnen veroorzaken, mogelijk door een toename in lichaamswater waardoor de elektrolytenconcentraties enigszins verdund worden.

Juridische en ethische aspecten

Creatine is op dit moment nog toegestaan in de sport. Creatinesuppletie staat mogelijk haaks op de algemene dopingrichtlijnen van het IOC; die zegt, dat het innemen van een substantie in abnormale hoeveelheden met de bedoeling kunstmatig en oneerlijk sportprestatievoordeel te behalen niet toegestaan is. Afhankelijk van de individuele visie van de sporter, kan creatinesuppletie als al dan niet ethisch worden beschouwd.

Aanbevelingen

Creatinesuppletie is mogelijk een effectief sportergogeen middel voor specifieke inspanningstaken die steunen op het ATP-CP energiesysteem, met name herhaalde high-power inspanningen met een korte herstelperiode. Creatine zou sprinters in staat kunnen stellen sneller te herstellen in de training en op die manier de trainingsintensiteit te verhogen.

Als je besluit om met creatinesuppletie te experimenteren, dan zijn doseringen van 20 gram per dag (4 porties van 5 gram verdeeld over de dag) over een periode van een week aanbevolen om je spiercreatineconcentraties te verhogen. Om de opslag van creatine in de spieren te verhogen, moet je samen met elke 5 gram creatine 90 gram koolhydraten consumeren. Een langzamer techniek zou zijn een maand lang elke dag 3 gram creatine te consumeren. Daarna is twee gram creatine per dag voldoende om de voorraden op peil te houden.

Creatinesuppletie wordt echter niet aanbevolen voor duursportwedstrijden omdat de toegenomen lichaamsmassa het duursportvermogen in de weg kan zitten. Creatine lijkt veilig te zijn als het geconsumeerd wordt in de juiste hoeveelheden, en het gebruik ervan is legaal. Of het gebruik van creatine al dan niet ethisch verantwoord is, daarover zijn de meningen mogelijk nog verdeeld. De beslissing creatine te gebruiken om het sportprestatievermogen op te voeren ligt bij de individuele sporter.

DHEA (Dehydro-epiandrosteron)

Classificatie en gebruik

Dehydro-epiandrosteron (DHEA), of diens esther *dehydro-epiandrosteronsulfaat (DHEA-S),* kan worden geclassificeerd als fysiologisch sportergogeen middel omdat het een natuurlijk steroïdhormoon is dat wordt geproduceerd door de bijnieren. DHEA kan ook worden geclassificeerd als nutritioneel sportergogeen middel omdat sommige vormen, waaronder pure DHEA of precursoren op kruidenbasis waarvan in advertenties wordt vermeld dat het in het lichaam wordt omgezet in DHEA, worden verkocht als voedingssupplementen. In humaan onderzoek worden in de regel doseringen gebruikt van 50 tot 100 milligram per dag, maar in een aantal studies zijn doseringen gebruikt tot 1600 milligram per dag. DHEA kan oraal worden genomen of geïnjecteerd.

Sporprestatiefactor

Mechanisch voordeel en fysieke power. DHEA wordt voornamelijk gebruikt om het vermogen spiermassa aan te zetten en lichaamsvet te verminderen voor meer kracht en power en voor het verbeteren van de fysieke verschijning, zoals bij bodybuilding.

Theorie

Hoewel de functies van DHEA in het menselijk lichaam onbekend zijn, kan het in het lichaam worden omgezet in andere hormonen, met name testosteron en oestrogeen. In sommige onderzoeken wordt de conclusie getrokken dat DHEA-suppletie de serumspiegels van insuline-groeifactor I (IGF-I) opvoert, een anabole substantie die in verband wordt gebracht met de afgifte van humaan groeihormoon. Vanwege dit mogelijke effect op testosteron en IGF-I, is men van mening dat DHEA-suppletie de anabole activiteit, meer spiermassa en minder vet, stimuleert.

Effectiviteit

Dierexperimenteel onderzoek suggereert dat DHEA-suppletie het risico op diverse chronische ziekten kan verminderen, waaronder overgewicht, door lichaamsvet te verminderen en spiermassa te laten toenemen. Het meeste dierexperimenteel onderzoek, echter, is gedaan op knaagdieren die weinig natuurlijk DHEA hebben. Bij mensen is de natuurlijke DHEA-productie hoog als jong volwassene en begint dan na het 30e levensjaar af te zakken, om na je 50e nog drastischer te dalen, hoewel er grote individuele verschillen kunnen zijn. Veel van het onderzoek was gericht op oudere volwassenen van 50 en verder, die mogelijk baat hebben bij DHEA-aanvulling.

Er zijn weinig wetenschappelijke gegevens die de effectiviteit van DHEA-supplementen als sportergogeen middel onderschrijven. In één studie, verminderde DHEA-suppletie (100 milligram per dag over 3 maanden) lichaamsvet en deed de spiermassa en kracht toenemen bij mannen en vrouwen van 50 tot 65 jaar, maar de proefpersonen leidden een zittend leven. Ander onderzoek meldde verbeteringen in lichamelijk en geestelijk welbevinden, maar het effect op inspanning werd niet bekeken. Daar staat tegenover, dat uit ander onderzoek geen enkel effect van DHEA-suppletie op de lichaamssamenstelling bleek bij oudere proefpersonen die weinig bewogen.

Een onderzoeker merkt op dat DHEA-suppletie voordelig kan zijn voor jonge duursporters die door intensieve training mogelijk een lage testosteronspiegel hebben, maar er is geen wetenschappelijk onderzoek die deze aanname kan ondersteunen.

Veiligheid

DHEA-suppletie wordt klinisch bestudeerd omdat sommige medische wetenschappers vermoeden dat het diverse chronische ziekten kan helpen voorkomen, zoals hart- en vaatziekten, suikerziekte en kanker. De meeste studies naar de effecten van DHEA-suppletie rapporteren geen bijwerkingen, maar er is een aantal merkwaardige zaken waargenomen, zoals een sterke toename in gezichtsbeharing, en verminderd HDL-cholesterol (het goede cholesterol) bij vrouwen, waarschijnlijk door de effecten van testosteron. Hoewel er mogelijk in de toekomst nog een aantal gezondheidseffecten te verwachten zijn van DHEA, adviseren de meeste onderzoekers voorzichtig te is met DHEA, en het alleen te gebruiken onder begeleiding van een arts. Een recent reviewartikel over DHEA-suppletie en veroudering van de uitgevers van *The*

New England Journal of Medicine meldt, dat er geen bewezen gezondheidsvoordelen aan DHEA-suppletie zitten, en potentieel zelfs enkele ernstige risico's. De lange termijneffecten van DHEA-suppletie zijn niet bekend, maar twee mogelijke effecten bij mannen zijn leververgiftiging en prostaatkanker.

Juridische en ethische aspecten

Gebruik van DHEA is verboden door het IOC. Het is een corticosteroïd dat de testosteronproductie kan stimuleren, en dus mogelijk anabole eigenschappen heeft. Het gebruik ervan zou dan illegaal en ethisch niet verantwoord zijn.

Aanbevelingen

Er zijn onvoldoende wetenschappelijke onderzoeksgegevens om de effectiviteit van DHEA als sportergogeen middel te onderschrijven, en kan daarom op dit moment niet worden aanbevolen, vooral niet in het geval van jonge, gezonde sporters. Medische autoriteiten stellen, dat gebruik van DHEA-supplementen mogelijk een aantal serieuze gezondheidsrisico's kent, dus vanuit veiligheidsoverwegingen ontmoedigen ze gebruik van DHEA. Daarbij komt dat DHEA illegaal en ethisch niet verantwoord is omdat het gebruik ervan is verboden door het IOC.

Diuretica

Classificatie en gebruik

Diuretica kunnen worden geclassificeerd als farmacologisch sportergogeen middel. Diuretica vertegenwoordigen een groep medicijnen die therapeutisch gebruikt worden om de urineproductie op te voeren en overmatig lichaamswater af te voeren bij bepaalde pathologische aandoeningen, zoals bij de behandeling van hoge bloeddruk. Er zijn tal van typen diuretica beschikbaar, zoals te zien is in de appendix. De dosering is afhankelijk van het type diureticum.

Sportprestatiefactor

Mechanisch voordeel. Diuretica zijn bestudeerd voor het vermogen in sommige sporten mechanisch voordeel te behalen, en indirect de efficiëntie van de energieproductie per eenheid lichaamsgewicht te bevorderen, met name de ATP-CP- en melkzuur-energiesystemen.

Theorie

Sporten die gewichtscategorieën kennen, zoals boksen, worstelen en gewichtheffen maken soms gebruik van diuretica om snel gewicht te verliezen om in een bepaalde gewichtscategorie uit te komen. Turners, hoogspringers, en sporters uit andere takken van sport waar overgewicht een probleem is, maken ook gebruik van diuretica. Diuretica kunnen in een relatief korte periode zorgen voor een vermindering van 3% van het lichaamsgewicht. Voor een sporter van 72 kg is dit een verlies van ruim 2 kg. Wanneer deze vochtverliezen het prestatievermogen niet

TERRY WILD STUDIO

Afbeelding 8.13 Diuretica kunnen een sporter helpen snel lichaamswater af te voeren zonder spierkracht te verliezen, waarmee hij in staat gesteld wordt minder gewicht verder of hoger te brengen.

verstoren, kan de worstelaar in de lichtere gewichtsklasse, de turner die met minder gewicht aan de ringen kan hangen, en de hoogspringer met een paar kg minder ballast een wedstrijdvoordeel hebben vanwege een gunstiger verhouding powerproductie – lichaamsgewicht (afbeelding 8.13). Sir Isaac Newtons traagheidswet stelt dat het product van de massa **m** en de versnelling van **a** van een lichaam gelijk is aan de (resulterende) kracht **F** die op het lichaam inwerkt; daarom resulteert een vermindering van massa bij een gelijke kracht in een grotere versnelling.

Sporters hebben diuretica ook gebruikt niet zozeer voor een direct ergogeen effect, maar om opsporing van gebruik van illegale farmacologische middelen te maskeren. Vanwege het vermogen de urineproductie- en uitscheiding te bevorderen, kunnen bepaalde diuretica ook verboden stoffen en de afbraakproducten daarvan in versneld tempo uitscheiden. Sommige sporters hopen dat het gebruik van diuretica hen zal helpen om de verboden stof af te voeren voor ze bij de dopingcontrole een plasje moeten plegen, hoewel geavanceerde dopingcontroles ook in staat zijn om maskerende middelen te ontdekken.

Effectiviteit

Als we gewoon van natuurkundige wetten uitgaan, is het logisch aan te nemen dat een worstelaar, turner, of hoogspringer wedstrijdvoordeel heeft bij een lager lichaamsgewicht, mits de energieproductie op peil blijft. Hoewel er weinig bewijs is dat het gebruik van diuretica een directe verbetering geeft van het sportprestatievermogen, lijken recente onderzoeksgegevens toch een aantal voordelen te hebben ontdekt.

In het algemeen, heeft onderzoek aangetoond dat diureticagebruik kan leiden tot een forse uitscheiding van lichaamswater, meer dan 3 procent, zonder gepaard te gaan met verlies van kracht, power, of lokaal spieruithoudingsvermogen van anaërobe aard. Dus, bij sporten waar explosieve inspanningen belangrijk zijn, lijkt het erop dat het prestatievermogen niet wordt belemmerd door het gebruik van diuretica, en er zelfs enig voordeel valt te behalen. Onderzoek heeft bijvoorbeeld aangetoond, dat het gebruik van een diureticum om gewicht te verliezen een verbetering in het vermogen recht omhoog te springen tot gevolg heeft.

Daarentegen kan het gebruik van diuretica bij duursport het prestatievermogen fors belemmeren. Diuretica kunnen een afname in plasmavolume veroorzaken van 8 tot 10 procent, al is het gewichtsverlies maar 3 procent. Deze afname in plasmavolume kan het cardiovasculair functioneren tijdens inspanning verslechteren, doordat er per hartslag minder bloed door het lichaam wordt gepompt. Bij hardlopers is aangetoond, dat gebruik van diuretica de prestatie op de 1500 meter met 8 seconden heeft vertraagd, en op de 5000 en 10.000 meter respectievelijk met 78 en 157 seconden.

Diuretica kunnen voor bepaalde sporten een effectief sportergogeen middel zijn, maar kunnen voor andere sporten juist ergolytisch zijn, dat wil zeggen het prestatievermogen verminderend.

Veiligheid

Duizeligheid, een bekende bijwerking van diuretica, kan de spiercontrole van sporter verstoren. Diuretica-geïnduceerde dehydratie kan leiden tot ernstige gezondheidsproblemen voor sporters die trainen of wedstrijden draaien onder warme (weers)omstandigheden, doordat ze gevoeliger zijn voor uitputting of een zonnesteek. Bepaalde diuretica scheiden elektrolyten uit als kalium. Zo kan chronisch gebruik van diuretica leiden tot lage kaliumspiegels en functieverstoring van het zenuwstelsel, met symptomen van spierzwakte en krampen tot verstoringen van de normale hartfunctie.

Juridische en ethische aspecten

Diuretica zijn verboden door het IOC. Het gebruik van diuretica als sportergogeen middel is illegaal en onethisch.

Aanbevelingen

Hoewel diuretica een effectief sportergogeen middel kunnen zijn voor bepaalde takken van sport, wordt het directe gebruik niet aanbevolen omdat het illegaal en onethisch is. Sporters dienen het gewenste lichaamsgewicht en optimale energieniveau te bereiken door goede voeding en correcte training. Er zijn diverse legale mogelijkheden beschikbaar om voor een wedstrijd overtollig lichaamswater af te voeren, hoewel zulke praktijken als saunabaden om het vocht af te voeren door diverse sportmedische organisaties sterk wordt afgeraden.

Designvoedingssupplementen

Classificatie en gebruik

Designvoedingssupplementen, soms ook neutraceuticals of farmaceuticals genoemd, kunnen worden geclassificeerd als nutritionele sportergogene middelen. Deze supplementen zijn het resultaat van ontwikkelingen in de nutritionele biotechnologie die de isolatie van bepaalde nutriënten, metabole bijproducten, of andere substanties met vermeend sportergogeen potentieel mogelijk maken. Sommige designvoedingssupplementen zoals HMB (betahydroxybetamethylbutiraat) bevatten een enkele stof. Anderen, zoals Hot Stuff, bevatten een mix van meer dan 30 ingrediënten van boor tot transferrozuur, terwijl anderen zoals MET-Rx bepaalde ingrediënten bevatten als Metamyosyn, waarvan geclaimd wordt dat het in geen ander product voorkomt.

Een recent onderzoek naar advertenties voor voedingssupplementen in fitness & bodybuildingmagazines telde 89 merken, 311 producten en 235 aparte ingrediënten. De meest voorkomende claim was dat het de spiergroei zou bevorderen.

Talloze commerciële designvoedingssupplementen worden speciaal ontworpen voor de sporter of lichamelijk actieve persoon, vooral voor degenen die meer spiermassa en een lager lichaamsvetpercentage willen. De aanbevolen doseringen variëren per merk.

Sportprestatiefactor

Mechanisch voordeel en fysieke power. De meeste designvoedingssupplementen worden voornamelijk gebracht als anabole stoffen die helpen spiermassa te ontwikkelen en het lichaamsvetpercentage te drukken voor meer kracht en power of voor een esthetischer verschijning als bij bodybuilding. Andere producten worden mogelijk ontworpen voor verbetering van het aërobe vermogen van duursporters.

Theorie

Er zijn misschien wel net zoveel theorieën over anabole effecten als er ingrediënten in deze producten zitten. Bijvoorbeeld: (a) HMB is een metabool bijproduct van het aminozuur leucine, en wordt geacht de afbraak van spiereiwitten tijdens intensieve training tegen te gaan; (b) boor en transferrozuur worden geacht de afgifte van het anabole hormoon testosteron te bevorderen en (c) Metamyosyn is een complex van 50 eiwitisolaten dat geacht wordt als het product MET-Rx vet te verbranden en spiermassa op te bouwen (figuur 8.14).

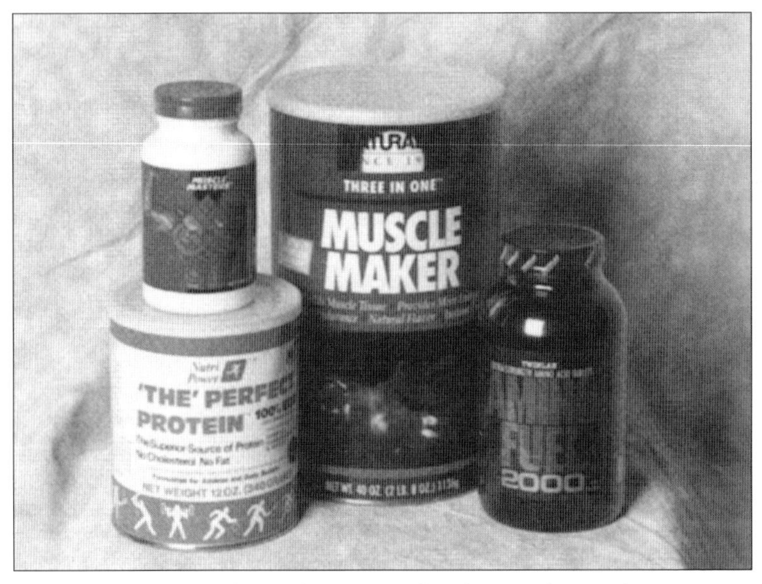

Afbeelding 8.14 Er verschijnen elk jaar weer talloze designvoedingssupplementen op de markt, vaak gericht op lichamelijk actieve mensen en sporters.

Effectiviteit

In de meeste gevallen zijn de advertenties waarin de designvoedingssupplementen worden gebracht als krachtige anabole stoffen niet gebaseerd op wetenschappelijk onderzoek, maar op theorie en op basis van positieve beweringen van sporters die het gebruiken, maar daar meestal ook voor betaald worden. In het algemeen laten de fabrikanten de effectiviteit van hun producten niet wetenschappelijk onderzoeken.

Zo lijkt er bijvoorbeeld geen enkel wetenschappelijk bewijs te zijn voor de effectiviteit van MET-Rx. Uit één onderzoek bleek enig indirect bewijs dat MET-Rx geen effectief sportergogeen middel is. In deze studie evalueerden onderzoekers de effectiviteit van een ander vermeend sportergogeen middel (HMB) en waren ze geïnteresseerd in de mogelijke interactie met eiwit. Hun onderzoeksgroep bestond uit zes groepen proefpersonen die drie weken op een gewichttrainingsprogramma werden gezet; twee van deze groepen kregen geen HMB, maar een groep kreeg een eiwitsupplement, MET-Rx, en de andere groep niet. Er waren geen duidelijke verschillen tussen deze twee groepen in lichaamssamenstelling of veranderingen in kracht, waaruit de conclusie werd getrokken dat MET-Rx waarschijnlijk geen effectief sportergogeen middel is wanneer het wordt toegevoegd aan een voeding die al voldoende eiwit bevat, hetgeen in deze studie neerkwam op twee keer de aanbevolen dagelijkse hoeveelheid.

Sommige producten kunnen effectieve ergogene middelen zijn als ze substanties bevatten als creatine, dat in degelijk opgezette wetenschappelijke studies wel effectief in het opvoeren van kracht en massa is gebleken. Andere substanties als HMB kunnen in toekomstig onderzoek mogelijk effectief blijken in het opvoeren van vetvrije spiermassa en vermindering van lichaamsvet, en er is een aantal inleidende humane studies die al die richting uitwijzen.

Veiligheid

Van veel designvoedingssupplementen ontbreken onderzoeksgegevens over de veiligheid ervan. De supplementen die voornamelijk nutriënten bevatten zullen ook als ze in zeer hoge doseringen worden genomen niet erg gevaarlijk zijn. MET-Rx bijvoorbeeld bevat voornamelijk melkeiwitten, koolhydraten, vetten, vitamines, mineralen en andere natuurlijke ingrediënten die ook voorkomen in onze dagelijkse voeding. Sommige formules echter kunnen gezondheidsproblemen veroorzaken, met name door bepaalde kruidenextracten die bij daarvoor gevoelige mensen anafylactische reacties kunnen veroorzaken.

Juridische en ethische aspecten

Gebruik van een designvoedingssupplement als sportergogeen middel is legaal en ethisch verantwoord als ze geen verboden ingrediënten bevatten.

Aanbevelingen

In het algemeen worden designvoedingssupplementen niet aanbevolen als sportergogeen middel omdat maar heel weinig van deze producten wetenschappelijk voldoende zijn onderzocht om hun claims te kunnen waarmaken.

De bijsluiter of onderzoeksliteratuur die bij de begeleiding van verkoop zou moeten worden overhandigd, zou moeten verwijzen naar studies in wetenschappelijk betrouwbare tijdschriften. Je kan research opvragen bij het Gatorade Sport Science Institute (800-616-4774), of bij het Food Nutrition Center van de National Agriculture Library (301-504-51719).

Efedrine (sympathomimetica)

Classificatie en gebruik

Efedrine is een synthetisch sympathomimeticum, dat kan worden geclassificeerd als farmacologisch sportergogeen middel. Andere sympathomimetica zijn pseudo-efedrine en fenylefrine. Sympathomimetica zijn gemaakt om de effecten van de natuurlijke, endogene hormonen norepinefrine (noradrenaline) en epinefrine (adrenaline) na te bootsen, waarbij ze voor bepaalde fysiologische responsen van het sympathische zenuwstelsel zorgen. Sympathomimetica kunnen specifiek (opwekken van specifieke fysiologische responsen) of niet-specifiek (opwekken van algemene fysiologische responsen) zijn. Efedrine, een niet-specifiek sympathomimeticum, kan therapeutisch worden gebruikt voor verschillende gezondheidsproblemen, waaronder behandeling van astma en verkoudheidssymptomen. Efedrine kan ook worden gebruikt om af te vallen.

Efedrine of andere sympathomimetica komen in allerlei anti-astmamiddelen en verkoudheids- of hoestmiddelen in pil-, tablet-, of inhalatievorm voor, zoals Primatene, Bronkotabs, Co-Tylenol, Vicks-inhaler, en Alka-Seltzer Plus (afbeelding 8.15). Efedrine komt ook voor in kruidentheeën en voedingssupplementen die Ma Huang bevatten (Chinese efedra of efedrine op kruidenbasis) maar ook in voedingssupplementen die gebracht worden als afslank- of opwekkend middel. Alle verkoudheidsmiddelen met ingrediënten tegen de hoest bevatten vaak door het IOC verboden sympathomimetica. Zie de appendix voor een uitgebreide

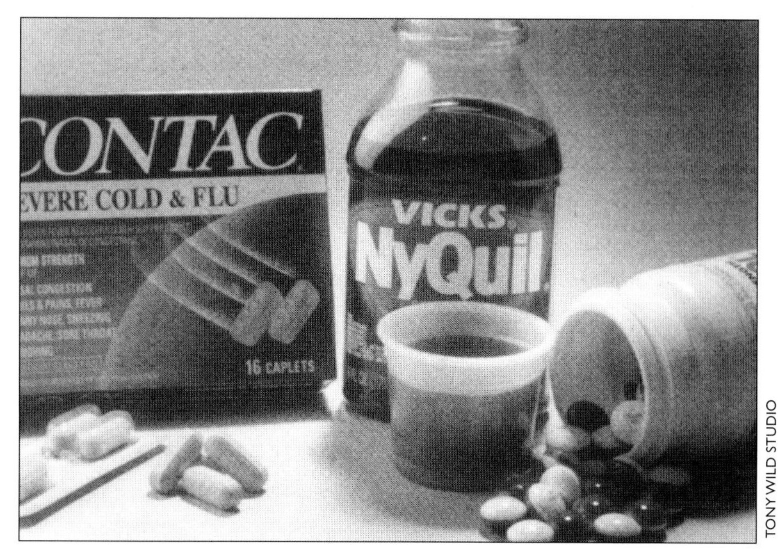

TONY WILD STUDIO

Afbeelding 8.15 Veel vrij verkrijgbare middelen bevatten efedrine, een medicijn dat op de lijst van verboden middelen van het IOC staat.

lijst. De dosering efedrine of een ander sympathomimeticum wisselt per product. Inhalers leveren meestal een snellere respons op. Doseringen gebruikt in onderzoek lopen van ongeveer 20 tot 25 milligram efedrine (een volledige therapeutische doses) en 120 milligram pseudoefedrine. Controleer deze vrij verkrijgbare middelen op hun efedrinegehalte.

Sportprestatiefactor

Mentale kracht en fysieke power. Efedrine en andere sympathomimetica kunnen worden gebruikt om diverse sportprestatiefactoren te bevorderen die voordeel hebben van een supplementair stimulerend effect, waaronder fysieke power van alledrie energiesystemen, het ATP-CP-, het melkzuur-, en het zuurstof-energiesysteem. Sommige sporters gebruiken efedrine als eetlustremmer om af te vallen, en zo mogelijk mechanisch voordeel te behalen.

Theorie

Door het activeren van de sympathetische respons, kan efedrine de spiercontractie bevorderen, de bloedtoevoer naar het hart verhogen, de bronchiën verwijden, en de bloedsuikerspiegels laten stijgen. Theoretisch kan deze sympathetische respons alle typen fysieke power opvoeren, vooral het aërobe uithoudingsvermogen.

Effectiviteit

Hoewel het beperkt is, blijkt uit het beschikbare onderzoek niet dat sympathomimetica sportergogene effecten veroorzaken. In een onderzoek verbeterde een volledige orale therapeutische dosis efedrine de metabole, psychologische en prestatieresponsen niet in testen die kracht, power, duurvermogen, reactietijd, snelheid, anaëroob vermogen, of aëroob uithoudingsvermogen maten. In een ander onderzoek werd aangetoond dat pseudo-efedrine geen effect had op spierkracht of op een 40 km tijdrit bij getrainde wielrenners, met bijna gelijke tijden van 58 minuten bij gebruik van pseudo-efedrine of een placebo.

Veiligheid

Gebruik van efedrine of andere sympathomimetica kunnen bijwerkingen hebben, zoals nerveuze spanning, hoofdpijn, maagdarmklachten en hartkloppingen. Bij sommige mensen wekt het epileptische aanvallen en psychosen op. In Amerika heeft de Food and Drug Administration diverse rapporten ontvangen waarin melding werd gemaakt van allerlei gezondheidsproblemen, waaronder tenminste 17 sterfgevallen die in verband werden gebracht met het gebruik van producten die efedrine bevatten. De FDA is momenteel dan ook bezig om het gebruik van efedrinehoudende voedingssupplementen in te perken en mogelijk een waarschuwingslabel te verplichten waarop staat vermeld dat het gebruik van het product in sommige gevallen de dood tot gevolg kan hebben.

Juridische en ethische aspecten

Het gebruik van efedrine en andere sympathomimetica als stimulantia is door het IOC verboden. Sommige sportorganisaties, echter, hebben het gebruik van efedrine en soortgelijke sympathomimetica niet verboden en controleren er ook niet op. Sporters moeten hun sportorganisaties raadplegen over het al dan niet toegestaan zijn van deze middelen. Indien verboden, is het gebruik van deze middelen ethisch niet verantwoord. Er zijn onderzoekers die bij het IOC lobbyen om efedrine uit de ban te halen, aangezien er geen wetenschappelijk onderzoek is waaruit blijkt dat sympathomimetica bij de behandeling van astma of verkoudheid ook ergogene effecten heeft. De lijst is opgenomen in de appendix.

Op de Olympische Spelen in München 1972 won zwemmer Rick DeMont goud, maar werd gediskwalificeerd omdat hij positief bevonden werd op efedrine. Omdat hij astmapatiënt was, gebruikte DeMont een medicijn dat efedrine bevat.

Aanbevelingen

Het gebruik van efedrine of andere sympathomimetica als sportergogeen middel wordt niet aanbevolen omdat er geen wetenschappelijk onderzoek is dat de effectiviteit van deze stoffen als sportergogeen middel bevestigt en omdat het gebruik ervan mogelijk tot ernstige gezondheidsrisico's kan leiden. Het gebruik van deze middelen is in bepaalde takken van sporten illegaal en onethisch. Sporters die medicijnen gebruiken die deze stoffen bevatten, moeten met hun sportorganisaties overleggen of gebruik is toegestaan. Legale anti-astmamedicatie wordt genoemd in de appendix.

Op de Olympische Spelen van 1996 werden tenminste zes sporters positief bevonden, voornamelijk op vrij verkrijgbare medicijnen die stimulerende middelen bevatten.

Erythropoëtine (EPO, rEPO)

Classificatie en gebruik

Erythropoëtine (EPO) kan worden geclassificeerd als fysiologisch sportergogeen middel. EPO is een natuurlijk hormoon dat wordt afgegeven door de nieren. EPO stimuleert de aanmaak van rode bloedlichaampjes (RBL) in het beenmerg. Via genetische manipulatie is met behulp van recombinanttechnologie een synthetische vorm (rEPO) ontwikkeld. Technisch gesproken kan rEPO zowel als medicijn of als farmacologisch sportergogeen middel worden geclassificeerd. Met enige regelmaat horen we van rEPO-gebruik bij duursporters. De doseringen die werden gebruikt in onderzoek bij gezonde mannen liepen van 20 tot 40 IU rEPO per kg lichaamsgewicht drie maal per week voor de duur van zes weken. rEPO wordt intraveneus of intramusculair geïnjecteerd.

Sportprestatiefactor

Fysieke power. Het synthetische hormoon rEPO wordt gebruikt voor het vermogen aërobe power en uithoudingsvermogen te verbeteren in sporten die voornamelijk steunen op het zuurstof-energiesysteem.

Theorie

rEPO is ontwikkeld om de aanmaak van RBL in het beenmerg te stimuleren en, vergelijkbaar met bloeddoping, de concentratie RBL en hemoglobine in het bloed te verhogen (afbeelding 8.16). De hemoglobine bindt met zuurstof in de longen voor transport naar de spieren; zo draagt het toegenomen zuurstoftransporterende vermogen van het bloed op ergogene wijze bij aan sporten, met name die voor hun prestatie steunen op het zuurstof-energiesysteem (onderdelen waarbij aërobe power belangrijk is en bij duurinspanning boven de 5 minuten).

Effectiviteit

Injecties met rEPO verhogen de aanmaak van RBL en hemoglobineconcentraties in het bloed met 6-11 procent voor een duur van zes weken. Hoewel er in vergelijking met bloeddoping minder onderzoek beschikbaar is, is van EPO vastgesteld dat het de VO_2 max en het duurprestatievermogen opvoert als gemeten door middel van tijdhardlooptests op de

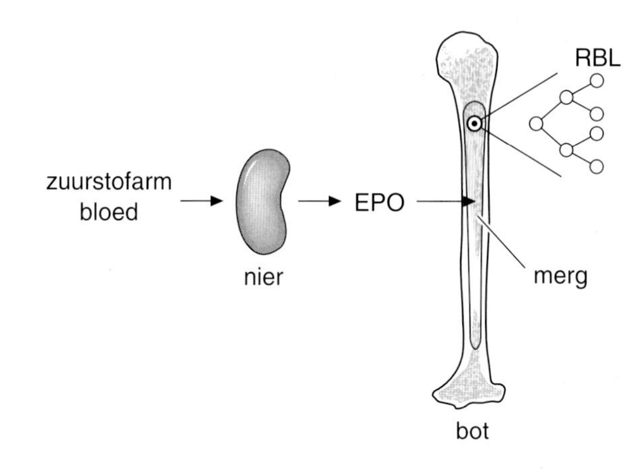

Afbeelding 8.16 Lage zuurstofwaarden in het bloed stimuleren de nieren tot afgifte van erythropoëtine. EPO reist dan af naar het beenmerg waar het de aanmaak stimuleert van rode bloedlichaampjes.

loopband tot uitputting toe. In een recent reviewartikel stelde het American College of Sports Medicine dat toediening van EPO bij gezonde proefpersonen ergogene effecten heeft vergelijkbaar met die van bloeddoping. Net als bloeddoping is rEPO dus een bijzonder krachtig sportergogeen middel.

Veiligheid

Injecties met rEPO kunnen zelfs onder medische begeleiding gezondheidsrisico's met zich meebrengen, en deze risico's nemen zonder medische begeleiding alleen maar toe. De gezondheidsrisico's die in verband worden gebracht met EPO-gebruik zijn, infecties (hepatitis B, HIV) door gebruik van besmette naalden, een verhoogde bloeddruk in rust en bij inspanning, toegenomen hematocrietwaarden, bloedverdikking, trombose, en zelfs een verhoogd risico op hartinfarct. Gebruik van EPO zonder medische begeleiding is waarschijnlijk verantwoordelijk voor de dood van behoorlijk wat jonge topwielrenners. Sommige experts noemen EPO het dopingmiddel voor sporters die het motto: 'Liever dood dan tweede' hoog in het vaandel hebben.

> De recente dood van weer een jonge, Nederlandse wielrenner geeft een totaal van vier soortgelijke sterfgevallen in de afgelopen twee jaar... het is publiek geheim dat hun overlijden zeer waarschijnlijk te wijten is aan het gebruik van een synthetische vorm van het hormoon erythropoëtine (EPO).
>
> – *J.E. Ramotar, schrijver voor Physician and Sportsmedicine*

Juridische en ethische aspecten

Het gebruik van rEPO als sportergogeen middel is illegaal en onethisch. Het middel staat op de lijst van verboden middelen van het IOC. De huidige urinedopingcontroles kunnen gebruik slechts vaststellen tot 2-3 dagen na de laatste injectie; de fysiologische effecten van EPO kunnen echter nog weken duren, waardoor de dopingcontrole natuurlijk waardeloos wordt. Daarom heeft de Internationale Wielerunie bloedtesten ingevoerd en sporters geschorst met een hematocrietwaarde (percentage rode bloedlichaampjes) boven de 50. Het American College of Sports Medicine, een internationale organisatie, heeft het gebruik van rEPO om het sportprestatievermogen op te voeren onethisch verklaard.

Aanbevelingen

Hoewel rEPO een bijzonder effectief sportergogeen middel is, en onder deskundige medische begeleiding ook veilig, is het gebruik ervan verboden door het IOC en wordt het hier dan ook niet aanbevolen.

Een sporter op de Olympische Spelen in Atlanta 1996 werd uit het Olympische dorp verwijderd nadat hij had toegegeven EPO te hebben gebruikt.

Er is mogelijk echter een andere werkzame en legale methode beschikbaar. Sommige sporters hebben geprobeerd hun RBL-concentratie op te voeren door op grote hoogten te wonen en trainen, ongeveer 2000 meter boven de zeespiegel. De lage zuurstofdruk stimuleert de nieren tot afgifte van EPO, met als gevolg een grotere RBL-concentratie. De grote hoogte lijkt echter de trainingsintensiteit te belemmeren, waardoor mogelijk het voordeel van de grotere RBL-concentratie teniet wordt gedaan. Er is dan ook nog niet bewezen dat het prestatievermogen door wonen en trainen op grote hoogten verbetert.

Diverse onderzoekers hebben recentelijk gesteld dat leven op grote hoogten en trainen op zeespiegelhoogte het beste van beide werelden combineert. Leven op grote hoogte stimuleert de RBL-concentratie, terwijl trainen op zeespiegelhoogte een optimale trainingsintensiteit toestaat. Hoog wonen en laag trainen zal voor de meeste sporters niet de makkelijkste manier zijn vanwege al het gereis. Het is geografisch gezien in veel landen echter wel mogelijk. Maar er zijn ook speciale 'hoogte-huizen' op zeespiegelhoogte ontwikkeld, die de sporter in staat stellen te wonen onder een zuurstofdruk vergelijkbaar met 2000 meter hoogte of meer. Op die manier kan de sporter wonen en slapen in een lage-druk omgeving die de productie van RBL stimuleert, om dan gewoon de deur uit te stappen en op zeespiegelniveau te gaan trainen. Uit inleidend onderzoek is gebleken, dat hoog leven en laag trainen niet alleen goed is voor duursporters, maar ook voor sporten waarbij het anaërobe uithoudingsvermogen een rol speelt.

Vetsuppletie

Classificatie en gebruik

Vetsupplementen kunnen worden geclassificeerd als nutritioneel sportergogeen middel. Voedingsvetten komen van nature voor in allerlei dagelijkse voedingsmiddelen, met name in dierlijke voedingsmiddelen zoals vlees en melk, maar in wisselende hoeveelheden ook in plantaardige voeding, veel minder in fruit en groenten, en behoorlijk wat in noten en zaden. De vetten die we consumeren staan bekend als triglyceriden, combinaties van vrije vetzuren (FFA) en glycerol. We hebben wat vet in de voeding nodig, want ze leveren diverse essentiële vetzuren en in vet oplosbare vitamines. Voor het totaal vet is geen dagelijks aanbevolen hoeveelheid (RDA) vastgesteld, maar de National Research Council adviseert 3-6 gram essentiële vetzuren per dag, wat niet zo'n moeilijke opgave is, zelfs niet voor iemand die vegetarisch eet en waarvan de energie-inname aan vet totaal maar zo'n 5 tot 10 procent van de voeding beslaat.

Een van de belangrijkste functies van vet in het menselijk lichaam is het leveren van energie, zoals al eerder besproken is.

Er zijn verschillende vetsupplementen in de handel die speciaal gericht zijn op sporters, met name de MCT's (medium chain fatty acids). Vetten met een 'middellange' keten worden in vloeibare vorm verkocht en worden ook verwerkt in sommige sportdranken en sportrepen. Infusies met bepaalde triglyceridenoplossingen zijn bestudeerd voor het vermogen de sportprestatie te bevorderen.

Sportprestatiefactor

Fysieke power. Vetsuppletie wordt gebruikt als poging het duurvermogen te bevorderen voor sporten die voor hun energie voornamelijk steunen op het zuurstof-energiesysteem.

Theorie

De voorkeurbrandstof voor intensieve duursport is koolhydraat, maar de lever en de spieren hebben maar een beperkte mogelijkheid koolhydraten op te slaan in de vorm van glycogeen en kunnen bij duursporten – 30 km of meer – uitgeput raken. Vet is ook een energiebron voor aërobe inspanning, dus kan het voordelig zijn voor bepaalde duursporters om de vetbenutting te optimaliseren als energiebron zodat de glycogeenvoorraden gespaard worden voor de latere fasen van de duurinspanning.

Omdat de snelheid van FFA-verbranding in de spier voor een deel afhankelijk is van de FFA-concentratie in het bloed, zijn er verschillende vetsuppletietechnieken gebruikt om te proberen de FFA-spiegels in het bloed op te voeren: (a) koolhydraatarme-vetrijke voedingsprogramma's zijn ingezet om meer voedingsvetten te leveren waardoor de FFA-spiegels mogelijk zouden stijgen nadat ze zijn verteerd, opgenomen en bewerkt door de lever; (b) infusie van triglyceridenoplossingen is een andere poging de FFA-spiegels in het bloed op te voeren na bewerking door de lever; en (c) inname van MCT's, die sneller worden opgenomen omdat ze wateroplosbaar zijn, worden bewerkt door de lever om FFA te leveren die omgezet worden in ketonen, die in de bloedbaan komen en eveneens als energiebron kunnen worden gebruikt tijdens inspanning.

Effectiviteit

Hoewel een koolhydraatarme-vetrijke voeding de benutting van vet als energiebron tijdens inspanning kan verbeteren, zijn er geen degelijke wetenschappelijke onderzoeken die het nut van zo'n dieet boven een koolhydraatrijke of gemengde voeding aantonen. Daarbij komt, dat een koolhydraatarme-vetrijke voeding het prestatievermogen zelfs kan verminderen doordat er onvoldoende koolhydraten worden aangevoerd, en dat is de belangrijkste brandstof bij inspanning. Hier moet bij worden opgemerkt, dat sporters waarschijnlijk heel efficiënt trainen op een voeding die voor 30 tot 40 procent van de calorieën uit vet bestaat, vooral wanneer de voeding ook calorierijk is. Een sporter die 3600 calorieën per dag consumeert, waarvan 50 procent uit koolhydraten, krijgt 450 gram koolhydraten binnen, en dat is veel.

Sommige onderzoeken suggereren dat infusie met triglyceridenoplossingen de FFA-spiegels in het bloed verhogen en daardoor mogelijk koolhydraatsparend werken, maar uit deze onderzoeken is geen duidelijk verbetering in sportprestatievermogen gebleken.

Diverse onderzoeken hebben aangetoond dat MCT-suppletie misschien wel wordt verbrand tijdens inspanning, maar dat het geen glycogeensparend effect heeft en ook het sportprestatievermogen niet aantoonbaar verbetert. Diverse onderzoeken hebben de effecten van een gecombineerd MCT-koolhydraatsupplement bestudeerd, en hoewel de uitkomsten daarvan tegenstrijdig zijn, toonde één onderzoek wel een ergogeen effect aan. In drie verschillende testen consumeerden wielrenners een koolhydraatoplossing, een MCT-oplossing, of een gecombineerde MCT-koolhydraatoplossing. Ze trainden twee uur lang op 60 procent van hun VO_2 max, waarna ze een 40 km tijdrit beëindigden. De prestatie van de tijdrit was het slechtst op de MCT-test, maar de MCT-koolhydraatcombinatie-test kwam als snelste uit de bus, hetgeen door de onderzoekers werd toegeschreven aan het spierglycogeensparende effect. Een interessante uitslag, die echter nog aanvullend onderzoek behoeft.

Veiligheid

Hoewel vetsuppletietechnieken veilig zijn bij gemiddeld gebruik, kleeft aan de verschillende technieken toch een aantal risico's. Een chronische koolhydraatarme-vetrijke voeding kan bij sommige mensen een verhoogd risico op hart- en vaatziekten en dikkedarmkanker veroorzaken. Infusie met triglyceridenoplossingen kunnen bij ondeskundig gebruik leiden tot te hoge FFA-spiegels in het bloed. Inname van MCT boven de 30 gram kan maagdarmklachten en diarree veroorzaken.

Juridische en ethische aspecten

Koolhydraatarme, vetrijke voedingsprogramma's en inname van MCT zijn legaal en in verband met sport ethisch verantwoord. Echter, infusies met triglyceridenoplossingen staan mogelijk haaks op de IOC-definitie van doping, het innemen van een substantie op niet natuurlijke wijze met de bedoeling op kunstmatige en oneerlijke wijze sportvoordeel te behalen. Het gebruik ervan kan op die manier uitgelegd ethisch niet verantwoord zijn.

Aanbevelingen

Als we ons baseren op wetenschappelijk bewijs, dan is vetsuppletie geen effectief ergogeen middel voor de meeste sporters, en wordt het gebruik ervan niet aangeraden. Vetrijke voeding zal het sportprestatievermogen eerder verminderen dan verhogen, en het is nog ongezond ook. Dat geldt ook voor de infusies met triglyceriden, waarbij de gezondheidsrisico's acuter en beduidender kunnen zijn.

Vergeleken met de koolhydraatinname, kan inname van MCT het prestatievermogen mogelijk nadelig beïnvloeden. Uit één studie echter, rolde de conclusie dat de consumptie van een gecombineerd MCT-koolhydraatsupplement het sportprestatievermogen meer verbeterde dan consumptie van een koolhydraatsupplement alleen. Hoewel er aanvullend onderzoek nodig is om deze bevinding hard te maken en de optimale concentraties vast te stellen, werd in dit onderzoek een sportdrank gebruikt die een mengsel bevatte van 10 procent koolhydraten en ongeveer 4 procent MCT. Zo'n oplossing kan zelf worden 'gebrouwen' door MCT bij de sportvoedingswinkel te halen en 40 gram te mengen met een koolhydraatdrank van 10 procent. Voor de training moet ongeveer 400 ml worden gedronken en tijdens de training om de 10 minuten ongeveer 100 ml.

Er zijn verschillende stoffen gebruikt in een poging FFA te mobiliseren tijdens training zodat ze de voorkeurbrandstof worden en spierglycogeen sparen. In dit opzicht is cafeïne misschien geschikt (zie Cafeïne).

Vochtsuppletie (Sportdranken)

Classificatie en gebruik

Vochtsuppletie kan worden geclassificeerd als nutritioneel sportergogeen middel. Water, onze meest essentiële nutriënt, is het belangrijkste vochtsupplement. Andere vochtsupplementen zoals vruchtensappen, limonades en sportdranken bestaan voornamelijk uit water, maar kunnen andere nutriënten of voedingsbestanddelen bevatten zoals koolhydraten, elektrolyten, vitamines, mineralen, choline en glycerol.

Water kan direct uit de kraan worden verkregen of in flessen worden gekocht. Er zijn talloze andere vochtaanvullers, zoals sportdranken, te koop.

Sportdranken bevatten vroeger alleen water, suiker en wat elektrolyten. Tegenwoordig kunnen ze exotischer substanties bevatten, als choline en glycerol.

Sportprestatiefactor

Fysieke power. Vochtsuppletie wordt gebruikt voor het vermogen aërobe power en duurvermogen te bevorderen, vooral onder warme weersomstandigheden.

Theorie

Je lichaam bestaat voor ongeveer 60% uit water, en water is het milieu waarin alle andere nutriënten functioneren. Dehydratie, of het verlies van lichaamswater, kan het cardiovasculaire functioneren, de celstofwisseling, en de warmteregulatie verstoren. In het algemeen kan een vochtverlies van ongeveer 2 procent van het lichaamsgewicht het duursportvermogen aantasten. Hoe groter het vochtverlies, hoe zwaarder het prestatievermogen eronder lijdt. Voor een hardloper van 67.5 kg, zou een verlies van 1.5 liter vocht een dehydratie van 2 procent betekenen, en zo'n vochtverlies kan binnen een half uur optreden. Dehydratie kan ook het sportprestatievermogen verminderen bij intensieve anaërobe intervalachtige sporten als voetbal en tennis.

In theorie wordt vochtsuppletie geacht vermoeidheid die gekoppeld is aan vochtverlies bij inspanning onder warme weersomstandigheden tegen te gaan, door verstoring van het cardiovasculaire functioneren en de warmteregulatie te voorkomen.

Effectiviteit

Duizenden wetenschappelijke onderzoeken zijn er verricht naar de effecten van dehydratie en vochtaanvullingstechnieken op lichaamswarmteregulatie en sportprestatievermogen. Twee technieken zijn nuttig gebleken in het voorkomen van de nadelige effecten van dehydratie op het duurvermogen onder warme weersomstandigheden. Rehydratie is het consumeren van vochtsupplementen tijdens de inspanning zelf, terwijl hyperhydratie het innemen van vloeistoffen voor de inspanning of wedstrijd zelf is. Van deze twee technieken, is rehydratie de meest effectieve manier om de nadelige effecten van vochtverlies tijdens inspanning tegen te gaan. In vergelijking met omstandigheden waarbij voor of tijdens inspanning geen vocht is aangevuld, zorgen deze twee technieken dus voor: (a) vertraging van het punt waarop nadelig vochtverlies inzet, (b) het op peil houden van het cardiovasculaire functioneren, (c) voorkomen van het al te zeer stijgen van de lichaamstemperatuur, en (d) verbetering van het sportprestatievermogen bij duurinspanning onder warme weersomstandigheden (afbeelding 8.17).

Onderzoek lijkt te suggereren dat in sportevenementen korter dan een uur, het aanvullen van vocht alleen voldoende is. Bij evenementen die langer dan een uur duren, is vochtsuppletie die koolhydraten bevat effectiever. De koolhydraten zullen de opname of benutting van vocht niet verstoren, maar helpen de bloedsuikerspiegel op peil te houden en dienen als een energiebron voor de spieren.

Veiligheid

Vochtsuppletie is veilig en kan ernstige hitte-aandoeningen tijdens inspanning voorkomen. Vochtsuppletie die koolhydraten en andere nutriënten bevatten zijn ook veilig, hoewel een sterk geconcentreerde koolhydraatdrank bij sommige mensen voor maagdarmklachten kan zorgen.

HUMAN KINETICS/TOM ROBERTS

Afbeelding 8.17 Sportdranken kunnen een effectieve manier zijn om zowel vocht als koolhydraten aan te vullen als het uithoudingsvermogen flink op de proef wordt gesteld.

Juridische en ethische aspecten

Vochtsuppletie is legaal en in verband met sport ethisch verantwoord.

Aanbevelingen

Als je van plan bent te trainen of wedstrijden te draaien onder warme weersomstandigheden, worden zowel rehydratie- als hyperhydratietechnieken warm aanbevolen. De aanbevelingen over vochtaanvulling van het American College of Sports Medicine (ACSM) en andere onderzoekers kunnen hierbij als richtlijnen worden genomen.

1. Om te hyperhydreren, moet je 24 uur voor de training voldoende vocht innemen. Drink twee uur voor de training ongeveer een halve liter koude vloeistof. Extra vocht of water kan daarna tot aan de start gedronken worden.
2. Om tijdens de training te rehydreren, moet je al vroeg in de training beginnen met drinken om zo het verlies van vocht via het zweten te compenseren. De een zweet harder dan de ander, dus als je je eigen zweetverlies wilt meten, moet je de ingekaderde tekst hieronder lezen. Wanneer je bijvoorbeeld hebt berekend dat je ongeveer 1 kg of 1 liter vocht verliest, dan moet je proberen tijdens de training dezelfde hoeveelheid in te nemen om weer in vochtbalans te komen. Om de 15 minuten een kwart liter vloeistof drinken is in dit geval voldoende.

Een goede manier om je vochtverlies te bepalen, is jezelf naakt te wegen voor en na de training. Meet ook precies hoeveel vocht je tijdens de training hebt gedronken. Als je training 1 uur duurt, moet je ongeveer een halve liter drinken, en daarna een pond lichter zijn. Dat betekent dat je in een training 1 liter vocht verliest.

3. Wanneer je training langer dan 1 uur duurt, is het verstandig om aan je vochtsuppletie ook koolhydraten toe te voegen. De algemene aanbeveling is 30 tot 60 gram koolhydraten per uur. Het drinken van 1 liter sportdrank met een oplossing van 6 procent koolhydraten levert je 60 gram koolhydraten. Tabel 8.9 geeft de hoeveelheid vocht aan die je moet consumeren om 30-60 gram koolhydraten binnen te krijgen van sportdranken die een koolhydraatoplossing bevatten van 6 tot 10 procent.

4. Rehydreer na de training. Dorst is meestal een betrouwbare gids voor het helpen aanvullen van vocht over de eerste 24 uur na de training. Consumeer daarnaast ook voedingsmiddelen die voldoende zout bevatten om de via het zweet verloren natrium- en chlorideverliezen te compenseren.

Foliumzuur

Classificatie en gebruik

Foliumzuur, een essentiële B-vitamine, kan worden geclassificeerd als nutritioneel sportergogeen middel. Foliumzuur is een wateroplosbare vitamine die van nature voorkomt in voedingsmiddelen als lever, volle graanproducten, ongekookte bonen, donkere groenten en bladgroenten en fruit. De dagelijks aanbevolen hoeveelheid (RDA) voor foliumzuur is 200 microgram per dag. Sommige voedingsdeskundigen adviseren hogere innamen, tot 400 microgram per dag, voor vrouwen die zwanger willen worden, omdat inname van foliumzuur vooral in de eerste maanden van de ontwikkeling van de foetus geboorteafwijkingen kan voorkomen.

Foliumzuursupplementen zijn apart of in combinatie met een multivitamine/mineralencomplex verkrijgbaar. Sommige sportdranken zijn verrijkt met foliumzuur. Voor onderzoek naar de ergogene effecten van foliumzuur zijn doseringen gebruikt tot 5 milligram per dag over een periode van enkele maanden.

Sportprestatiefactor

Fysieke power. Foliumzuursuppletie is bestudeerd voor het vermogen aërobe power en uithoudingsvermogen te vergroten bij sporten waarvan de energiewinning voornamelijk op het zuurstof-energiesysteem steunt.

Theorie

Foliumzuur werkt als een coënzym dat is betrokken bij de opbouw van DNA, het erfelijke materiaal in de celkern. Omdat DNA nodig is om rode bloedlichaampjes (RBL) aan te maken in het beenmerg, gaat men er vanuit dat foliumzuursuppletie mogelijk helpt de RBL die tijdens training zijn beschadigd te vervangen.

Effectiviteit

Hoewel foliumzuurtekort het aërobe prestatievermogen nadelig kan beïnvloeden, is er geen wetenschappelijk bewijs dat foliumzuursuppletie een effectief sportergogeen middel is voor sporters die gezond en gevarieerd eten. Hoewel bijvoorbeeld folaatsuppletie bij marathonloopsters die een tekort hadden aan folaat de folaatspiegel in het bloed verhoogde, verbeterde het (a) de VO_2 max, (b) tijd op de loopband bij maximale inspanning, (c) piekmelkzuurspiegels, of (d) loopsnelheid op de anaërobe (melkzuur) drempel niet.

Veiligheid

Foliumzuur wordt beschouwd als een veilig vitaminesupplement, ook als het om megadoseringen van enkele honderden malen de RDA gaat. Er is overigens geen reden om zulke grote hoeveelheden te nemen. Een hoge inname van foliumzuur kan een B_{12} vitaminetekort verhullen.

Juridische en ethische aspecten

Foliumzuursuppletie is legaal en in verband met sport ethisch verantwoord.

Aanbevelingen

Op basis van wetenschappelijk bewijs, moeten we stellen dat foliumzuursuppletie geen effectief sportergogeen middel is, en daarom wordt het gebruik ervan hier niet aanbevolen.

Ideaal is als sporters door het kiezen van gezonde, volwaardige voeding aan voldoende foliumzuur komen. Sommige sporters kunnen baat hebben bij een foliumzuursupplement van 1 x daags 400 microgram. Dan gaat het om (a) sporters die uitkomen in gewichtscategorieën en op een energetisch zeer beperkt dieet moeten, en (b) sportsters die zwanger willen worden en de kans op geboorteafwijkingen bij hun kind willen verkleinen.

Ginseng

Classificatie en gebruik

Ginseng is een voedingssupplement dat kan worden geclassificeerd als nutritioneel sportergogeen middel. Ginseng is de algemene term voor een heel scala aan natuurlijke chemische extracten gewonnen uit de plantenfamilie Araliaceae. Ginsengextracten bevatten scheikundige

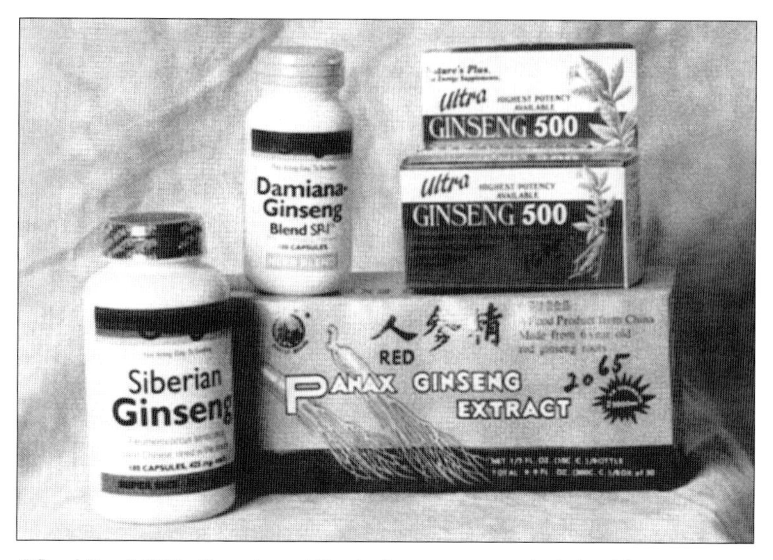

Afbeelding 8.18 Er zijn veel verschillende ginsengpreparaten in de handel.

stoffen die de menselijke fysiologie kunnen beïnvloeden, met name de zogenaamde glycosiden, of ginsenosiden. Ginsengextracten, en de fysiologische effecten ervan, variëren afhankelijk van de plantensoort, het deel van de plant dat wordt gebruikt, en de plaats waar de plant vandaan komt.

De bekendste ginsengs zijn Chinese of Koreaanse (Panax ginseng), Amerikaanse (Panax quinquefolium), Japanse (Panax japonicum), en Russisch/Siberische (Eleutherococcus senticosus) varianten.

Eleutherococcus senticosus wordt erkend als een echte vorm van ginseng en de ginsenosiden ervan worden ook eleutherosiden genoemd.

De commerciële ginsengpreparaten worden in capsules en vloeibare vorm verkocht. Bij apotheken, reformzaken, en zelfs supermarkten worden vele verschillende vormen ginseng die ginsenosides of eleutherosiden bevatten verkocht (afbeelding 8.18). De aanbevolen doseringen wisselen afhankelijk van type en vorm van het ginsengproduct. De doseringen die in onderzoek zijn gebruikt komen meestal overeen met de aanbevelingen die de fabrikant van het ginsengproduct doet. Commerciële producten zijn sterk wisselend in kwaliteit. Bij een recente steekproef onder 50 commerciële ginsengproducten bleken 44 van de ginsengproducten ginsenosideconcentraties van 1.9 tot 9.0 procent te bevatten en zes van de producten bevatten geen waarneembare concentraties ginsenosides. Een product bevatte een grote dosis efedrine, een stimulerend middel dat op de IOC-lijst van verboden middelen staat.

Sportprestatiefactor

Fysieke power. Ginsengsuppletie is bestudeerd voor het vermogen fysieke power te vergroten van alledrie energiesystemen, het ATP-CP-, het melkzuur- en het zuurstof-energiesysteem.

Theorie

De meest aangehangen theorie stelt, dat ginseng mogelijk het 'knooppunt' hypothalamus-hypofyse-bijnieren activeert. Om kort te gaan, neemt men aan dat ginseng de hypothalamus in de hersenen stimuleert. De hypothalamus reguleert de hypofyse, de belangrijke endocrine klier die hormonen afscheidt die alle andere endocrine klieren in het lichaam reguleren, waaronder ook de bijnieren. De bijnieren geven cortisol af, een hormoon dat betrokken is bij stress. Russische onderzoekers gebruiken de term *adaptogenen* om de fysiologische werking van ginseng te beschrijven. Een van de belangrijkste werkingen van een adaptogeen is een verhoogde weerstand tegen de katabole effecten van stress, waaronder ook fysieke stress in de vorm van intensieve training, mogelijk door het uitoefenen van gunstige invloeden op de afgifte van cortisol.

Diverse verwante theorieën stellen dat ginsengsuppletie de spierglycogeenopbouw na de training kan bevorderen, tijdens training de spiercreatinefosfaat (CP) concentraties op peil houdt, de melkzuurspiegels tijdens training verlaagt en een postief effect heeft op de stikstofbalans (opbouw spierweefsel). In essentie zorgen deze vermeende antistress-effecten van ginsengsuppletie voor een verbetering van het sportprestatievermogen door sporters in staat te stellen intensiever te trainen of een antivermoeidheidseffect te creëren en het uithoudingsvermogen te vergroten. Zo'n effect zou voordelig kunnen zijn voor de meeste sporters.

Andere theorieën zijn naar voren geschoven geschoven om het potentiële ergogene effect op het aërobe uithoudingsvermogen te verklaren, voor een deel via het effect dat ginseng heeft op de hypothalamus. De hypothalamus oefent ook invloed uit op het sympathische zenuwstelsel, het deel van het centrale zenuwstelsel dat tal van autonome functies reguleert, zoals de werking van hart en bloedvaten. Theoretisch, stimuleert de hypothalamus de hartfunctie en verhoogt tijdens inspanning de bloedtoevoer naar het hart. Aanverwante theorieën gaan er vanuit dat ginsengsuppletie de hemoglobinespiegels kan verhogen, de zuurstofopname van de spier kan verbeteren, en de stofwisseling van de mitochondria in de cel kan bevorderen. Gezamenlijk suggereren deze theorieën een verbetering van de zuurstofleverantie aan de spier, en een efficiënter gebruik ervan, de twee kernfuncties van het zuurstofenergiesysteem.

Hoewel tal van theorieën zijn bedacht om het vermeende ergogene effect van ginsengsuppletie te verklaren, is het achterliggende mechanisme nog niet opgehelderd.

Effectiviteit

Veel van de claims die in advertenties worden gedaan over meer energie en betere prestaties door ginsengsuppletie zijn gebaseerd op onderzoeken die in de jaren zestig en zeventig zijn uitgevoerd. Hoewel er talloze onderzoeken werden gedaan, was het percentage dat degelijk was opgezet gering. Onderzoeksmankementen als geen controle- of placebogroep gebruiken, geen dubbelblindprotocol invoeren, geen willekeurige orde van behandeling volgen, en geen statistische analyse doen, maken deze onderzoeken wetenschappelijk onbetrouwbaar.

Russische onderzoekers waren met name geïnteresseerd in Russische/Siberische ginseng, of Eleutherococcus senticosus (ES), en maakten vaak melding van de gunstige effecten van ES-suppletie op verschillende aspecten van fysieke inspanning. Analyse van het Russische onderzoek is echter moeilijk, omdat de werkelijke doseringen en gebruikte methoden niet volledig werden beschreven. Via persoonlijke correspondentie met Sovjetatleten wist een geëmigreerde Russische arts te achterhalen, dat de Sovjetartsen onder druk stonden om over hun ES-onderzoek gunstige uitkomsten te produceren. Veel van deze studies waren niet dubbelblind, dus veel Sovjetatleten die geloofden dat ES-supplementen werkten, kunnen baat hebben gehad bij het placebo-effect. In het algemeen lijkt het Russische onderzoek onbetrouwbaar; een reviewer meldde recentelijk dat alle Russische onderzoeken methodologisch gemankeerd waren.

Naast het Russische onderzoek onderzochten de meeste studies uit de jaren zestig en zeventig het ergogene effect van andere vormen van ginseng, meestal commerciële producten. Veel van deze studies leden ook aan een ondeugdelijke onderzoeksopzet, en sommigen werden regelrecht gefinancieerd door de fabrikant of distributeur. Eén onderzoek was wel goed opgezet, maar het commerciële product bevatte nog een aantal ingrediënten die mogelijk ergogeen werkten. In een recent artikel over de ergogene effecten van ginseng sommen Michael Bahrke en William Morgan deze methodologische manco's nog een keer op, en concluderen dat er een gebrek is aan wetenschappelijk bewijs dat ginseng het uithoudingsvermogen kan bevorderen.

Naast de review van Bahrke en Morgan, evalueerden vier degelijk opgezette onderzoeken de ergogene effecten van standaard ginsengextracten, waaronder commerciële producten die Eleutherococcus senticosus bevatten, en rapporteerden geen significante effecten op verschillende prestatie-aspecten, zoals metabole (zuurstofopname en opbouw van melkzuur) en fysiologische (hartslag en ademhaling) responsen op submaximaal en maximaal hardlopen, psychologische schaal van subjectieve inspanning, stemming, of fiets- en hardlooptijd tot uitputting toe.

Op dit moment ondersteunt degelijk onderzoek de stelling niet, dat ginsengsuppletie een effectief ergogeen middel is.

Veiligheid

Commerciële ginsengproducten lijken relatief weinig acute of chronische toxiciteit te hebben wanneer ze genomen worden in doseringen die door de fabrikant worden aanbevolen. Er is echter een ginsengmisbruiksyndroom waargenomen, met symptomen als hoge bloeddruk, nervositeit en slapeloosheid. Deze effecten kunnen worden toegeschreven aan het vermeende stimulerende effect van ginseng, of mogelijk aan de andere ingrediënten die het product bevat, zoals het stimulerende middel efedrine. (Zie Efedrine.)

Juridische en ethische aspecten

Ginsengsuppletie als sportergogeen middel is zowel legaal als ethisch verantwoord, tenzij commerciële producten stoffen bevatten die op de lijst staan van verboden middelen, zoals efedrine.

Aanbevelingen

Ginsengsuppletie wordt niet aanbevolen als sportergogeen middel omdat er geen degelijk wetenschappelijk bewijs is over de effectiviteit van het middel op het prestatievermogen.

Echter, ginseng wordt al duizenden jaar gebruikt als tonicum, hetgeen letterlijk en figuurlijk suggereert dat er toch wel wat 'in' moet zitten. De meeste studies die het ergogene potentieel van ginsengsuppletie onderzoeken gebruikten het supplement maar voor korte perioden, meestal 6 tot 8 weken of minder. Er is enig onderzoek dat lijkt te suggereren dat ginseng op de lange termijn mogelijk door vermindering van stress een positief effect heeft op het immuunsysteem. Hoewel niet uitgebreid onderzocht bij sporters, zou een gezonder immuunsysteem ziekte of de eerste symptomen van overtraining bij zeer intensieve training kunnen voorkomen. Wie langdurig met ginseng wil experimenteren doet er goed aan daarover eerst de huisarts te raadplegen, want ginseng kan bestaande klachten, als hoge bloeddruk, verergeren. Lange termijngebruik zou kunnen leiden tot het ginsengmisbruiksyndroom.

Glycerol

Classificatie en gebruik

Glycerol kan worden geclassificeerd als fysiologisch sportergogeen middel. Het is een zoete, kleurloze, vloeibare alcohol die van nature voorkomt in onze voedingsvetten. Glycerol wordt commercieel gefabriceerd via hydrolyse van vetten voor gebruik in voedingsmiddelen, hoestdranken en huidverzorgingsproducten. Bij kruideniers staat glycerol soms onder glycerine bij de huidverzorgingsproducten; glycerol is ook in verpakking verkrijgbaar als Glyceraat. Onlangs werd een sportdrank met glycerol op de markt gebracht.

De doseringen die worden gebruikt in onderzoek zijn gebaseerd op lichaamsgewicht of totaal lichaamswater, en komt ongeveer neer op 1 gram glycerine per kg lichaamsgewicht met elke gram verdund in 20 tot 25 milliliter water of een soortgelijke vloeistof.

Sportprestatiefactor

Fysieke power. Glycerolsuppletie is bestudeerd voor het vermogen aërobe power en duurvermogen te verbeteren, vooral onder warme weersomstandigheden.

Theorie

Glycerol wordt geacht de vermoeid die gepaard gaat met dehydratie tijdens duurinspanning onder warme weersomstandigheden te voorkomen, maar kan het prestatievermogen ook op andere manieren verbeteren, zoals door een groter bloedvolume.

Dehydratie kan het prestatievermogen bij duursport negatief beïnvloeden. Om dehydratie van het lijf te houden, drinken sporters voor (hyperhydratie) en tijdens (rehydratie) de wedstrijd. Glycerolsuppletie wordt geacht het hyperhydratie-effect te bevorderen door meer vocht op te slaan in vergelijking met hyperhydratie alleen. Glycerol kan ook tijdens de wedstrijd in een rehydratiedrank worden gedronken.

> Anekdote: Op de Wereldkampioenschappen 1991 in Tokio, die gehouden werden onder warme, vochtige omstandigheden, lukte het de vier marathonlopers die glycerol hadden gebruikt de marathon uit te lopen, terwijl twee andere lopers die geen glycerol hadden gebruikt moesten opgeven.
>
> *– Amby Burfoot – adjunct hoofdredacteur, Runner's World*

Effectiviteit

Sommige onderzoeken ondersteunen de theorie dat glycerolsuppletie in vloeistoffen, in vergelijking met waterhyperhydratie alleen, het totale lichaamswater verhoogt, evenals het bloedplasmavolume. De onderzoeksgegevens zijn niet erg uitgebreid en de bevindingen niet eenduidig. Diverse studies suggereren dat glycerolgerelateerde hyperhydratie kan helpen tijdens inspanning onder warme weersomstandigheden een lagere hartslag en kernlichaamstemperatuur vast te houden, en het duursportvermogen van wielrenners te bevorderen. Daarentegen stellen andere onderzoeken, dat glycerolgerelateerde hyperhydratie geen effect heeft op temperatuurregulatie, fysiologische responsen tijdens inspanning, of wielrenwedstrijden van ongeveer drie uur.

Veiligheid

Labels op glycerineproducten melden dat het product niet voor inwendig gebruik geschikt is, mits verdund in een veilige oplossing als boven beschreven. Glycerol kan echter hoofdpijn en misselijkheid veroorzaken; zwangere vrouwen, mensen met hoge bloeddruk, suikerziekte of nierproblemen moeten hun huisarts raadplegen voor ze glycerolsupplementen gaan gebruiken.

Juridische en ethische aspecten

Het IOC verbiedt intraveneuze infusie met glycerol, maar orale oplossingen zijn legaal. Hoewel vetten glycerol in glyceridevorm bevatten, is pure glycerol geen van nature voorkomend bestanddeel van onze voeding. Zo gezien, staat glycerolsuppletie mogelijk haaks op de algemene regel van het IOC aangaande doping, namelijk het consumeren van een substantie in abnormale hoeveelheden met de bedoeling kunstmatig en op onfaire wijze sportvoordeel te behalen. Afhankelijk van het standpunt van de sporter, kan glycerolsuppletie dus als ethisch of onethisch worden beschouwd.

Aanbevelingen

Er is onderzoek, zij het beperkt, dat de theorie over de effectiviteit en veiligheid van glycerolsuppletie ondersteunt, in ieder geval in de hierboven genoemde hoeveelheden. De aanbevolen hoeveelheid overschrijden kan gevaarlijk zijn. In een studie toonde men een verbeterd

TABEL 8.12

MOGELIJKE METHODE VOOR GLYCEROLHYPERHYDRATIE

1. Bepaal je lichaamsgewicht in kilogrammen.
2. Consumeer een gram glycerol per kg lichaamsgewicht. Als je 70 kg weegt, moet je dus 70 gram glycerol innemen.
3. Glycerol in de vorm van glycerine of Glycerate kan niet onverdund gedronken worden.
4. Met Glyceraat of andere commerciële producten, moet je de adviezen op de verpakking opvolgen. Voor glycerine moet je een oplossing met water maken van 5 procent. Voeg 50 gram glycerol toe aan een liter water. Elke 100 ml vloeistof bevat 5 gram glycerol, dus om aan 70 gram te komen als je 70 kg weegt, moet je ongeveer 1400 ml van de oplossing drinken (100 ml/5x70 kg = 1400 ml).
5. Drink de vloeistof ongeveer 2.5 tot 1.5 uur voor de training.

prestatievermogen door glycerolsuppletie bij duurinspanning op de fiets aan, maar in een ander onderzoek bleek daarvan weer niets. Aanvullend en degelijk opgezet wetenschappelijk onderzoek is nodig om het effect op hardloopprestaties te zien omdat een grotere wateropslag in het lichaam de loopefficiëntie kan verminderen. De algehele toon van het IOC-antidopingbeleid in ogenschouw genomen, kan het gebruik van glycerolsuppletie als onethisch worden gezien.

Wie wil experimenteren met glycerolhyperhydratie, wordt hieronder in tabel 8.12 een methode aan de hand gedaan.

HMB (Betahydroxy-betamethylbutiraat)

Classificatie en gebruik

Betahydroxybetamethylbutiraat (HMB) kan worden geclassificeerd als nutritioneel sportergogeen middel. HMB is een bijproduct van de stofwisseling van het aminozuur leucine in het menselijk lichaam. Leucine is een aminozuur dat van nature in onze voeding voorkomt, en is in het lichaam de normale bron van HMB-productie, die neerkomt op ongeveer 0.2 tot 4 gram per dag, afhankelijk van hoeveel leucine er in de dagelijkse voeding zat. HMB wordt in de handel gebracht als voedingssupplement en is commercieel verkrijgbaar als calcium-HMB-monohydraat. Gebruikelijke doseringen in onderzoek komen op een totaal van 1.5-3.0 gram verspreid genomen over de dag; sommige wetenschappers adviseren het totaal in 3-4 gelijke doseringen te verspreiden over de dag. HMB is een gepatenteerd product, dus controleer het patentnummer van Metabolic Technologies Incorporated (MTI), want er wordt nep-HMB op de markt gedumpt, met daarin histidine, methionine en B-vitamines.

Sportprestatiefactor

Mechanisch voordeel en fysieke power. HMB is bestudeerd om het vermogen spiermassa aan te zetten en vet te verminderen voor meer kracht en power of voor een esthetischer verschijning bij sporten als bodybuilding.

Theorie

Onderzoekers weten niet hoe HMB-suppletie kan helpen spiermassa aan te zetten en lichaamsvet te verminderen, maar hebben diverse hpothesen ter verklaring. Via een nog onbekend mechanisme, mogelijk door het worden opgenomen in delen van de cel of door beïnvloeding van celenzymen, kan HMB de afbraak van spierweefsel tijdens intensieve inspanning remmen; deze hyptohese, die de belangrijkste is, wordt ondersteund door urine- en bloedtesten waarin minder metabole bijproducten of trainingsgerelateerde spierschade valt waar te nemen na HMB-suppletie.

Effectiviteit

Diverse dierexperimentele studies (pluimvee, rundvee en varkens) menen te hebben aangetoond dat HMB-suppletie de vetvrije spiermassa kan verhogen en het lichaamsvet verminderen. Hoewel de wetenschappelijke gegevens over mensen minder uitgebreid zijn, hebben drie inleidende onderzoeken van de Iowa State University deze bevindingen voor een deel bevestigd.

In de eerste studie, die het best opgezet lijkt, zorgde HMB-suppletie voor een duidelijke toename in vetvrij spierweefsel en kracht bij ongetrainde mannen die 3 weken op een gewichttrainingsprogramma werden gezet. De proefpersonen consumeerden of 0, 1.5 gram, of 3.0 gram HMB per dag, en hoewel alle proefpersonen spiermassa en kracht wonnen door de training, won de HMB-groep beduidend meer, en over het algemeen naarmate de dosering hoger was. Dat wil zeggen, dat de groep die 3.0 gram HMB kreeg meer massa en kracht ontwikkelde dan de groep die 1.5 gram per dag kreeg.

In de tweede studie, die minder goed was opgezet, viel er bij HMB-suppletie (3.0 gram per dag) geen toename in totale lichaamsmassa, verminderd lichaamsvetpercentage, of verbeterd prestatievermogen in twee of drie krachttests waar te nemen bij lichamelijk actieve mannen die doorgingen met een training van enkele uren per dag over een periode van 50 dagen. De lichaamssamenstelling werd over die periode zevenmaal gemeten, en vergeleken met de placebogroep, was er bij HMB-suppletie gedurende enkele van de testperioden halverwege de studie een toename in vetvrije spiermassa, maar niet aan het eind van de studie. Verder vertoonden de HMB-proefpersonen een behoorlijke krachttoename in de maximale beurt (1RM) bankdrukken, maar geen krachttoename bij het squatten of het voorslaan van een halter.

In de derde studie, waarvan weinig details bekend zijn, viel er bij HMB-suppletie (3.0 gram per dag) een toename in vetvrije lichaamsmassa, verminderd lichaamsvetpercentage, en toegenomen kracht in het bankdrukken waar te nemen bij zowel ongetrainde als getrainde proefpersonen over een periode van 4 weken gewichttraining. HMB-suppletie verhoogde de kracht in het bankdrukken met 55 procent meer dan de placebogroep. De onderzoekers voerden andere krachttests uit en hoewel de winst hoger leek te liggen bij de HMB-groep, waren er geen significante verschillen waar te nemen in vergelijking met de placebogroep.

Deze inleidende bevindingen zijn heel interessant, maar er dient een aantal kanttekeningen te worden geplaatst. Ten eerste werden de studies uitgevoerd door hetzelfde laboratorium dat HMB had ontwikkeld. Hoewel het hier een gerespecteerd onderzoekslaboratorium betreft, is er aanvullend onderzoek van andere laboratoria nodig om de inleidende bevindingen te bevestigen. Ten tweede kwamen de methoden om kracht te meten bij de twee studies niet overeen, en de methode die in de eerste studie werd gebruikt om kracht te testen, wordt over het algemeen niet gezien als een wetenschappelijk betrouwbare testmethode. Ten derde was de placebo die in een studie werd gebruikt waarschijnlijk geen echte placebo omdat hij er anders uitzag dan wat de HMB-groep kreeg.

Deze kanttekeningen maken het belang van deze studies niet minder groot, maar ze geven wel aan dat de huidige informatie over de ergogene effectiviteit van HMB nog slechts verkennend van aard is, en dat er meer wetenschappelijke gegevens nodig zijn voordat kan worden bevestigd dat HMB een nuttig sportergogeen middel is.

Veiligheid

HMB-suppletie lijkt veilig te zijn. Er zijn geen nadelige bijwerkingen van chronische suppletie bij dieren bekend. In humaan onderzoek zijn er geen acute nadelige bijwerkingen bekend bij een HMB-suppletie tot 4.0 gram per dag over een periode van een aantal weken. Hoewel HMB-suppletie de HMB-spiegels in het bloed kan verhogen, bleven de plasmaspiegels van andere waarden onveranderd.

Juridische en ethische aspecten

HMB-suppletie is legaal. Op dit moment lijkt er geen ethisch probleem te zijn met het gebruik van HMB voor sportdoeleinden.

Aanbevelingen

Hoewel de effectiviteit van HMB-suppletie als sportergogeen middel nog bewezen moet worden, lijken de inleidende studies redelijk bemoedigend en lijkt het een veilig, legaal en ethisch verantwoord supplement te zijn. Sporters die al dan niet sportspecifiek met gewichten trainen, kunnen het middel proberen, en doen daarbij verstandig nauwkeurig lichaamsgewicht, lichaamssamenstelling en kracht voor en na de suppletieperiode te meten. Duursporters die intensief trainen, hebben mogelijk baat bij HMB om spierafbraak te voorkomen, maar helaas zijn er verder weinig gegevens beschikbaar over de effectiviteit van HMB bij duursporters. Een nadeel van HMB is dat de supplementen nogal duur zijn.

Humaan Groeihormoon (hGH)

Classificatie en gebruik

Humaan groeihormoon (hGH) kan worden geclassificeerd als fysiologisch sportergogeen middel. Het is een natuurlijk hormoon, dat in de hersenen door de hypofysevoorkwab wordt afgegeven. Groeihormoon stimuleert de groei van de botten, maar heeft ook invloed op de stofwisseling van koolhydraten, vetten en eiwitten. Humaan groeihormoon wordt beschouwd als een anabool hormoon.

Vroeger waren menselijke kadavers de enige bron van hGH, maar door genetische manipulatie is het met behulp van recombinatietechnologie gelukt een synthetische vorm te ontwikkelen (rhGH). Technisch gesproken is rhGH een medicijn, en kan daarom worden geclassificeerd als farmacologisch sportergogeen middel. Sinds de synthetisch vorm verscheen in 1985, is uit diverse onderzoeken gebleken dat sporters rhGH gebruiken, soms zelfs zeer jonge sporters van 14, 15 jaar. De doseringen die in onderzoek bij jonge mannen zijn gebruikt komen neer op ongeveer 40 microgram per kg lichaamsgewicht per dag over een periode van 6 weken. rhGH wordt per injectie toegediend.

Sportprestatiefactor

Mechanisch voordeel en fysieke power. rhGH wordt voornamelijk gebruikt om spiermassa op te bouwen en het lichaamsvetpercentage te verminderen voor meer kracht en power of voor een esthetischer verschijning in sporten als bodybuilding. Prepuberale en adolescente sporters gebruiken hGH ook om hun lengte te vergroten.

Theorie

Supplementair rhGH is ontwikkeld om de totale hGH-voorraad in het lichaam te vergroten, hetgeen de productie van een ander hormoon, insuline-groeifactor 1 (IGF-1), kan stimuleren, die de aanmaak van spierweefsel sterk opvoert. Een toename in hGH verhoogt de vetverbranding.

Effectiviteit

Indien toegediend aan personen die een tekort hebben aan hGH, zal suppletie met rhGH de vetvrije lichaamsmassa doen toenemen en het lichaamsvetpercetage verminderen. Indien gebruikt door personen die geen hGH-deficiëntie hebben, kan rhGH de vetvrije lichaamsmassa opvoeren, maar niet noodzakelijkerwijs ook spiermassa, kracht, of het sportprestatievermogen. Diverse studies hebben het effect van rhGH-suppletie op lichaamssamenstelling en kracht bij jonge mannen met normale hGH-waarden die op een intensief gewichttrainingsprogramma werden gezet onderzocht. Over het algemeen verhoogde rhGH-suppletie de vetvrije lichaamsmassa. De zogenaamde MRI-scans (Magnetic Resonance Imaging) gaven echter aan dat de toename in algehele vetvrije lichaamsmassa geen contractiel spierweefsel was, maar mogelijk een toename in andere lichaamsweefsels (zoals de milt), of vochtretentie. Daarbij kwam, dat rhGH geen verbetering gaf in spierkracht. Uit diverse goed opgezette onderzoeken met goed getrainde sporters als proefpersonen bleken dezelfde bevindingen aangaande rhGH-suppletie.

Veiligheid

Hoewel er geen wetenschappelijke gegevens beschikbaar zijn over de eventuele schadelijke effecten van groeihormoon op de gezondheid van sporters, wordt een overmaat aan hGH-afgifte door de hypofysevoorkwab bij mensen in verband gebracht met acromegalie, het verharden van zachte weefsels in gezicht, handen en voeten. Een overmaat aan hGH kan ook zorgen voor een pathologische vergroting van lichaamsorganen, zoals lever, nieren en hart, hetgeen sporters gevoeliger maakt voor suikerziekte en hartvergroting. rhGH moet worden geïnjecteerd, waarbij tevens het risico bestaat op verschillende infecties als hepatitis en AIDS door gebruik van besmette naalden. Zo kan het gebruik van rhGH voor een aantal serieuze gezondheidsrisico's zorgen, en de tijd zal leren hoe groot die risico's zijn als sporters doorgaan met het gebruik van rhGH.

Juridische en ethische aspecten

rhGH-suppletie is door de meeste sportorganisaties verboden, en gebruik ervan wordt beschouwd als onethisch. rhGH-gebruik is met de huidige dopingcontrolesystemen nog niet op te sporen, maar het IOC is met een onderzoeksproject gestart dat GH2000 heet, met de bedoeling een valide rhGH-test te hebben.

> In het jaar 2000 of 2004, zal er een test zijn voor humaan groeihormoon, maar het zal een bloedtest moeten zijn.
>
> – *dr. Gary Wader, dopingcontroledeskundige*

Aanbevelingen

Hoewel rhGH de vetvrije lichaamsmassa kan vergroten bij niet-hGH-deficiënte proefpersonen, is er geen bewijs voor toename in contractiele spiereiwitten, kracht, of sportprestatievermogen. Daarbij komt, dat rhGH-suppletie behoorlijke gezondheidsrisico's met zich mee kan brengen en dat het gebruik ervan illegaal en onethisch is. Voor sommige sporters kan gebruik van rhGH het prestatievermogen verminderen door overmatige vochtretentie of insulineresistentie. Gebruik van rhGH wordt dan ook niet aanbevolen.

Inosine

Classificatie en gebruik

Inosine is een voedingssupplement dat kan worden geclassificeerd als fysiologisch sportergogeen middel. Inosine wordt apart of in combinatie met andere vermeende nutritionele sportergogene middelen verkocht. De gebruikelijke doseringen zijn 5 tot 6 gram per dag.

Sportprestatiefactor

Fysieke power. Inosine is voornamelijk bestudeerd voor het vermogen aërobe power en uithoudingsvermogen te vergroten voor sporten die steunen op het zuurstof-energiesysteem, maar in advertenties legt men de nadruk op verbetering van explosieve kracht, wat meer een kwestie is van het ATP-CP-energiesysteem.

Theorie

Inosine is een nucleoside, een essentiële verbinding in het lichaam die een diverse rol speelt in de energiestofwisseling, waarvan een enkele zelfs potentieel ergogeen is. Op basis van dierexperimenteel onderzoek en bloedopslagtechnieken, adverteren sportvoedingsfabrikanten met inosinesupplementen als een middel om: de ATP-productie in de spieren op te voeren, de ademhaling te verbeteren, het zuurstoftransport naar de spieren te verhogen, de bloedsuikerspiegel op peil te houden, opbouw van melkzuur te verminderen, en de aërobe capaciteit te vergroten. Veel van deze effecten worden toegeschreven aan het vermeende vermogen van inosine-suppletie 2,3-DPG op te bouwen (2,3-DPG is een verbinding in de rode bloedlichaampjes die de celademhaling bevordert). Theoretisch zou een verbetering in de korte termijnproductie van ATP voordelig kunnen zijn voor krachtsporters, terwijl duursporters baat zouden kunnen hebben van de andere effecten van inosine.

Effectiviteit

Diverse studies hebben het effect van inosine-suppletie onderzocht, vooral gericht op een eventueel vermogen het uithoudingsvermogen te bevorderen, maar ook met een paar implicaties voor het anaërobe prestatievermogen. De onderzoeken waren goed opgezet, men maakte gebruik van goed getrainde sporters in een dubbelblind, placebo, crossover protocol. De iosinedoseringen liepen van 5 tot 6 gram per dag over een periode van 2 tot 5 dagen. De resulaten in vergelijking met het placebo-experiment waren als volgt, inosine-suppletie had geen effect op: (a) 2,3-DPG; (b) longventilatie, hartslag of zuurstofmetabolisme bij submaximale en maximale inspanning; (c) bloedsuiker- of melkzuurspiegels; (d) VO_2 piek; (e) piekpower en totale inspannings-output op de fietsergometer; of (f) hardlooptijd op de 5000 meter. Interessant was, dat inosine-suppletie het prestatievermogen in twee studies beduidend leek te verminderen, waarbij men eerder vermoeid raakte, gedurende een progressieve loopbandtest en een supramaximale fietssprint onder constante belasting. Een groep veronderstelde dat inosine-suppletie mogelijk de energieproductie van het melkzuur-energiesysteem verstoort, hetgeen tot uiting kan komen in de latere fasen van een duurinspanning, zoals de laatste acceleratie naar de finish toe.

Veiligheid

Inosine lijkt een veilig voedingssupplement te zijn in doseringen zoals die worden aangegeven op de verpakking, maar uit een onderzoek bleek inosine een verhoogde uitscheiding van urinezuur te veroorzaken. Urinezuur is een bijproduct van de inosine-afbraak en kan voor jichtachtige symptomen zorgen, vooral in het knie- en voetgewricht.

Juridische en ethische aspecten

Inosine-suppletie is legaal en ethisch verantwoord.

Aanbevelingen

Inosine-suppletie wordt niet aanbevolen als middel om het sportprestatievermogen op te voeren. Er is geen wetenschappelijk bewijs dat het effect van inosine bevestigt; in sommmige gevallen kan inosine-suppletie het sportprestatievermogen verminderen en het risico op jicht verhogen.

IJzer

Classificatie en gebruik

IJzer, een essentieel mineraal, kan worden geclassificeerd als nutritioneel sportergogeen middel. Voedingsijzer komt in twee vormen voor. Dierlijke producten als vlees, vis en gevogelte bevatten haemijzer, terwijl niet-haemijzer voorkomt in plantaardige voedingsmiddelen als vollegranenproducten, donkere bladgroenten, en gedroogd fruit. De dagelijks aanbevolen hoeveelheid (RDA) is 10 milligram voor volwassen mannen, 12 milligram voor jonge mannen, en 15 milligram voor jonge en volwassen vrouwen.

IJzersupplementen zijn verkrijgbaar in de vorm van ijzerzouten, zoals ijzerfumaraat en ijzersulfaat. De doseringen die in onderzoek werden gebruikt waren afhankelijk van de ijzerstatus van de proefpersonen.

Sportprestatiefactor

Fysieke power. IJzersupplementen worden gebruikt om aërobe power en uithoudingsvermogen te vergroten voor sporten die voor hun energie voornamelijk op het zuurstof-energiesysteem steunen.

Theorie

IJzer is een onderdeel van hemoglobine in de rode bloedlichaampjes (RBL), van myoglobine in de spiercel, en van bepaalde oxidatieve enzymen in de mitochondria (zie figuur 8.19). Hemoglobine en myoglobine zijn zuurstofdragers, terwijl de op ijzer gebaseerde oxidatieve enzymen van essentieel belang zijn voor de opbouw van ATP in het zuurstof-energiesysteem. Theoretisch heeft ijzer de functie om het zuurstof-energiesysteem te optimaliseren en het prestatievermogen bij duurinspanning te verbeteren.

Tijdens de tour van Italië, reed de vermaarde Amerikaanse wielrenner Greg LeMond niet best. Zijn trainer meende dat hij ijzer te kort kwam. Na een aantal dagen met ijzerinjecties te zijn behandeld, begon hij beter te presteren, en won hij uiteindelijk de finale. Hij bleef beter presteren, en won een maand later de Tour de France.

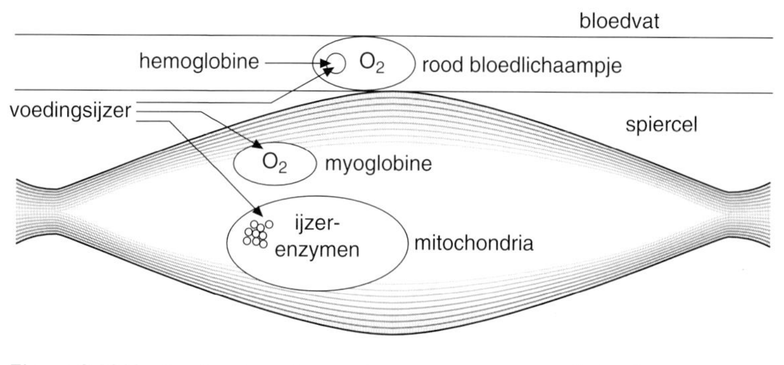

Figuur 8.19 Voedingsijzer is nodig voor ijzertransport en zuurstofgebruik.

Effectiviteit

Epidemiologisch onderzoek naar de ijzerstatus van sporters heeft drie zaken aan het licht gebracht. De meeste mannen en vrouwen hebben normale hemoglobinewaarden en lichaamsijzervoorraden. Sommige duursporters, sommige vrouwelijke sporters, en veel vrouwelijke duursporters hebben normale hemoglobinewaarden maar lage lichaamsijzervoorraden – een toestand die bekend staat als niet-aenemische ijzerdeficiëntie. Een klein aantal vrouwelijke sporters, met name duursporters, heeft zowel subnormale hemoglobinewaarden als subnormale lichaamsijzervoorraden – een toestand die bekend staat als aenemische ijzerdeficiëntie.

IJzersuppletie is gebruikt om het prestatievermogen in alledrie gevallen te verbeteren. Zoals kon worden verwacht, hielp aanvulling van ijzer, bij sporters met aenemische ijzerdeficiënte, door de terugkeer van normale hemoglobinewaarden het sportprestatievermogen weer op peil te brengen. Daarentegen had ijzersuppletie bij sporters met normale hemoglobinewaarden en ijzerstatus geen enkele invloed op het duurprestatievermogen.

De resultaten van het onderzoek met proefpersonen die een ijzertekort hebben zonder bloedarmoede (aenemie) zijn tegenstrijdig. De meeste onderzoeken tonen aan dat ijzersuppletie de ijzerstatus verbetert, maar niet de VO_2 max en het sportprestatievermogen. Er zijn echter een paar studies waarbij werd waargenomen, dat de terugkeer van een normale ijzerstatus bij niet-aenemische vrouwelijke sporters die ijzersuppletie kregen, gepaard ging met een verbeterd zuurstofmetabolisme in de spier tijdens inspanning en een verbetering in loopprestatievermogen. Desalniettemin werd in een recent overzichtsartikel van de belangrijke literatuur de conclusie getrokken, dat ijzersuppletie bij sporters die een ijzertekort hadden maar niet aenemisch waren, geen verbetering in sportprestatievermogen liet zien.

Kort samengevat, lijkt ijzersuppletie het sportprestatievermogen niet te verbeteren, tenzij bij aanvulling in geval van aenemisch ijzertekort. Het is echter mogelijk, dat ijzersuppletie bij sommige niet-aenemische sporters met een ijzertekort helpt, wanneer de oxidatieve functies in de spier worden verbeterd.

Veiligheid

IJzersuppletie in hoeveelheden die niet hoger zijn dan de RDA lijken veilig te zijn. Zwarte ontlasting komt veel voor, en zowel verstopping als diarree kunnen optreden. Ongeveer twee tot drie mensen op de 1000 zijn gevoelig voor haemochromatosis. Haemochromatosis wordt veroorzaakt door overmatige opslag van ijzer in het lichaam, met name in de lever, hetgeen tot levercirrose en mogelijk zelfs de dood kan leiden.

Juridische en ethische aspecten

IJzersupplementen zijn legaal en ethisch verantwoord.

Aanbevelingen

In het algemeen wordt ijzersuppletie niet aanbevolen als sportergogeen middel voor sporters met normale hemoglobinewaarden en ijzerstatus omdat er geen positief effect op het sportprestatievermogen is gevonden.

Sporters die zich zorgen maken over hun hemoglobine- of ijzerstatus moeten een bloedtest bij een sportarts laten uitvoeren. Wanneer er een duidelijk ijzertekort is, kan behandeling met ijzer worden voorgeschreven. Tot slot, sporters die 'op hoogte' gaan trainen hebben mogelijk ijzersuppletie nodig. Training op hoogte stimuleert de aanmaak van nieuwe RBL, die meer ijzer nodig hebben voor de opbouw van hemoglobine.

Idealiter moeten de meeste sporters voldoende ijzer via hun voeding binnen krijgen, door haem- en niet-haemrijke voedingsmiddelen te kiezen uit tabel 8.13. Haemijzer, dat voorkomt in vlees, wordt beter in het lichaam opgenomen dan niet-haemijzer, maar vitamine C bevordert de opname van niet-haemijzer. Drink daarom 's ochtends jus d'orange bij de ochtendboterham.

Wanneer er geen verstandige voedingskeuze is, kan voor sommige sporters een mineralentablet 1 maal daags een mogelijkheid zijn, waaronder sporters die (a) geen vlees eten, (b) in gewichtsklassen uitkomen, (c) vrouwelijke duursporters. In zulke gevallen, is de aanbevolen methode de normale voedingsijzerinname aan te vullen met ongeveer 10 tot 15 mg, de normale hoeveelheid in een dagelijkse hoeveelheid vitamine- of mineralensupplement.

TABEL 8.13

IJZERGEHALTE VAN BEKENDE VOEDINGSMIDDELEN EN FAST FOOD

Melk

1 kop halfvolle melk = 1 milligram
1 kop magere yoghurt = 2 milligram

Vlees/vis/gevogelte/kaas

1 ons Zwitserse kaas = 0.5 milligram
30 gram mager rundvlees = 1 milligram
30 gram garnalen = 3 milligram

Brood/granen/peulvruchten/zetmeelhoudende groenten

1 snee volletarwebrood = 0.85 milligram
1 kop gekookte bonen = 0.7 milligram
1 kop mais = 1.4 milligram

Groenten

1 kop gekookte broccoli = 1.3 milligram
1 kop gekookte spinazie = 6.4 milligram

Fruit

1 banaan = 0.3 milligram
1/4 kop rozijnen = 0.8 milligram

Fast food

1 Burger King hamburger = 3.2 milligram
1 Wendy quarter pound hamburger = 4.7 milligram

15 milligram, de standaardhoeveelheid van een doorsnee vitamine/mineralensupplement. Sommige ontbijtgranen zijn verrijkt met 10 tot 15 milligram ijzer per portie, wat als alternatief voor het supplement kan dienen. Neem niet klakkeloos ijzersupplementen boven het RDA.

Magnesium

Classificatie en gebruik

Magnesium is een essentieel mineraal, dat kan worden geclassificeerd als nutritioneel sportergogeen middel. Magnesium is een natuurlijk bestanddeel van verschillende voedingsmiddelen, met name noten, zeebanket, vollegranenproducten, donkergroene bladgroenten, en fruit en groenten. De dagelijks aanbevolen hoeveelheid (RDA) is 350 milligram voor mannen en 280 milligram voor vrouwen.

Magnesiumsupplementen zijn in verschillende vormen verkrijgbaar, zoals magnesiumcitraat en magnesiumcarbonaat. In sommige studies zijn magnesiumsupplementen van 200-300 milligram gebruikt om de normale inname via de voeding te verdubbelen.

Sportprestatiefactor

Mechanisch voordeel en fysieke power. Magnesiumsupplementen zijn bestudeerd voor het vermogen fysieke power in het ATP-CP energiesysteem te bevorderen, voornamelijk via vergroting van de spiermassa. Verder zijn magnesiumsupplementen bestudeerd om het vermogen aërobe power en uithoudingsvermogen te vergroten voor sporten die vooral steunen op het zuurstof-energiesysteem.

Theorie

Magnesium speelt een belangrijke rol in meer dan 300 enzymatische reacties in het menselijk lichaam, waarvan het merendeel betrokken is bij de stofwisseling van koolhydraten, vetten en eiwitten. De theorie is dat magnesiumsuppletie de eiwitopbouw bevordert, met name de opbouw van spiermassa, hetgeen een toename geeft in kracht en power. Tevens zou magnesiumsuppletie de koolhydraat- en vetstofwisseling bevorderen, met een mogelijk gunstig effect op het duursportvermogen.

Effectiviteit

In het algemeen is er geen onderzoek beschikbaar waaruit blijkt dat magnesiumsuppletie het sportprestatievermogen van getrainde sporters met een adequate magnesiumstatus verbetert. In een studie werd wel een toename in kracht waargenomen bij ongetrainde proefpersonen die 7 weken op een magnesiumsuppletie- en gewichttrainingsprogramma werden gezet, maar er werden geen krachtverbeteringen waargenomen bij getrainde marathonlopers die een magnesiumsuppletieprogramma van 10 weken volgden.

Twee studies rapporteerden dat magnesiumsuppletie de energie-effeciëntie bij hardlopen en roeien verbeterde, zoals bleek uit een lager zuurstofverbruik en een verminderde melkzuurproductie; er werd echter geen effect waargenomen op het sportprestatievermogen. In andere studies is geen gunstig effect van magnesiumsuppletie op het duursportvermogen, waaronder marathonloopvermogen, gemeld.

Een reviewer maakte de kanttekening, dat de magnesiumstatus in enkele van deze studies niet was vastgesteld. Een van de symptomen van magnesiumtekort is spierzwakte, dus wanneer magnesiumsuppletie een tekort corrigeert, kan het spierprestatievermogen er op vooruit gaan.

Veiligheid

Magnesiumsuppletie in hoeveelheden die de RDA niet overschrijden lijkt veilig te zijn. Overmatige magnesiuminname kan misselijkheid, braken en diarree veroorzaken, en kan de opname van calcium en andere mineralen verstoren.

Juridische en ethische aspecten

Magnesiumsuppletie is legaal en ethisch verantwoord.

Aanbevelingen

In het algemeen wordt magnesiumsuppletie niet aanbevolen als sportergogeen middel omdat het wetenschappelijk niet bewezen is een effectief sportergogeen middel te zijn.

Idealiter dienen sporters via hun verstandig geselecteerde voeding adequate hoeveelheden magnesium te consumeren, zie tabel 8.14. Wanneer er geen verstandige voedingskeuze plaatsvindt, kunnen sporters die in gewichtsklassen uitkomen mogelijk baat hebben bij een magnesiumsupplement van 280-350 milligram (RDA-norm).

TABEL 8.14
MAGNESIUMGEHALTE VAN BEKENDE VOEDINGSMIDDELEN EN FAST FOOD

Melk
1 kop halfvolle melk = 34 milligram
1 kop magere yoghurt = 43 milligram

Vlees/vis/gevogelte/kaas
30 gram Zwitserse kaas = 10 milligram
30 gram mager rundvlees = 9 milligram
30 gram garnalen = 10 milligram

Brood/granen/peulvruchten/zetmeelgroenten
1 snee vollegranenbrood = 23 milligram
1 kop gekookte bonen = 81 milligram
1 kop mais = 30 milligram

Groenten
1 kop gekookte broccoli = 37 milligram
1 kop gekookte spinazie = 157 milligram

Fruit
1 banaan = 33 milligram
1/4 kop rozijnen = 12 milligram

Fast food
1 Burger King hamburger = 29 milligram
1 Wendy quarter pound hamburger = 49 milligram

Marihuana

Classificatie en gebruik

Marihuana kan worden geclassificeerd als farmacologisch sportergogeen middel. Marihuana bestaat uit de versneden, gedroogde bladeren, bloemen en stengels van de cannabis sativa plant (afbeelding 8.20) die de psychoactieve stof delta-9-tetrahydrocannabinol (THC) bevat. Marihuana wordt meestal gerookt, maar kan ook gegeten worden. Een gemiddelde 1.5 gram marihunasigaret met 1.5 procent THC bevat ongeveer 21 milligram THC, genoeg voor een farmacologisch effect. Het fysieke prestatievermogen is bestudeerd van 10 minuten tot 24 uur na het roken van een marihuanasigaret.

Sportprestatiefactor

Mentale kracht. Marihuana is bestudeerd voor het vermogen verschillende sportprestatiefactoren te verbeteren die kunnen worden beïnvloed door een stimulerend of onderdrukkend middel.

Theorie

Van marihuana wordt aangenomen, dat het de werking van diverse neurotransmitters in de hersenen beïnvloedt. Afhankelijk van de inter-

TERRY WILD STUDIO

Afbeelding 8.20 Marihuanabladeren zijn de bron van het psychoactieve ingrediënt, delta-9-tetrahydrocannabinol.

actie van deze neurotransmitters kan het resulterende effect psychische opwinding of kalmering zijn.

Psychische opwinding kan een sympathomimetisch effect weerspiegelen dat in verband kan worden gebracht met diverse fysiologische, en mogelijk ergogene responsen, waaronder verwijding van de luchtwegen en een verhoogd zuurstoftransport naar de spieren.

Psyschische ontspanning kan het sportprestatievermogen van precisiesporten verhogen door vermindering van nadelige effecten van de zenuwen.

Effectiviteit

Er is geen wetenschappelijk bewijs beschikbaar dat marihuana welke sportprestatiefactor ook positief beïnvloedt. Uit onderzoek blijkt juist, dat stug roken van marihuana het complexe perceptuele motorprestatievermogen direct na het roken en 24 uur later vermindert. Marihuanaroken kan de hartslag bij inspanning verminderen, hetgeen neerkomt op een verlies van 6.2 procent in fietsprestatievermogen.

Veiligheid

Hoewel toponderzoekers opmerken dat marihuana wordt gezien als een relatief veilig, sociale drug, wijzen ze er tegelijk op dat de kennis op dit moment te beperkt is om de mogelijkheid van gezondheidsrisico's, zoals ademhalingsproblemen in verband met het roken, verminderd functioneren van het immuunsysteem, verminderde vruchtbaarheid, en ontwikkeling van vrouwelijke borstvorming bij mannelijke sporters goed in te schatten. Verder kan het gebruik van marihuana de rijvaardigheid beïnvloeden.

Juridische en ethische aspecten

Marihuana is niet verboden door het IOC of USOC, maar voor veel nationale sportbonden geldt wel een verbod en kan er op verzoek ook worden getest. Positief bevonden worden kan daarbij gevolgen hebben. Verder gaan andere sportorganisaties als de NCAA mogelijk over op een verbod, hetgeen waarschijnlijk te maken heeft met de illegaliteit van het middel. Gebruik van marihuana in sportverband wordt weliswaar niet als onethisch beschouwd, tenzij verboden, maar gebruik kan onethisch zijn omdat bezit en gebruik ervan in veel landen verboden is.

Aanbevelingen

Uit onderzoek is gebleken, dat gebruik van marihuana het sportprestatievermogen vermindert in plaats van verbetert. Verder is sociaal gebruik in verband gebracht met het amotivationeel syndroom, dat wordt gekenmerkt door apathie en een gebrek aan motivatie, hetgeen negatief kan werken op de fysieke en mentale training voor sport. Daarbij komt dat gebruik van marihuana gepaard gaat met gezondheidsrisico's en illegaal is. Om deze redenen kan het ergogene of sociale gebruik van marihuana door sporters niet worden aanbevolen.

Multivitamine/mineralensupplementen

Classificatie en gebruik

Vitamine/mineralensupplementen kunnen worden geclassificeerd als nutritioneel sportergogeen middel. De doorsnee 1 maal daags supplementen bevatten tot 100 procent van de dagelijks aanbevolen hoeveelheid (RDA) van bijna alle essentiële vitamines en mineralen. Andere supplementen kunnen alleen specifieke vitamines of mineralen bevatten, zoals de acht vitamines in het B-complex, de drie antioxidante vitamines, of combinaties van vitamines en mineralen voor een bepaald ergogeen effect. Deze supplementen worden geregeld in megadoseringen verkocht, en bevatten daarbij vele malen de RDA aan bepaalde vitamines en mineralen. Weer andere producten bevatten alleen aanvullende voedingsbestanddelen, zoals creatine of choline. Sommige sportdranken en sportrepen zijn verrijkt met allerlei vitamines en mineralen.

In onderzoek naar het ergogene effect van multivitamine/mineralensuppletie zijn doseringen gebruikt van 10 tot 50 maal de RDA over een periode van 3 tot 9 maanden.

Sportprestatiefactor

Fysieke power en mentale kracht. Multivitamine/mineralensupplementen worden gebruikt om fysieke power van alledrie energiesystemen, het ATP-CP energiesysteem, melkzuur-energiesysteem, en zuurtof-energiesysteem, op te voeren. Verder kunnen thiamine en diverse andere B-vitamines worden gebruikt om de mentale kracht door een kalmerend effect te vergroten.

Theorie

Vitamines en mineralen zijn betrokken bij zo goed als alle stofwisselingsprocessen in het menselijk lichaam, waarvan er vele belangrijk zijn voor de sportprestatiefactoren genoemd in tabel 8.15. Als coënzymen of in andere stofwisselingsprocessen die belangrijk zijn voor het sportprestatievermogen, zijn zij essentieel voor (a) optimaal functioneren van alledrie energiesystemen, (b) nodig voor de aanmaak van rode bloedlichaampjes voor het zuurstoftransport, (c) betrokken bij de opbouw van spiereiwitten, (d) nodig voor de opbouw van diverse neurotransmitters, en (e) van vitaal belang voor een antioxidante werking. Theoretisch kunnen multivitamine/mineralensupplementen deze stofwisselingsprocessen bevorderen, waardoor bijna elk type sporprestatiefacor gunstig zou worden beïnvloed.

Effectiviteit

Uit vier moderne, wetenschappelijk goed opgezette onderzoeken komt vrij sterk naar voren dat multivitamine/mineralensupplementen het sportprestatievermogen niet bevorderen. In een van de meest uitgebreide studies werden sporters van nationaal niveau die trainden bij het Australian Institute of Sport ingedeeld op geslacht en in een placebo- of behandelingsgroep geplaatst. Inname van een multivitamine/mineralensupplement (van ongeveer 100 tot 5000 procent van de RDA) had geen ergogeen effect op uniforme tests voor kracht, anaërobe power en aëroob uithoudingsvermogen, of op sportspecifieke prestatietests. Tijdens de Lausanne Consensus Conference on Sport Nutrition, concludeerden internationale sportvoedingsdeskundigen dat vitamine/mineralensupplementen voor sporters die een volwaardige voeding aten niet nodig waren.

Sommige studies suggereren dat forse hoeveelheden van een specifiek B-vitamine onder bepaalde omstandigheden mogelijk ergogeen kan werken, hoewel deze bevindingen nog door ander onderzoek moeten worden bevestigd. In twee studies van dezelfde wetenschappers vond men dat suppletie met vitamine B_1, B_6, en B_{12} mogelijk een vastere hand geeft bij het pistoolschieten. Van de grote doseringen die werden gebruikt, 120 tot 600 mg elk, verwachtte men de productie van neurotransmitters te verhogen, met name serotonine, om een kalmerend, verslappend effect te bewerkstelligen. Minder nervositeit, zoals dat tot uitdrukking komt in het beven van de hand, kan de accuratesse bij het schieten verbeteren.

TABEL 8.15

MOGELIJKE ROL VAN VITAMINES/MINERALEN IN HET SPORTPRESTATIEVERMOGEN

Vitamines/mineralen	RDA/ESADDI* volwassenen	Mogelijke of vermeende rol in het sportprestatievermogen
Betacaroteen (vitamine A)	5000 IU	Antioxidant; preventie van spierweefselschade
Vitamine E (alfatocoferol)	12-15 IU	Antioxidant; preventie schade aan rode bloedlichaampjes; bevordering aërobe energieproductie
Thiamine (vitamine B_1)	1.1.–1.5 mg	Energie-afgifte uit koolhydraten; aanmaak van hemoglobine; goed functioneren zenuwstelsel
Riboflavine (vitamine B_2)	1.3-1.7 mg	Energie-afgifte uit koolhydraten en vetten
Niacine	15-19 mg	Energie-afgifte uit koolhydraten, zowel aëroob als anaëroob; remmen van afgifte van vrije vetzuren uit lichaamsvetweefsel
Pyridoxine (vitamine B_6)	2.0-2-2 mg	Energie-afgifte uit koolhydraten, opbouw eiwitten; aanmaak hemoglobine en oxidatieve enzymen; goed functioneren zenuwstelsel
Vitamine B_{12}	2 mcg	Betrokken bij de DNA-stofwisseling; aanmaak rode bloedlichaampjes
Foliumzuur	200 mcg	Betrokken bij de DNA-stofwisseling; aanmaak rode bloedlichaampjes
Pantotheenzuur	4-7 mg	Energiewinning uit koolhydraten en vet
Ascorbinezuur (vitamine C)	60 mg	Antioxidant; verhoogde ijzeropname; aanmaak epinefrine (adrenaline), bevordering aërobe energieproductie, opbouw van bindweefsel; verbeterd functioneren immuunsysteem
Calcium	800-1200 mg	Spiercontractie; glycogeenafbraak
Fosfor (fosfaatzouten)	800-1200 mg	Opbouw ATP en CP; afgifte van zuurstof aan de rode bloedlichaampjes; intracellulaire buffer
Magnesium	280-350 mg	Spiercontractie; glucosemetabolisme in spiercel; eiwitopbouw
IJzer	10-15 mg	Zuurstoftransport van de rode bloedlichaampjes; zuurstofbenutting door de spiercellen
Chroom	50-200 mcg	Verbeterde insulinefunctie
Selenium	65-80 mcg	Verbeterde antioxidantactiviteit in de cellen
Vanadium	Niet vastgesteld	Verbeterde insulinefunctie

IU = International Units; mg = milligrammen; mcg = microgrammen
* ESADDI = de nog veilig geachte dosis van een stof

Andere onderzoekers rapporteerden dat een supplement dat de vitamines B_1, B_6, B_{12}, niacine en pantotheenzuur bevatte de sprintcapaciteit verbeterde van jonge jongens die onder warme weersomstandigheden trainden. Forse hoeveelheden B-vitamines, die wateroplosbaar zijn, zijn mogelijk via de transpiratie uitgescheiden en hebben zo het prestatievermogen verminderd bij proefpersonen die het placebo kregen in plaats van het B-complex.

Veiligheid

Multivitamine/mineralensupplementen binnen de RDA lijken veilig te zijn, maar chronisch gebruik van supplementen die hogere doseringen van bepaalde vitamines (A, D, niacine, B_6) en vele mineralen bevatten kunnen gezondheidsrisico's opleveren.

Juridische en ethische aspecten

Multivitamine/mineralensuppletie is veilig en in sportverband ethisch verantwoord.

Aanbevelingen

Op basis van de beschikbare wetenschappelijke literatuur, moeten we concluderen dat multivitamine/mineralensuppletie geen effectief sportergogeen middel is voor de meeste sporters, en daarom wordt het gebruik ervan niet aanbevolen.

Het kiezen van voldoende hoeveelheden hoogwaardige voedingsmiddelen garandeert de adequate inname van vitamines/mineralen voor de meeste sporters. Wanneer dit niet het geval is, kunnen sommige sporters baat hebben bij een multivitamine/mineralensupplement dat de RDA voor de meeste vitamines/mineralen bevat, waaronder sporters die (a) uitkomen in gewichtsklassen, (b) strikte vegetariërs, en (c) sporters die voldoende calorieën consumeren maar die voornamelijk afkomstig zijn van geraffineerde voeding.

Narcotische analgetica

Classificatie en gebruik

Narcotische analgetica kunnen worden geclassificeerd als farmacologische sportergogene middelen. Het zijn medicijnen die alleen op doktersrecept verkrijgbaar zijn en bedoeld om pijn te onderdrukken - het zogenaamde analgetische effect. Morfine en diens farmacologische varianten worden geclassificeerd als onderdrukkende middelen, maar ze kunnen een paradoxaal eufoor of stimulerend effect hebben in bepaalde doseringen. Kleine doseringen van sommige narcotische analgetica komen voor in verkoudheidsmiddelen en hoestonderdrukkende middelen.

Sportprestatiefactor

Mentale kracht. Narcotische analgetica kunnen het centrale zenuwstelsel op verschillende manieren beïnvloeden, maar worden voornamelijk gebruikt om het vermogen diverse sportprestatiefactoren te verbeteren die zouden kunnen worden beïnvloed door een kalmerend, ontspannend, of onderdrukkend effect.

Theorie

Door het onderdrukken van pijnsensaties, kunnen narcotische analgetica er in theorie voor zorgen dat sporters ver boven hun pijngrens presteren, wat het prestatievermogen in allerlei sporten kan bevorderen. Verder kunnen narcotische analgetica nervositeit verminderen, en daarbij mogelijk het sportprestatievermogen bevorderen in sporten waarbij een overmaat aan stress en nervositeit de fijne motoriek nadelig zou kunnen beïnvloeden, zoals pistoolschieten en boogschieten.

> Het doel van de medicamenten was de pijn in Butkus' (een American football-speler) knieën te onderdrukken, zodat hij zou kunnen spelen.
>
> *– Joseph Nocera, redacteur Sports Illustrated*

Effectiviteit

Sportprestaties die afhankelijk zijn van een hoge pijngrens kunnen zeer waarschijnlijk verbeterd worden door gebruik van narcotische analgetica, maar er is weinig humaan onderzoek beschikbaar. Onderzoek heeft aangetoond dat morfine de zwemtijd tot uitputting toe kan verbeteren bij ongetrainde muizen die aan extreme koude worden blootgesteld, maar heeft geen effect op de zwemprestatie wanneer de muizen goed getraind zijn.

Diverse studies hebben het effect van morfine of een van zijn varianten op cardiovasculaire, ademhalings- en stofwisselingsresponsen van aërobe inspanning van mensen onderzocht. In het algemeen wijzen de resultaten van deze studies erop, dat narcotische analgetica het prestatievermogen zelfs kunnen verminderen. In een onderzoek onder goed getrainde sporters die een standaard hardloopprotocol op de loopband afwerkten, werd bij toediening van een morfinevariant een verhoogde zuurstofconsumptie gevonden, een indicatie van verminderde loopefficiëntie, wat de onderzoekers toeschreven aan een vermindering in loopcoördinatie. Een van de mogelijke neveneffecten van narcotische analgetica is een zwaar gevoel in de ledematen, hetgeen de oorzaak kan zijn geweest van de verminderde coördinatie.

Veiligheid

Het gebruik van narcotische analgetica door sporters kan om diverse redenen gevaarlijk zijn. Ten eerste, wanneer de pijngrens wordt verlegd, kan een sporter mogelijk een blessure niet onderkennen, die daardoor kan worden verergerd. Ten tweede kunnen narcotische analgetica lichamelijk en geestelijk verslavend werken, en ernstige sociale en gezondheidsconsequenties hebben. Ten derde kan overmatig gebruik het ademhalingssysteem onderdrukken en zo zelfs fataal zijn.

> Brett Favre, een National Football League top quarter back raakte verslaafd aan narcotische analgetische pijnstillers, waarbij hij attaques kreeg met mogelijke fatale consequenties.
>
> *– Peter King, redacteur Sports Illustrated*

Juridische en ethische aspecten

Het gebruik van narcotische analgetica is door de meeste sportbonden verboden en wordt beschouwd als onethisch gedrag. Dopingcontrole is effectief in het opsporen van de afbraakproducten van narcotische analgetica in de urine van de sporters. Een lijst met verboden narcotische analgetica en vrij verkrijgbare medicatie (die onder stimulerende middelen staan, omdat ze ook verboden stimulerende middelen bevatten) is opgenomen in de appendix. Illegaal bezit en gebruik van narcotische analgetica is strafbaar.

Aanbevelingen

Gebruik van narcotische analgetica als sportergogeen middel wordt niet aanbevolen omdat gebruik illegaal en onethisch is, en gepaard gaat met gezondheidsrisico's. Op basis van de wetenschappelijke literatuur kan bovendien niet worden geconcludeerd, dat narcotische analgetica het sportprestatievermogen verbeteren.

Er zijn effectievere en legale medicijnen beschikbaar om de pijn te bestrijden. Sporters dienen hun huisarts te raadplegen voor geschikte alternatieven. Vrij verkrijgbare medicijnen, zoals niet-steroïde ontstekingsremmers als Ibuprofen, kunnen kleine klachten en pijnen helpen verlichten.

Het gebruik van pijnstillers kan echter gepaard gaan met gezondheidsrisico's, zoals maagdarmbloedingen bij langdurig gebruik.

Niacine

Classificatie en gebruik

Niacine, een essentiële B-vitamine die ook wel bekend is als nicotinezuur, kan worden geclassificeerd als nutritioneel sportergogeen middel. Niacine is een wateroplosbare vitamine die van nature voorkomt in tal van voedingsmiddelen, vooral die rijk zijn aan eiwit, zoals vlees, vis, gevogelte, peulvruchten en volle granen en verrijkte broden en granen. De dagelijks aanbevolen hoeveelheid (RDA) voor niacine is gebaseerd op de calorische inname, maar wordt geschat op ongeveer 19 milligram voor mannen en 15 milligram voor vrouwen.

Niacinesupplementen zijn apart of als onderdeel van een multivitamine/mineralencomplex verkrijgbaar. Sommige sportdranken zijn verrijkt met niacine. Voor onderzoek naar de ergogene effecten van niacinesuppletie zijn doseringen gebruikt van 50 tot 3000 milligram per dag voor een periode van diverse weken.

Sportprestatiefactor

Fysieke power. Niacinesuppletie is bestudeerd voor het vermogen conditionele power en aërobe power en duurvermogen te vergroten voor sporten die voor hun energie steunen op het melkzuur-energiesysteem en het zuurstof-energiesysteem.

Theorie

Niacine fungeert als coënzym voor diverse energieprocessen in de cel via anaërobe glycolyse en oxidatieve enzymatische reacties in de mitochondria. Wanneer niacinesuppletie de energieleverende processen in de spiercel zou kunnen bevorderen, dan zou het prestatievermogen voor zeer intensieve anaërobe sporten of duursporten theoretisch gezien verbeterd kunnen worden.

Verder kan niacinesuppletie de bloedstroom naar de huid stimuleren, waardoor er tijdens inspanning minder getranspireerd wordt. Behoud van lichaamsvocht kan bij duursport onder warme weersomstandigheden voordeel opleveren.

Effectiviteit

Hoewel een tekort aan niacine het sportprestatievermogen zou kunnen verminderen, wordt in diverse recente wetenschappelijke overzichtsartikelen de conclusie getrokken dat niacinesuppletie geen effectief sportergogeen middel is voor sporters die een volwaardige voeding eten. Niacinesuppletie is er bijvoorbeeld niet in geslaagd het prestatievermogen op de 15 km hardlopen te verbeteren, en evenmin was een verbetering te zien bij een tijdrit op de 5 km na eerst twee uur te hebben moeten fietsen.

Niacinesuppletie kan het prestatievermogen negatief beïnvloeden. Niacine blokkeert tijdens inspanning de afgifte van vrije vetzuren (FFA) uit de vetcellen. Vrije vetzuren kunnen een nuttige energiebron zijn die spierglycogeensparend werkt. Onderzoek heeft aangetoond dat als de spierglycogeenconcentraties laag zijn, suppletie van niacine leidt tot voortijdige vermoeidheid.

Veiligheid

Niacinesupplementen in een RDA-dosering lijken veilig te zijn, maar gebruik van grotere doseringen kunnen gepaard gaan met hoofdpijn, misselijkheid, en rood worden en irritatie van de huid. Chronische suppletie van niacine kan schade aan de lever veroorzaken.

Juridische en ethische aspecten

Niacinesuppletie is legaal en in verband met sport ethisch verantwoord.

Aanbevelingen

Op basis van de beschikbare wetenschappelijke literatuur moet worden geconcludeerd, dat niacinesuppletie geen effectief sportergogeen middel is, en het sportprestatievermogen zelfs negatief kan beïnvloeden. Ook vanwege de bijwerkingen wordt het gebruik van niacine niet aanbevolen.

De behoefte aan niacine neemt toe bij een verhoogd energieverbruik, wat bij de meeste sporters vrij algemeen is. Het kiezen van volwaardige, natuurlijke voedingsmiddelen, zoals mager vlees en vollegranen of verrijkte broden en granen, garanderen dat de meeste sporters voldoende niacine binnen krijgen. Sporters die in gewichtsklassen uitkomen en sterk energiebeperkte diëten volgen, kunnen overwegen een doorsnee 1 maal daags niacinesupplement binnen de RDA te nemen.

Nicotine

Classificatie en gebruik

Nicotine kan worden geclassificeerd als farmacologisch sportergogeen middel. Nicotine is een sociaal roesmiddel dat is ingedeeld bij de stimulerende middelen. Het wordt gemaakt van de tabaksplant en kan het menselijk lichaam binnenkomen door het roken van sigaretten, pruimtabak, nicotinekauwgom, of nicotinepleisters. Een gram tabak bevat ongeveer 10-20 mg nicotine, voldoende voor een farmacologisch effect. Kleinere hoeveelheden kunnen worden gebruikt via nicotinekauwgom- en pleisters. Via het roken van sigaretten bereikt nicotine in minder dan

10 seconden de hersenen, en bij de andere methoden binnen een half uur (afbeelding 8.21).

Sportprestatiefactor

Mentale kracht en fysieke power. Nicotine is voornamelijk bestudeerd voor het vermogen om diverse sportprestatiefactoren te bevorderen die voordeel kunnen hebben bij een stimulerend effect. Als stimulerend middel kan nicotine mogelijk alle vormen van fysieke power beïnvloeden.

Theorie

Als stimulerend middel kan nicotine op verschillende manieren de hersenen beïnvloeden. Theoretisch kan nicotine mogelijk neurale functies als reactiesnelheid, gezichtsvermogen, en alertheid verbeteren, allemaal factoren die het hand/oog-coördinatievermogen ver-

UPI/CORBIS-BETTMANN

Afbeelding 8.21 Sommige sporters pruimen tabak voor het stimulerende effect van nicotine.

groten, zoals nodig bij bijvoorbeeld honkbal. Aanvankelijk kan nicotine in het hele lichaam een sympathomimetisch effect opwekken, ook van het cardiovasculaire, ademhalings- en spierskeletsysteem. De respons van die systemen kan het anaërobe en aërobe prestatievermogen bevorderen.

Effectiviteit

De effecten van nicotine op het fysieke prestatievermogen zijn bestudeerd via het roken van sigaretten of het rookloze nuttigen van nicotine. De onderzoeksresultaten zijn enigszins tegenstrijdig, maar ondersteunen in het algemeen geen ergogeen effect van nicotine op reactiesnelheid, bewegingssnelheid, kracht, of anaëroob of aëroob uithoudingsvermogen. Desalniettemin lijken sommige onderzoeken te suggereren dat nicotine het prestatievermogen kan bevorderen wanneer gekeken wordt naar scherpte van het centraal zenuwstelsel, zoals visuele en auditieve reactiesnelheid. Als dat klopt, dan zouden deze effecten het sportprestatievermogen kunnen verhogen in sporten waarmee snel veranderende prikkels moeten worden waargenomen, zoals bij honkbal en tennis. Daarentegen blijkt uit onderzoek ook dat nicotine beven van de hand veroorzaakt, en dat is bij bovengenoemde sporten bepaald geen voordeel.

Veiligheid

Nicotine is veilig als het af en toe wordt gebruikt, maar kan bij sommige mensen hartkloppingen veroorzaken. Nicotine is verslavend en chronisch gebruik kan schade toebrengen aan de gezondheid. Sigaretten roken veroorzaakt diverse ernstige ziekten, zoals hart- en vaatziekten, longemfyseem en longkanker. Chronisch gebruik van rookloze tabak veroorzaakt wonden in de mond waar de pruim wordt gehouden, die uiteindelijk kunnen leiden tot mondkanker. Nicotinekauwgom- en pleisters in afnemende sterkten kunnen een effectieve manier zijn om met roken of pruimen te stoppen.

Juridische en ethische aspecten

Hoewel het International Olympisch Comité het gebruik van stimulerende middelen verbiedt, staat nicotine niet op de lijst van verboden middelen, waarschijnlijk omdat het wereldwijd een geaccepteerd genotmiddel is en er nog geen duidelijke ergogene eigenschappen van zijn ontdekt. Desalniettemin lijkt het gebruik van nicotine om het sportprestatievermogen te vergroten onethisch te zijn omdat het in strijd is met de anti-dopingwetgeving van het IOC, die zegt dat het gebruik van een substantie met de bedoeling op kunstmatige en oneerlijke wijze sportvoordeel te behalen verboden is.

Aanbevelingen

Hoewel nicotine legaal is, en veilig bij infrequent gebruik, is nicotine geen effectief sportergogeen middel gebleken voor het opvoeren van de meeste sportprestatiefactoren. Hoewel, veel honkbalspelers pruimen tabak, waarschijnlijk voor het ergogene effect op het centrale zenuwstelsel. Toch sluiten de orale gezondheidsrisico's die gepaard gaan met chronisch pruimen aanbeveling van pruimtabak als sportergogeen middel uit. Als toekomstig onderzoek aantoont dat nicotine een effectief sportergogeen middel is voor bevordering van bepaalde sportprestatiefactoren, zijn nicotinekauwgom of pleisters de veiligste manier. Zoals echter boven gezegd, kan het gebruik van nicotine als sportergogeen middel beschouwd worden als onethisch gedrag.

Omega-3 vetzuren

Classificatie en gebruik

Omega-3 vetzuren kunnen worden geclassificeerd als nutritioneel sportergogeen middel. Omega-3 vetzuren zijn een bepaald type meervoudig onverzadigde vetzuren die van nature voorkomen in zowel plantaardige als dierlijke voeding, maar met name in visoliën. Een van de belangrijkste omega-3 vetzuren is eicosapentaeenzuur, of EPA.

Commerciële omega-3 vetzuursupplementen zijn verkrijgbaar in capsule- of vloeibare vorm en kunnen in combinatie met andere ingrediënten verwerkt worden in sportrepen en vloeibare supplementen. De in onderzoek gebruikte dosering is ongeveer 4 gram per dag over een periode van enkele weken.

Sportprestatiefactor

Mechanisch voordeel en fysieke power. Omega-3 vetzuursuppletie kan worden gebruikt om extra spiermassa en kracht te ontwikkelen, of om aërobe power en duurvermogen op te voeren voor sporten die vooral steunen op het zuurstof-energiesysteem.

Theorie

Omega-3 vetzuren of hun metabole bijproducten, diverse eicosanoden die werken als lokale hormonen, kunnen in theorie op verschillende manieren een ergogeen effect uitoefenen. Ten eerste kunnen sommige eicosanoïden de afgifte van groeihormoon bevorderen. Groeihormoon is een anabool hormoon dat de eiwitopbouw in de spier stimuleert, waardoor de spieromvang en kracht wordt vergroot. Ten tweede kunnen omega-3 vetzuren worden opgenomen in het membraan van de rode bloedlichaampjes, waardoor het membraan minder taai wordt en makkelijker door de bloedvaten stroomt; sommige eicosanoïden hebben een vaatverwijdend effect, waardoor de bloedvaten naar de spieren een grotere transportcapaciteit krijgen. Beide effecten kunnen tijdens inspanning het zuurstoftransport naar de spieren vergroten, waardoor het duurvermogen toeneemt. Ten derde kunnen eicosanoïden een ontstekingsremmend effect hebben, waardoor het herstel van een training wordt bevorderd.

Effectiviteit

Omega-3 vetzuren lijken geen effectief sportergogeen middel te zijn omdat er geen degelijke wetenschappelijke onderzoeksgegevens beschikbaar zijn die een positief effect van omega-3 suppletie op spierkracht- of omvang, toegenomen duurvermogen, of verbeterd herstel na de training aantonen. Een goed opgezette studie onderzocht de interactie tussen training en omega-3 vetzuursuppletie en concludeerde, dat hoewel de training de VO_2 max vergrootte, de suppletie verder geen enkel aanvullend effect gaf.

Veiligheid

Omega-3 vetzuren en supplementen zijn veilig indien geconsumeerd als kleine hoeveelheden ter aanvulling van een gezonde voeding. Hogere doseringen kunnen leiden tot vertraagde bloedstolling, wat voor sommige mensen gevaarlijk kan zijn.

Juridische en ethische aspecten

Omega-3 vetzuursuppletie is legaal en in verband met sport ethisch verantwoord.

Aanbevelingen

Op basis van het beschikbare wetenschappelijk onderzoek, moet worden gesteld dat omega-3 vetzuursuppletie geen effectief sportergogeen middel is, en het gebruik ervan wordt dan ook niet aangeraden.

Sporters die hun inname van EPA-vetzuren willen vergroten, moeten meer vis eten, vooral zalm, sardines, makreel en tonijn. Plantaardige vormen van andere omega-3 vetzuren zijn canola (raapzaad) en tarwekiemoliën.

Zuurstofsuppletie en ademhalingsverbetering

Classificatie en gebruik

Zuurstofsuppletie kan worden geclassificeerd als fysiologisch sportergogeen middel. Zuurstof komt van nature voor in de lucht die we inademen en is van essentieel belang voor het menselijk leven. De lucht om ons heen bevat 20.9 procent zuurstof, maar met speciale flessen kunnen we zuurstofconcentraties inademen tot wel 100 procent. Sommige sportmagazines adverteren met deze zuurstofflessen en maskers voor sporters, die ongeveer 500 gram wegen en voldoende zuurstof bevatten voor 3 tot 20 minuten, afhankelijk van de trainingsintensiteit.

Ze kunnen tijdens het hardlopen in de hand worden gehouden, of op de rug gebonden bij sporten als wielrennen en roeien. Om het effect ervan op prestatievermogen en herstellen te testen, zijn er verschillende zuurstofpercentages voor, tijdens en na de training toegediend.

Er zijn verschillende ademhalingsmethoden gebruikt om te proberen de zuurstofopname tijdens inspanning te vergroten, zoals neusklemmen en, recentelijk, Breathe Right. Breathe Right neusklemmen zijn vooral door footballers veel gebruikt, en er wordt mee geadverteerd in populaire hardloop- en wielrenmagazines. Hyperventilatie en een bepaald ademhalingspatroon dat bekend staat als *breathplay* kan voor sommige sporten een voordeel zijn.

Sportprestatiefactor

Fysieke power. Zuurstofsuppletie en verwante ademhalingsmethoden worden vooral gebruikt om de aërobe power en duurvermogen te vergroten voor sporten die voornamelijk steunen op het zuurstof-energiesysteem, maar kan ook worden gebruikt voor andere sporten, vooral voor intensieve anaërobe sporten, met een korte rust tussen de herhalingen.

Theorie

Zuurstof is het belangrijkste element van het zuurstof-energiesysteem. Omdat de lucht die we inademen ongeveer 20 procent zuurstof bevat, probeert men met zuurstofsuppletie een hogere zuurstofconcentratie van 50 procent of meer, aan te leveren voor, tijdens, of na de inspanning.

Zuurstofsuppletie voor de inspanning kan een grotere pauze tussen de ademteugen geven, wat belangrijk kan zijn voor zwemmers omdat het hoofd keren om adem te halen weerstand creëert in het water en de zwemsnelheid vertraagt. Zuurstofsuppletie tijdens inspanning kan de hoeveelheid zuurstof naar de spieren verhogen en het prestatievermogen bij duurinspanning verbeteren. Zuurstofsuppletie na intensieve anaërobe training kan het herstel bevorderen voor de volgende training.

Neusklemmen worden op de neus gezet om de ruimte in de neusholte te vergroten, waardoor er makkelijker zuurstof naar binnen kan om door de longen te worden opgenomen.

Breathplay is een bepaald ademhalingspatroon waarbij men krachtig uitademt direct gevolgd door een iets minder krachtige inademing, om al doende het ademhalen dieper te maken en de zuurstofleverantie aan de longen te bevorderen.

Effectiviteit

De effectiviteit van zuurstofsuppletie, het gebruik van neusholteverruimers, of breathplay, zal apart worden besproken.

ZUURSTOFSUPPLETIE

Van zuurstofsuppletie voor de training is de effectiviteit niet bewezen. Het bloed heeft het vermogen extra zuurstof op te slaan boven de hoeveelheid die door de lucht wordt aangevoerd. De gemiddelde hoeveelheid bloed die een volwassene heeft biedt ruimte voor 70 milliliter extra zuurstof, een bijna te verwaarlozen hoeveelheid in verhouding met de energieproductie. Daarbij komt, dat tenzij de sporter in staat zou zijn dit zuurstofmengsel onmiddellijk voor de inspanning in te ademen, de geringe hoeveelheid zuurstof in minder dan 20 seconden ademen in een normale luchtdruk verloren zou gaan.

Van een voortdurend aanbieden van zuurstofsuppletie tijdens duurinspanning is aangetoond dat het de fysiologische energieproductie en het sportprestatievermogen verbetert. Toen het inademen van pure zuurstof werd vergeleken met normale lucht tijdens een standaard inspanningstest, zoals 1500 meter hardlopen binnen 6 minuten, zorgde de zuurstofsuppletie voor een lagere hartslag, minder ademen, en een verminderde opbouw van melkzuur. Op die manier werden lopers in staat gesteld efficiënter energie te produceren, waardoor ze bij een zelfde fysiologische inspanning harder konden lopen. In een recent onderzoek onder roeiers van nationaal niveau kwam naar voren, dat een zuurstofmengesel van 62 procent de VO_2 max verbeterde met 11 procent en een beduidend betere tijd gaf op de 2500 meter roeien. Andere onderzoeken lieten zien dat het duurvermogen bij zuurstofsuppletie lineair toenam: hoe hoger het percentage van de zuurstofsuppletie, hoe beter de prestatie.

Van zuurstofsuppletie na intensieve training is niet aangetoond dat het het prestatievermogen bij daaropvolgende training verbetert. Een van de meer populaire manieren om zuurstofsuppletie te gebruiken, is om tijdens onderbrekingen van de wedstrijd het herstel te bevorderen. Van sporters bijvoorbeeld, die door de aard van hun sport in staat worden gesteld de inspanning te onderbreken, is bekend dat ze vaak gebruik maken van zuurstofsuppletie. Dat geldt voor sprinters, footballers, basketballers, ijshockeyers, en voetballers, tijdens vervangingen en spelonderbrekingen. Helaas is voor deze praktijk in een aantal goed opgezette wetenschappelijke onderzoeken geen grond gebleken. De algemene opzet van deze studies was verdeeld in drie fasen. Eerst moesten de sporters een inspanning verrichten die vergelijkbaar was met die in sport, zoals een serie sprintjes met korte rustperioden. Daarna mochten de sporters rusten en ademden ze uit een tank een gasmengsel van pure zuurstof of een placebo met gewone lucht. Ten slotte herhaalden de sporters de inspanningstaak. De onderzoekers waren meestal benieuwd of de zuurstof het herstel kon bevorderen door het sneller afvoeren van melkzuur of dat er bij de tweede taak een verbeterd prestatievermogen viel waar te nemen. In geen van deze studies was er sprake van een versneld afvoeren van melkzuur of van een verbeterd prestatievermogen.

Samengevat lijkt zuurstofsuppletie een effectief sportergogeen middel als het wordt toegediend tijdens de duurinspanning, maar verbetert het het prestatievermogen niet als het voor de wedstrijd wordt genomen, of om het herstel te bevorderen na inspanning.

NEUSKLEMMEN

Onderzoek verricht door de fabrikanten van Breathe Right gaf aan, dat het gebruik ervan de luchtweerstand in de neusholte vermindert. Er is echter nauwelijks betrouwbaar onderzoek waaruit blijkt dat neusklemmen een effectief sportergogeen middel zijn. Op een symposium dat werd gesponsord door Breathe Right fabrikanten, bleek uit inleidend onderzoek dat gebruik van de Breathe Right neusklem, in vergelijking met een placebo-klem, het herstel tussen twee inspanningstaken zou kunnen verbeteren, als gemeten aan hartslagherstel, vooral bij proefpersonen wiens nasale luchtwegen duidelijk waren verruimd door de neusklemmen. Ander inleidend onderzoek onder wielrenners gaf een toename van zuurstofconsumptie tijdens herstel van intensieve inspanning te zien, opnieuw voornamelijk bij de sporters bij wie de neusluchtwegen duidelijk verruimd waren. In het algemeen echter, gaven de onderzoeksresultaten die gepresenteerd werden op het symposium aan, dat gebruik van de Breathe Right neusklem de ademhaling of zuurstofconsumptie tijdens inspanning niet verbeterde, en ook dat het het (herhaalde) sprintvermogen niet verbeterde. Vier andere onafhankelijke, goed opgezette studies, die werden gepresenteerd op het 1996 symposium van het American College of Sports Medicine, vonden geen effect van de Breathe Right neusklem op anaërobe powerproductie op een Wingate fietsergometertest, ademhalings- of zuurstofopnameverbetering tijdens matige tot middelmatig intensieve inspanning en zuurstofconsumptie tijdens herstel van maximale inspanning. In een ander onderzoek naar prestatievermogen, voerden sporters twee sets van 40 meter sprinten met korte herstelperiode uit onder vier omstandigheden: gewone sprint, sprint met mondstuk, sprint met mondstuk en placebo neusklem, en sprint met mondstuk en Breathe Right neusklem. De onderzoekers vonden geen ergogeen effect van de

Breathe Right neusklem op de sprintprestatie of de ademhalingssnelheid, zuurstofverzadiging van het bloed, of subjectief ervaren inspanning (afbeelding 8.22).

Tijdens intensieve inspanning ademen de meeste sporters door hun mond in plaats van door de neus. Daarbij komt, dat bij de gezonde sporter de longventilatie niet de beperkende factor is in aanleveren van zuurstof aan de spieren in actie; het is waarschijnlijk het slagvolume of de hoeveelheid bloed die het hart per slag rondpompt.

ADEMHALINGSTECHNIEKEN

Zoals boven gezegd, kan zuurstofsuppletie in theorie voordelig zijn voor sprintzwemmers omdat het hen in staat stelt hun adem langer vast te houden en hun hoofd niet te hoeven keren om adem te halen, wat gepaard gaat met verhoogde waterweerstand. Helaas blijkt dit bij het

BREATHE RIGHT

Afbeelding 8.22
Het verwijden van de neusluchtwegen met neusklemmen kan in theorie het sportprestatievermogen verbeteren.

daadwerkelijk wedstrijdzwemmen niet erg practisch, tenzij de zwemmer op het startblok een zuurstoftank heeft. Hyperventilatie, of het nemen van 5 tot 10 diepe teugen adem vlak voor de start, is practisch en kan de tijd waarin de adem wordt vastgehouden behoorlijk opvoeren doordat deze inademingen helpen de kooldioxideconcentraties in het bloed te verlagen, en verlaging daarvan is de belangrijkste impuls die je dwingt te ademen.

Inleidend onderzoek lijkt te suggereren dat een andere ademhalingstechniek, breathplay genaamd, de zuurstofbenutting tijdens inspanning kan bevorderen. Voor het onderzoek fungeerden wielrenners als proefpersonen en werd gebruik gemaakt van specifieke ademhalingspatronen, met name een krachtig uitademen gevolgd door een minder krachtig inademen. Bij de wielrenners die deze breathplaytechniek aanleerden verbeterden diverse fysiologische functies, zoals een opschuiven van de anaërobe grens en een verlaagde hartslag tijdens een standaard inspanningstest. Ze hadden er ook psychologisch voordeel bij, doordat ze de taken als minder inspannend ervoeren. Het duurvermogen van de wielrenners in dit onderzoek verbeterde ook door breathplay. Echter, de onderzoekers tekenden erbij aan dat hoewel de resultaten veelbelovend lijken, er meer onderzoek nodig is voordat breathplay kan worden beschouwd als een effectief sportergogeen middel. En inderdaad, uit ander onderzoek onder roeiers, waarbij geëxperimenteerd werd met het ademhalingspatroon tijdens de roei- en herstelfase van het roeien, bleek geen significant effect, of de roeiers nu in- of uitademden tijdens de roei- of herstelfase, of dat ze gewoon spontaan ademhalingspatronen volgden.

Veiligheid

Het kortetermijngebruik van zuurstofsuppletie tijdens inspanning lijkt veilig te zijn. In onderzoek zijn zuurstofconcentraties van 30 tot 100% gebruikt zonder nadelige bijwerkingen. Chronisch gebruik van zuurstofsuppletie, dat in sport waarschijnlijk nauwelijks zal voorkomen, kan uitlopen op zuurstofvergiftiging. Het gebruik van Breathe Right neusklemmen en verschillende ademhalingstechnieken is veilig.

Juridische en ethische aspecten

Volgens het Amerikaanse OC, is het gebruik van zuurstofsuppletie voor, tijdens en na de wedstrijd toegestaan. Hoewel het gebruik van zuurstofsuppletie tijdens de wedstrijd als poging om op kunstmatige wijze het prestatievermogen te vergroten illegaal en onethisch lijkt, is het door het IOC niet nadrukkelijk verboden. Er zijn echter bij diverse sportorganisaties mogelijk restricties aan zuurstofsuppletie tijdens de wedstrijd verbonden, dus sporters moeten daarover hun bond raadplegen.

Het gebruik van Breathe Right neusklemmen en verschillende ademhalingstechnieken is legaal en ethisch verantwoord.

Aanbevelingen

Hoewel zuurstofsuppletie een effectief en veilig sportergogeen middel is bij duursport, kan het dragen van het extra gewicht het mogelijke ergogene effect teniet doen. Toch kunnen sporters als wielrenners en roeiers er hun voordeel mee doen. Sporters moeten hun bonden raadplegen over legaliteit en ethische verantwoordbaarheid van het gebruik van zuurstofsuppletie tijdens de wedstrijd.

Op basis van beschikbare wetenschappelijke gegevens, moeten we concluderen dat zuurstofsuppletie geen effectief sportergogeen middel is wanneer het voor of na de wedstrijd wordt gebruikt, en het gebruik ervan wordt in deze situaties dan ook niet aanbevolen. Hoewel zuurstofsuppletie onder deze omstandigheden van geen fysiologisch belang lijkt te zijn, kunnen sommige sporters er mogelijk psychologisch voordeel bij hebben. Zo zijn footballers op nationaal niveau zich er mogelijk van bewust dat de luchtdruk in het hooggelegen Denver lager is dan normaal en daarom geloven dat extra zuurstof ergogeen werkt. In zulke gevallen kan het geen kwaad van zuurstofsuppletie gebruik te maken, aangezien het legaal is, en in normale hoeveelheden ook geen gezondheidsrisico's met zich meebrengt. Hoewel we prestatieverbetering door een psychologisch placebo-effect niet kunnen uitsluiten, moeten we ons ook bewust zijn van een mogelijk nadelig effect als de zuurstofsuppletie niet beschikbaar is. Wanneer bijvoorbeeld in de laatste minuut van de wedstrijd de stand gelijk is, en de belangrijkste running back in de veronderstelling verkeert dat zuurstof ergogeen werkt, en een flinke teug uit de zuurstoffles wil nemen, maar merkt dat hij leeg is. De running back kan daardoor op een psychologisch negatieve manier worden beïnvloed en slechter presteren.

De Breathe Right neusklem, of soortgelijke uitvindingen, wordt niet aanbevolen als sportergogeen middel omdat de effectiviteit ervan niet is bewezen. Het gebruik van een neusklem kan evenwel enige verlichting geven voor sporters die moeite hebben met tijdens inspanning door hun neus te ademen.

Je kan met verschillende ademhalingspatronen experimenteren, van krachtig inademen tot meer geleidelijk inademen. Hardlopers kunnen bijvoorbeeld krachtig uitademen als een voet contact maakt met de grond, om na de volgende drie 'voetcontacten' weer in te ademen; wielrenners kunnen soortgelijke methoden volgen bij de neerwaartse slag van het voetpedaal. Andere duursporters kunnen het ademhalingspatroon aanpassen aan de mechanica van hun sport. Een ergogeen effect, als het zich al voordoet, is waarschijnlijk psychologisch en niet fysiologisch van aard. Wie meer wil weten, verwijzen we naar het boek *The Breathplay Approach to Whole Life Fitness*, van Ian Jackson.

Pantotheenzuur

Classificatie en gebruik

Pantotheenzuur is een essentiële B-vitamine, en kan worden geclassificeerd als nutritioneel sportergogeen middel. Pantotheenzuur is een wateroplosbare vitamine die in veel dierlijke en plantaardige voeding voorkomt. De geschatte veilige en adequate dagelijkse dosis (ESADDI) voor pantotheenzuur is 4 tot 7 milligram per dag voor volwassenen.

Pantotheenzuursupplementen zijn apart of in combinatie van een multivitamine/mineralencomplex verkrijgbaar. Sommige sportdranken zijn verrijkt met pantotheenzuur. In studies naar het ergogene effect van pantotheenzuursuppletie zijn doseringen gebruikt tot 2 gram per dag voor een periode van enkele weken.

Sportprestatiefactor

Fysieke power. Pantotheenzuursuppletie is bestudeerd voor het vermogen aërobe power en duurvermogen te bevorderen voor sporten die voor energie voornamelijk steunen op het zuurstof-energiesysteem.

Theorie

Pantotheenzuur werkt als een coënzym voor diverse enzymatische reacties, maar een van zijn belangrijkste functies is dienen als bestanddeel van coënzym A. Acetyl coënzym A, of acetyl CoA, is een zeer belangrijke metabole intermediair in de koolhydraat- en vetstofwisseling voor de productie van ATP via het zuurstofenergiesysteem in de mitochondria. Theoretisch zou pantotheenzuursuppletie de opbouw van acetyl CoA kunnen bevorderen voor bewerking via diverse metabole paden waarbij zuurstof betrokken is, en op die manier het duurprestatievermogen bevorderen.

Effectiviteit

Hoewel er één kort bericht is waarin melding wordt gemaakt dat pantotheenzuursuppletie zorgde voor een verminderde opbouw van melkzuur gedurende een standaard inspanningstest, werd er geen verbetering van het prestatievermogen waargenomen. Uit ander onderzoek, onder zeer getrainde afstandslopers, bleek geen significant effect van pantotheenzuursuppletie op fysiologische responsen of looptijd tijdens een maximale loopbandtest.

Veiligheid

Pantotheenzuursuppletie is een veilig vitaminesupplement, maar hoge doseringen van 10 gram of meer per dag kunnen diarree veroorzaken.

Juridische en ethische aspecten

Pantotheenzuursuppletie is legaal en in verband met sport ethisch verantwoord.

Aanbevelingen

Op basis van de beschikbare wetenschappelijke literatuur moet worden gesteld, dat pantotheenzuursuppletie geen effectief sportergogeen middel is, en het gebruik ervan wordt dan ook niet aanbevolen. Een tekort aan pantotheenzuur komt nauwelijks voor.

Fosfor (fosfaatzouten)

Classificatie en gebruik

Fosfor is een essentieel mineraal, dat kan worden geclassificeerd als nutritioneel sportergogeen middel. Fosfor komt in heel veel voedingsmiddelen voor, vooral in vlees, zeevis en schelpdieren, eieren, melk, kaas, vollegranenproducten, noten en peulvruchten. De dagelijks aanbevolen hoeveelheid (RDA) is 800 milligram voor volwassenen en 1200 milligram voor jongeren van 11 tot 25 jaar.

Fosforsupplementen zijn verkrijgbaar in de vorm van fosfaatzouten als natrium, kalium en calciumfosfaat. Commerciële producten vooral gericht op sporters, zijn bijvoorbeeld Stim-O-Stam en PhosFuel. De in onderzoek gebruikte dosering is ongeveer 4 gram per dag over een periode van 3 tot 6 dagen, meestal verspreid over de dag gegeven in vier doseringen van 1 gram. Natriumfosfaat werd het meest gebruikt.

Sportprestatiefactor

Fysieke power. Fosfaatzouten zijn bestudeerd voor het vermogen fysieke power te vergroten in sporten die voor hun energie steunen op alledrie energiesytemen, maar voornamelijk voor aërobe power en duurvermogen die steunen op het zuurstofenergiesysteem.

Theorie

Fosfaatzouten in zowel anorganische als organische vorm spelen een belangrijke rol in de menselijke stofwisseling, vooral in verband met het sportprestatievermogen. Ze kunnen alledrie energiesystemen beïnvloeden. Fosfaten zijn onderdeel van ATP en CP, de energiebronnen voor het ATP-CP energiesysteem. Als intracellulaire buffers kunnen fos-

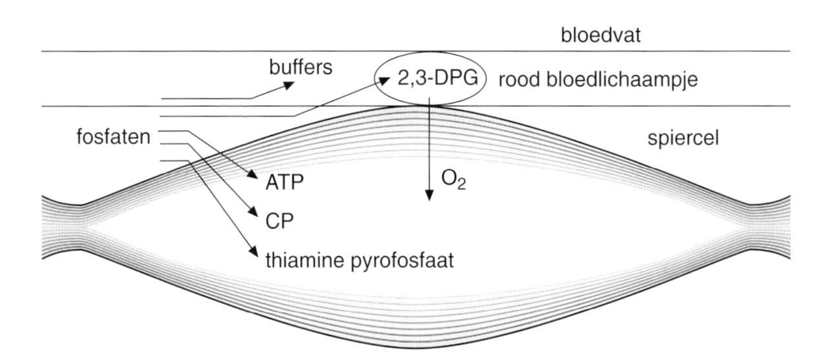

Afbeelding 8.23 Fosfaten spelen verschillende mogelijke rollen in de energieproductie, maar het meest bestudeerd is het effect op 2,3-DPG als middel om energie te genereren en het duurvermogen te bevorderen.

faten het melkzuurenergiesysteem versterken door tijdens inspanning als buffer tegen de opbouw van melkzuur te werken. Fosfaten zijn van essentieel belang voor de activiteit van vitamines en benutting van glucose tijdens aërobe inspanning, waarbij energie wordt geproduceerd via het zuurstofenergiesysteem.

De theorie die de meeste aandacht heeft getrokken van wetenschappers, draait om de rol van fosfaatzouten in de opbouw van 2,3-difosfoglyceraat (2,3-DPG), een verbinding in de rode bloedlichaampjes (RBL) die de afgifte van zuurstof aan lichaamsweefsels stimuleert. Theoretisch kan een verhoogde 2,3-DPG-spiegel bij inspanning de toevoer van zuurstof aan de spieren bevorderen, waarbij het prestatievermogen voor duuractiviteiten toeneemt (afbeelding 8.23).

Effectiviteit

Er zijn geen wetenschappelijke gegevens die het ergogene effect van fosfaatzoutsupplementen op het ATP-CP- of het melkzuurenergiesysteem bevestigen. Wetenschappers van de Brigham Young University vonden geen significant effect van Stim-O-Stamsuppletie op de powerproductie, een maximale inspanning van 2-3 minuten op de loopband, en herstel van deze power- en anaërobe conditietest. In de kern ging het om bestudering van het effect van fosfaatzoutsuppletie op de ATP-CP- en melkzuurenergiesystemen, en er werd geen effect gevonden.

Hoewel de onderzoeksbevindingen nog niet definitief zijn, onderschrijven vier goed opgezette studies de theorie dat fosfaatzoutsuppletie het functioneren van het zuurstof-energiesysteem mogelijk verbetert. Alle vier studies vonden dat fosfaatzoutsuppletie de VO_2 max verhoogde, en drie namen een verbeterd prestatievermogen bij duurinspanningstaken waar, waaronder een groter aantal afgewerkte stadia in een progressieve hardloopbandtest, een langere tijd tot uitputting bij inspanning op een fietsergometer, en een snellere tijd bij een 40 kilometer fietstest.

Als fosfaatzouten al ergogeen zijn, dan nog moet het achterliggende mechanisch opgehelderd worden. Twee van de onderzoeken gaven een toename in 2,3-DPG-spiegels aan, maar de andere twee niet. In een studie werd een verbeterde hartfunctie waargenomen, waarbij het hart per slag meer bloed rondpompte (slagvolume).

In twee recente reviews wordt de conclusie getrokken dat er meer aanvullend en streng opgezet onderzoek nodig is, al lijken sommige onderzoeken te suggereren dat fostaatzoutsuppletie een effectief sportergogeen middel is.

Veiligheid

Fosfaatzoutsuppletie in hoeveelheden die niet hoger zijn dan de RDA, en zelfs tot 4 gram per dag, lijkt veilig te zijn. Overmatige inname van fosfaatzouten kan misselijkheid, kramp en diarree veroorzaken. Chronische inname van fosfaatzouten kan de calciumbalans in het lichaam verstoren.

Juridische en ethische aspecten

Op dit moment is fosfaatzoutsuppletie legaal en ethisch verantwoord. Echter, consumptie van meer dan 4 gram fosfaatzouten per dag, kan in strijd zijn met de antidopingwetgeving van het IOC, dat stelt, dat inname van een substantie in abnormale hoeveelheden met de bedoeling op kunstmatige en oneerlijke wijze sportvoordeel te behalen verboden is. Afhankelijk van hoe de individuele sporter er tegenaan kijkt, kan fosfaatzoutsuppletie als ethisch dan wel onethisch worden beschouwd.

Aanbevelingen

Hoewel het beschikbare onderzoek niet echt eenduidig is, levert het enige ondersteuning van de theorie dat fosfaatzoutsuppletie als sportergogeen middel effectief en veilig is, in ieder geval in de hierboven genoemde hoeveelheden. Wanneer we echter de algemene strekking van het antidopingbeleid van het IOC bekijken, kan het gebruik van fosfaatzoutsuppletie door sommigen als onethisch worden beschouwd.

Voor sporters die fosfaatzoutsuppletie willen gaan gebruiken voor ergogene doeleinden, lijkt het programma in het genoemde onderzoek geschikt te zijn. De dosering was 4 gram natriumfosfaat over de dag verspreid in vier innames van 1 gram, 3-4 dagen voor de wedstrijd. Drink er voldoende bij. De laatste dosering kan 2 tot 3 uur voor de wedstrijd worden genomen. Zoals met alle sportergogene middelen, is het aanbevolen er eerst mee te experimenteren in het trainingsprogramma om te kijken hoe het (be)valt.

Eiwitsupplementen

Classificatie en gebruik

Eiwitsupplementen kunnen worden geclassificeerd als nutritioneel sportergogeen middel. Eiwit is een essentiële voedingsstof die voorkomt in tal van voedingsmiddelen. De aanbevolen dagelijkse hoeveelheid (RDA) eiwit is 0.8 gram per kg lichaamsgewicht voor een volwassene, en 0.9 tot 1 gram per kg lichaamsgewicht voor jongeren. Een volwassen man van 70 kg heeft 56 gram eiwit per dag nodig, iets dat in een gemiddelde voeding makkelijk te halen is.

Het eiwit in je voeding wordt door spijsverteringsprocessen afgebroken in 20 verschillende aminozuren. Deze aminozuren worden opgenomen in het bloed, naar de lever getransporteerd voor verdere bewerking, en daarna door het bloed gedistribueerd naar alle weefsels van het lichaam voor de opbouw van eiwitten die specifiek zijn voor de verschillende cellen. We hebben eiwit in onze voeding nodig om die 20 aminozuren in de juiste hoeveelheid en concentratie aan te leveren.

Er worden talloze eiwitpreparaten in de handel gebracht, in pil- en poedervorm, speciaal gericht op de actieve mens en sporter. In de meeste gevallen bevatten de eiwitpreparaten hoogwaardig melkeiwit, ei-eiwit, of soja-eiwit. Vloeibare voedingssupplementen als GatorPro en NitroFuel zijn speciaal bedoeld voor sporters. Ook individuele, zogenaamde vrije vorm aminozuren zijn commercieel verkrijgbaar.

Sportprestatiefactor

Mechanisch voordeel en fysieke power. Eiwitsupplementen zijn voornamelijk bestudeerd voor het vermogen spiermassa te ontwikkelen voor kracht en power of voor een esthetischer verschijning in sporten als bodybuilding. Eiwitsupplementen kunnen ook nuttig zijn voor duursporters om het spiereiwit dat wordt afgebroken door intensieve duurtraining aan te vullen.

Theorie

Eiwit dient alle drie functies van voedingsstoffen die belangrijk zijn voor het sportprestatievermogen. Allereerst is eiwit de belangrijkste voedingsstof voor groei, ontwikkeling en herstel van alle lichaamsweefsels. Ten tweede is eiwit van essentieel belang voor de regulering van de stofwisseling. Ten derde kan eiwit een aanvullende bron van energie zijn.

Het eiwit uit onze voeding zorgt in de vorm van aanvoer van aminozuren voor de bouwstenen van de spieren die we willen trainen. Eiwit kan ook fungeren als aanvullende energiebron, vooral als de spier- en leverglycogeenvoorraden van het lichaam gering zijn.

Theoretisch garandeert eiwitsuppletie voldoende eiwitreserves in perioden van spieropbouw of intensieve duurtraining.

Effectiviteit

Recente, goed opgezette eiwitbalansstudies, laten zien dat het eiwitpercentage van de voeding in perioden van intensieve training, zoals gewichttraining, opgevoerd moet worden om spierweefsel op te bouwen, en bij intensieve duurtraining om het duurvermogen te vergroten. Peter Lemon is een expert op het gebied van de eiwitstofwisseling bij intensieve training, en stelde onlangs dat krachtsporters dagelijks misschien wel 1.5 tot 1.8 gram eiwit per kg lichaamsgewicht nodig hebben, terwijl de behoefte van duursporters zou liggen op 1.2 tot 1.4 gram per kg lichaamsgewicht.

Recent onderzoek suggereert dat consumptie van een koolhydraat/eiwitmengsel onmiddellijk na en 2 uur volgend op gewichttraining kan leiden tot een verhoogde afgifte van zowel insuline als groeihormoon, twee anabole hormonen die de spiergroei bevorderen.

Er zijn echter geen aanwijzingen, dat eiwitsupplementen beter in staat zijn spiermassa te ontwikkelen of het duurprestatievermogen te bevorderen dan het eiwit dat we uit de dagelijkse voeding kunnen halen.

Veiligheid

Eiwitsupplementen worden gemaakt van hoogwaardige dierlijke (melk en eieren) of plantaardige (soja) eiwitten, en worden als net zo veilig beschouwd als de natuurlijke producten. Eiwitsupplementen bieden mogelijk een paar gezondheidsvoordelen, want ze bevatten niet de hoeveelheid vet en cholesterol die van nature in veel eiwitrijke voedingsmiddelen voorkomen. Daar staat tegenover, dat ze mogelijk een aantal essentiële nutriënten missen die eiwitrijke voedingsmiddelen wel bevatten.

De National Research Council beveelt geen eiwitinname hoger dan twee keer de RDA aan, wat neerkomt op 1.6 gram per kg lichaamsgewicht voor een volwassene. Grotere hoeveelheden kunnen de meeste mensen wel aan, maar kunnen problematisch zijn voor mensen met een slechte lever- of nierfunctie, hetgeen respectievelijk de twee organen zijn die eiwit afbreken en de afbraakproducten ervan uitscheiden.

Juridische en ethische aspecten

Eiwitsuppletie is legaal en ethisch verantwoord.

Aanbevelingen

Sporters die via de normale voeding voldoende calorieën consumeren om op gewicht te blijven, krijgen genoeg eiwit binnen om de eiwitbalans te handhaven. In het algemeen hebben krachtsporters en duursporters iets meer eiwit nodig. Voor een duursporter ligt de bovengrens op 1.4 gram per kg lichaamsgewicht; voor een krachtsporter is de bovengrens 1.8 gram eiwit per kg lichaamsgewicht.

Laten we met betrekking tot de eiwitinname eens even naar een paar berekeningen kijken. Tabel 8.16 biedt een overzicht van zaken waarmee in de eiwitconsumptie rekening moet worden gehouden. Op de bovengrens van 1.4 gram eiwit per kg lichaamsgewicht heeft een duursporter van 60 kg ongeveer 84 gram eiwit nodig, en een krachtsporter van 90 kg ongeveer 162 gram eiwit per dag. Het verkrijgen van deze hoeveelheden eiwit is voor beide sporters geen probleem. Als beide sporters 44 calorieën per kg lichaamsgewicht nodig hebben om de dagelijkse energie-

TABEL 8.16

DAGELIJKSE EIWITINNAME VOOR DEKKING VAN DE EIWITBEHOEFTE

Duursporter	**Krachtsporter**	
Lichaamsgewicht	60 kg	90 kg
Aanbevolen grammen eiwit per kg lichaamsgewicht	1.4	1.8
Dagelijks aanbevolen hoeveelheid	84	162
Calorieën per kg lichaamsgewicht per dag	44	44
Totaal aantal calorieën per dag	2640	3960
Aanbevolen percentage van eiwit	12 tot 20	12 tot 20
Calorieën van eiwit	316 tot 528	475 tot 792
Calorieën per gram eiwit	4	4
Dagelijks geconsumeerde grammen eiwit	79 tot 132	119 tot 198

behoefte te dekken, dan heeft de duursporter 2640 en de krachtsporter 3960 calorieën nodig. De aanbevolen hoeveelheid eiwit per dag ligt tussen de 12 en 20 procent van het dagelijkse aantal calorieën. Aan de hand van deze percentages, kan de duursporter 316 tot 528 eiwitcalorieën eten, en de krachtsporter 475 tot 792 eiwitcalorieën. Omdat iedere gram eiwit energetisch gelijk staat aan 4 calorieën, krijgt de duursporter tussen de 79 en 132 gram eiwit, terwijl de krachtsporter 119 tot 198 gram eiwit moet consumeren. Als zijn voeding voor 13 procent van de calorieën uit eiwit zou bestaan, krijgt de duursporter 84 gram eiwit binnen, terwijl de krachtsporter op 162 gram eiwit komt, als zijn voeding voor iets meer dan 16 procent van de calorieën uit eiwit zou bestaan. Allebei bevinden ze zich duidelijk binnen de boven- en ondergrens van 12 tot 20 procent.

Zowel duursporters als krachtsporters hebben voordeel bij het consumeren van een eiwit/koolhydraatmengsel direct na de training en 2 uur daarna. De aanbevolen verhouding is ongeveer 1 deel eiwit op drie delen koolhydraten, dus 0.40 gram eiwit en 1.2 gram koolhydraten per kg lichaamsgewicht. Voor een sporter van 70 kg komt dat op 28 gram eiwit en 84 gram koolhydraten voor beide porties na de training.

De algemene aanbeveling voor sporters is het eiwit te halen uit de normale dagelijkse voeding. Hoewel de eiwitsupplementen die er voor de sporter in de handel zijn mogelijk hoogwaardig eiwit bevatten, zijn ze door de bank genomen nogal duur. Het consumeren van voedingsmiddelen die niet te vet en rijk zijn aan hoogwaardig eiwit helpt de eiwitbehoefte te dekken, en geeft tevens de nodige vitamines en mineralen. Tabel 8.17 geeft het eiwitgehalte en aantal calorieën per portie van een aantal bekende voedingsmiddelen: de rest van de calorieën wordt verkregen via het koolhydraat- en/of vetgehalte van de voedingsmiddelen.

Vooral melkproducten en vlees bevatten hoogwaardig eiwit. Helaas bevatten melkproducten en vlees ook nogal wat vet, dus moet je verstandig kiezen en de minst vette eiwitbronnen selecteren: vis, witvlees van kip en kalkoen, magere vleessoorten als mager rundvlees en mager varkensvlees, eiwitten, halfvolle melkproducten, en peulvruchten en bonen.

Hoewel volwaardige, natuurlijke voedingsmiddelen de beste manier zijn om aan eiwit te komen, kunnen sommige sporters baat hebben bij commerciële eiwitsupplementen. Sporters met slechte voedingsgewoonten en sporters die op dieet moeten (zoals worstelaars en turners), vinden eiwitsupplementen mogelijk een makkelijke manier om aan het nodige (vetvrije) eiwit te komen. Het is echter wel belangrijk te beseffen,

TABEL 8.17

CALORIEËN EN EIWIT IN GRAMMEN PER PORTIE VOOR EEN AANTAL BASISVOEDINGSMIDDELEN

Halfvolle/magere melk – 8 gram eiwit en 90 calorieën per portie

1 kop halfvolle melk	1 kop magere yoghurt

Zeer mager vlees – 7 gram eiwit en 35 calorieën per portie

30 gram vis, zoals tonijn (waterbasis) of bot
30 gram kalkoen of kippenborst (zonder vel)

Mager vlees – 7 gram eiwit en 55 calorieën per portie

30 gram mager vlees als kalfsvlees
30 gram mager varkensvlees (varkenshaasje)

Zetmeelhoudende groenten, peulvruchten, brood, granen – 3 gram eiwit en 80 calorieën per portie

1/2 kop gekookte of ongekookte granen	1 snee brood
1/2 kop gekookte pasta	1 kleine gepofte aardappel
1/3 kop gekookte rijst	1/4 kop gekookte bonen

Groenten – 2 gram eiwit en 25 calorieën per portie

1/2 kop gekookte groenten	1 kop rauwkost

Fruit – 1 gram eiwit en 60 calorieën per portie

1 kleine appel	1/2 banaan

Opmerking: tabel bewerkt op basis van voedingslijsten van de American Diabetes Association en American Dietetic Association.

dat eiwitsupplementen moeten worden gebruikt als een aanvulling, niet als een vervanging van volwaardige voeding.

Riboflavine (vitamine B_2)

Classificatie en gebruik

Riboflavine is een essentiële vitamine, die bekend is als vitamine B_2 en kan worden geclassificeerd als nutritioneel sportergogeen middel. Riboflavine is een wateroplosbare vitamine die van nature voorkomt in onze dagelijkse voeding, met name in melk, volle granen- en verrijkte broden en ontbijtgranen, eieren, en donkere bladgroenten. De dagelijks aanbevolen hoeveelheid (RDA) van riboflavine is gebaseerd op de calorische consumptie, maar komt voor mannen op ongeveer 1.7 milligram en voor vrouwen op ongeveer 1.3 milligram per dag.

Riboflavinesupplementen zijn apart of als onderdeel van een vitamine/mineralencomplex verkrijgbaar. Sommige sportdranken zijn verrijkt met riboflavine. In onderzoek naar de effecten van riboflavinesuppletie zijn doseringen gebruikt van 60 milligram per dag over een periode van enkele weken.

Sportprestatiefactor

Fysieke power. Riboflavinesuppletie is bestudeerd voor het vermogen aërobe power te vergroten voor sporten die voor hun energieproductie vooral steunen op het zuurstofenergiesysteem.

Theorie

Riboflavine werkt als een coënzym voor diverse enzymatische reacties in de mitochondria. Wanneer riboflavinesuppletie effectief blijkt in het opvoeren van verbrandingsprocessen in de spiercel, zou in theorie het duursportvermogen positief kunnen worden beïnvloed.

Effectiviteit

Hoewel een tekort aan riboflavine het sportprestatievermogen negatief kan beïnvloeden, wordt in drie recente overzichtsartikelen van de wetenschappelijke literatuur de conclusie getrokken dat niet is aangetoond dat riboflavinesuppletie een effectief sportergogeen middel is voor sporters die voldoende goede voeding binnen krijgen. Riboflavine bleek de VO_2 max noch de anaërobe (melkzuur) grens te verbeteren of verleggen. Riboflavinesuppletie gaf ook geen verbetering in zwemprestatie van topamateurzwemmers op de 50 meter.

Juridische en ethische aspecten

Riboflavinesuppletie is legaal en in verband met sport ethisch verantwoord.

Aanbevelingen

Op basis van de beschikbare wetenschappelijke literatuur, moeten we concluderen dat riboflavinesuppletie geen effectief sportergogeen middel is, en het gebruik ervan wordt dan ook niet aanbevolen.

De riboflavinebehoefte neemt toe bij verhoogd energieverbruik, hetgeen bij de meeste sporters het geval is. Het kiezen van volwaardige, natuurlijke voedingsmiddelen, zoals tarwebruin en verrijkte ontbijtgranen, garanderen een voldoende inname van riboflavine. Sporters die in gewichtsklassen uitkomen en op dieet zijn, kunnen een vitaminesupplement nemen met een volledige RDA voor riboflavine.

Selenium

Classificatie en gebruik

Selenium is een essentieel mineraal, dat kan worden geclassificeerd als nutritioneel sportergogeen middel. Selenium komt van nature voor in allerlei dagelijkse voedingsmiddelen, met name vlees, lever, nieren, zeevis en schelpdieren, vollegranenproducten en noten. De dagelijks aanbevolen hoeveelheid (RDA) voor selenium is 70 microgram voor mannen en 55 microgram voor vrouwen. Seleniumsupplementen zijn verkrijgbaar in diverse zoutvormen. De doseringen die zijn gebruikt in onderzoek lopen van 100 tot 180 microgram per dag over perioden tot enkele maanden. Selenium wordt ook wel gecombineerd met andere antioxidanten om een antioxidantcocktail te vormen.

Sportprestatiefactor

Fysieke power. Seleniumsuppletie wordt gebruikt voor het vermogen aërobe power en duurvermogen te vergroten voor sporten die voor hun energie voornamelijk op het zuurstofenergiesysteem steunen.

Theorie

Selenium is een cofactor voor glutathionperoxidase (Gpx), een van nature voorkomend antioxidantenzym in de lichaamsweefsels. Selenium werkt ook in nauw verband met vitamine E, een andere antioxidant. Theoretisch zou seleniumsuppletie het antioxidantpotentieel in het lichaam vergroten, waardoor de schadelijke zuurstofradicalenperoxidatie in de celmembranen van rode bloedlichaampjes en andere spiercelstructuren, betrokken bij het zuurstofenergiesysteem, extra wordt tegengegaan. Deze gunstige antioxidante effecten zouden het prestatievermogen in duursporten kunnen verhogen.

Effectiviteit

Hoewel van antioxidantsupplementen niet over de hele linie bewezen is dat ze de peroxidatie van vetten in celmembranen en andere celstructuren voorkomen, blijkt uit een aantal studies dat seleniumsuppletie de Gpx-status verhoogt en peroxidatie van vetten tijdens duurinspanning vermindert. Hoewel deze bevindingen interessant zijn, verbetert seleniumsuppletie het daadwerkelijke fysieke prestatievermogen niet, als gebleken is uit een VO_2 max test of een hardlooptest van een aëroob/anaëroob karakter.

Veiligheid

Seleniumsupplementen binnen de RDA-waarden onder de 100 microgram lijken veilig te zijn, maar hogere doseringen kunnen averechtse effecten bewerkstelligen, zoals misselijkheid, buikpijn, en onverklaarbare vermoeidheid.

Juridische en ethische aspecten

Seleniumsuppletie is legaal en in verband met sport ethisch verantwoord.

Aanbevelingen

Op basis van de beschikbare wetenschappelijke literatuur, moeten we concluderen dat seleniumsuppletie geen effectief sportergogeen middel is en het gebruik ervan wordt dan ook niet aanbevolen. Indien er echter geen verstandig voedingsprogramma wordt gevolgd, kan een basismineraaltablet die het RDA aan selenium bevat per dag voor sommige sporters een oplossing zijn, zoals voor (a) sporters die geen vlees eten, (b) sporters die uitkomen in gewichtsklassen, (c) sporters die aan intensieve duursport doen, (d) sporters die in een omgeving leven waar de grond arm aan selenium is en voedingsmiddelen consumeren die op zulke grond geteeld is.

Natriumbicarbonaat (alkalizouten)

Classificatie en gebruik

Natriumbicarbonaat kan worden geclassificeerd als fysiologisch sport-ergogeen middel. Natriumbicarbonaat is een alkalizout, onderdeel van de natuurlijke alkalireserve in het lichaam die helpt metabole zuren te neutraliseren.

Het standaard zuiveringszout is natriumbicarbonaat. Natriumbicarbonaat wordt voor sporters in capsulevorm op de markt gebracht, vaak met andere buffers als natriumcitraat en natriumfosfaat.

Natriumbicarbonaat is het meest bestudeerde alkalizout van de inspanningsfysiologie, en de gemiddelde dosering die in de meeste ergogene studies werd gebruikt is ongeveer 300 milligram per kg lichaamsgewicht. Voor een man van 70 kg komt de totale dosis op 21 gram, ongeveer 5-6 theelepels, ingenomen met 1 liter water of een andere vloeistof twee uur voor de wedstrijd. Het gebruik van natriumbicarbonaat wordt soms ook wel 'natriumladen' of 'bufferen' genoemd.

Sportprestatiefactor

Fysieke power. Natriumbicarbonaat is met name bestudeerd om het vermogen conditionele power of power uithoudingsvermogen te vergroten voor sporten waarbij de energieproductie voornamelijk steunt op het melkzuurenergiesysteem.

Theorie

Aangenomen wordt, dat de opbouw van melkzuur in de spiercellen tijdens intensieve inspanning vermoeidheid veroorzaakt. Het waterstof-ion dat wordt afgegeven door het melkzuur in de spiercel zou de activiteit van diverse enzymen remmen die noodzakelijk zijn voor de energieproductie. Eén theorie suggereert dat door het vergroten van de alkalireserve, natriumbicarbonaatsuppletie de verwijdering van waterstof-ionen van de spiercel bevordert, waardoor de zuurgraad omlaag gaat en vermoeidheid wordt uitgesteld (afbeelding 8.24).

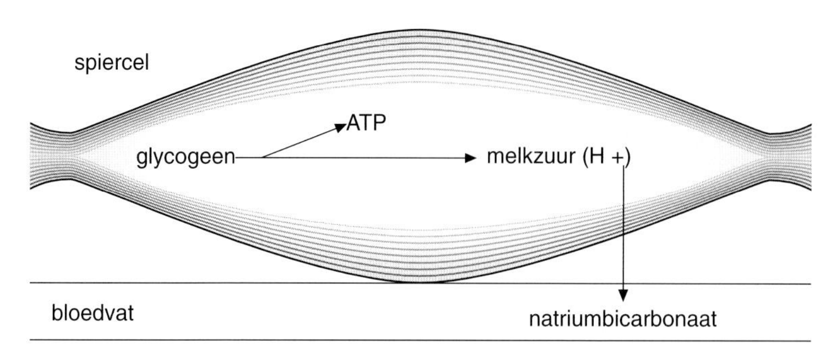

Afbeelding 8.24 Alkalizouten, zoals natriumbicarbonaat, zouden de zuurgraad in de spiercel kunnen verlagen door de uitstroom van waterstof-ionen en melkzuur te bevorderen.

Effectiviteit

Het vermogen van natriumbicarbonaat vermoeidheid van het melkzuurenergiesysteem te voorkomen, is de afgelopen 60 jaar in tal van laboratorium- en veldstudies bestudeerd. In de laboratoriumstudies werden diverse inspanningsprotocollen gevolgd, zoals (a) tijd tot uitputting in supramaximale inspanningstests bij belasting groter dan 100 procent van de VO_2 max, (b) tijd tot uitputting in de laatste test van herhaalde series supramaximale inspanning met korte rustperioden, (c) power output in supramaximale inspanningstests van 30 tot 120 seconden en (d) prestatievermogen in laboratoriuminspanningstaken die voornamelijk of gedeeltelijk steunen op het melkzuurenergiesysteem. Onder de veldstudies vielen 400, 800, of 1500 meter hardlopen, 100-200 meter zwemmen, 3-5 kilometer fietsen, 500-2000 meter roeien, en zelfs een 1500 meter loop voor renpaarden.

In zes recente uitgebreide reviews van deze onderzoeken werd de conclusie getrokken dat natriumbicarbonaat een zeer effectief ergogeen middel is in sporten waarbij behoorlijke hoeveelheden power via het melkzuurenergiesysteem worden gegenereerd. Een van de meest indrukwekkende reviews was van Matson en Tran, een meta-analyse waarin werd gerapporteerd, dat natriumbicarbonaatsuppletie een verbetering van 27 procent te zien gaf in laboratoriumtests waarin werd gekeken naar tijd tot uitputting in supramaximale tests. In het algemeen is uit de meerderheid van de laboratorium- en veldstudies gebleken dat natriumbicarbonaatsuppletie het prestatievermogen verbetert in zeer intensieve inspanningstaken met een duur van 45 seconden tot

6 minuten, waaronder zowel nonstop als met pauzen onderbroken inspanningstaken.

Veiligheid

In het algemeen is natriumbicarbonaatsuppletie veilig als het wordt gebruikt in de aanbevolen doseringen. Er zijn echter proefpersonen die maagdarmklachten krijgen, zoals misselijkheid, opgeblazen gevoel, buikpijn en diarree. Te hoge doseringen kunnen alkalose veroorzaken, wat spierkrampen en hartritmestoornissen tot gevolg kan hebben.

Juridische en ethische aspecten

Natriumbicarbonaat is op dit moment legaal voor sporters. Suppletie met natriumbicarbonaat kan echter haaks staan op de antidopingverklaring van het IOC, die stelt, dat het in abnormale hoeveelheden gebruiken van stoffen met de bedoeling op kunstmatige en oneerlijke wijze sportvoordeel te behalen verboden is. Afhankelijk van het standpunt van de individuele sporter, kan natriumbicarbonaatsuppletie als ethisch dan wel onethisch worden beschouwd. Opsporing van natriumbicarbonaatgebruik is met de huidige dopingtestmethoden zeer moeilijk. De urine zou alkalisch zijn, maar vegetarische voeding kan de urine ook alkalisch maken.

Het is interessant te weten, dat in sommige landen, vooral Australië, natriumbicarbonaatsuppletie bij paarden verboden is.

Aanbevelingen

Natriumbicarbonaat lijkt een effectief sportergogeen middel te zijn, en veilig indien geconsumeerd binnen de aanbevolen hoeveelheden, en is op dit moment legaal. Of het gebruik ervan ethisch al dan niet verantwoord is valt te bediscussiëren. Sommigen stellen zich op het standpunt dat 'natriumladen' net zoiets is als 'koolhydraatladen', en dat je het gebruik van natriumbicarbonaat kunt vergelijken met het gebruik van koolhydraatpreparaten, terwijl anderen menen dat natriumladen gewoon een soort 'zoutdoping' is, en te vergelijken valt met bloeddoping. Op basis van legaliteit maar ethische dubieusiteit, wordt de beslissing al dan niet gebruik te maken van natriumbicarbonaat overgelaten aan de individuele sporter.

Testosteron en humane chorione gonadotrofine (hCG)

Classificatie en gebruik

Testosteron en humane chorione gonadotrofine (hCG) kunnen worden geclassificeerd als fysiologische sportergogene middelen. Testosteron is een steroïde en het natuurlijke mannelijke geslachtshormoon dat in de testikels wordt aangemaakt. hCG is een glycoproteïne die tijdens de zwangerschap door de placenta in grote hoeveelheden wordt geproduceerd. Indien toegediend aan mannen, stimuleert hCG de natuurlijke testosteronproductie. Om die productie draait het hier.

Testosteron oefent bij mannen en vrouwen zowel anabole als androgene effecten uit. De anabole effecten zijn toename in botdichtheid en vetvrije spiermassa en vermindering van lichaamsvet, terwijl het bij de androgene effecten gaat om de ontwikkeling van de secundaire geslachtskenmerken, zoals lichaams- en gezichtsbeharing, verdieping van de stem, en ontwikkeling van de voortplantingsorganen.

De chemische structuur van testosteron kan worden aangepast om de anabole effecten te maximaliseren en de androgene effecten te minimaliseren. De producten die uit die modificatie zijn ontstaan, worden omschreven als anabole/androgene steroïden (AAS) en worden hier als sportergogeen middel apart behandeld.

Testosteron kan therapeutisch worden gebruikt voor de behandeling van mannen met onvoldoende ontwikkelde geslachtsklieren (hypogonadisme) of als contraceptief; de respectievelijke doseringen daarvoor zijn 75 tot 100 milligram en 200 tot 250 milligram per dag. Testosteron kan als sportergogeen middel mogelijk al op de Olympische Spelen in 1936 zijn ingezet, en er zijn sporters die 1000 milligram of meer gebruiken over een periode van 6 weken. Testosteron is beschikbaar in zowel orale als injecteerbare vorm. Voor onderzoek naar de ergogene effecten van testosteron bij mannen zijn doseringen gebruikt van 260 tot 600 milligram per week over een periode van 10 tot 12 weken.

Sportprestatiefactor

Mechanisch voordeel en fysieke power. Testosteron en hCG worden voornamelijk gebruikt om spiermassa te vergroten en lichaamsvet te verminderen voor meer kracht en power, of voor een esthetischer verschijning voor sporten als bodybuilding.

Theorie

Testosteronsuppletie is bedoeld om de anabole activiteit van het lichaam op te voeren, voornamelijk voor vergroting van de spiermassa door de spiercelkern te stimuleren spiereiwit op te bouwen. De androgene effecten van testosteron zijn verder een grotere mate van alertheid en agressiviteit, psychologische effecten die sporters helpen harder te trainen en meer inzet te tonen.

Effectiviteit

Zoals gezegd, kan gebruik van AAS in combinatie met een goed gewichttrainings- en voedingsprogramma helpen vetvrije spiermassa en kracht op te bouwen. Hoewel AAS zijn gemaakt om de anabole activiteit van testosteron te maximaliseren, blijkt uit sommige studies dat het ergogene effect van testosteronsuppletie vergelijkbaar is met dat van AAS.

Uit twee degelijke opgezette studies is gebleken, dat testosteroninjecties (testosteron enanthanaat) voor een periode van 10 tot 12 weken de vetvrije spiermassa vergroot, het lichaamsvetpercentage vermindert, en de kracht in het bankdrukken en kniebuigen doet toenemen, zelfs bij weinig actieve volwassen mannen die niet met gewichten trainen. Dit ergogene effect werd versterkt waargenomen bij jonge mannen die testosteroninjecties kregen in combinatie met een gewichttrainingsprogramma, want ze wonnen meer spiermassa, verloren meer lichaamsvet, en konden zwaardere gewichten aan bij het bankdrukken en kniebuigen dan bovenstaande groep. In een van deze studies keerde de lichaamsverhouding terug naar normaal toen de testosteroninjecties werden gestaakt.

Er is verder geen onderzoek bekend naar de ergogene effecten van hCG. Indien gebruik ervan de eigen testosteronproductie stimuleert, zullen zich waarschijnlijk vergelijkbare effecten voordoen als bij de testosteroninjecties.

Veiligheid

Hoewel AAS anaboler en minder androgeen zijn dan testosteron, zijn ze toxischer, met name de orale vormen. Dus gebruiken sporters wellicht testosteron omdat het geacht wordt veiliger te zijn dan gebruik van AAS. Testosteron lijkt niet zo toxisch te zijn voor de lever als AAS, maar hoge doseringen kunnen voor vergelijkbare bijwerkingen zorgen als toegenomen gezichts- en lichaamsbeharing, voortijdige kaalheid, en vrouwelijke borstvorming bij mannen, vermannelijking en verdieping van de stem bij vrouwen, voortijdige sluiting van de epifysairschijven bij adolescenten, verhoogde agressiviteit en mogelijk gewelddadig gedrag, vermindering van testiculaire omvang en spermaproductie, en hepatitis B of AIDS door het gebruik van besmette naalden. Langetermijngebruik van testosteron kan het risico op hart- en vaatziekten en prostaatkanker vergroten.

hCG kan ook worden gebruikt om een aantal van de bijwerkingen van langdurig testosteron- en AAS-gebruik tegen te gaan, met name het lamleggen van de eigen testikelproductie en de daarmee gepaard gaande atrofie van de testikels.

Juridische en ethische aspecten

Gebruik van testosteron is verboden door het IOC omdat het een anabolicum is, en hCG omdat het een glycoproteïnehormoon is. Gebruik is dus voor beiden illegaal en ethisch niet verantwoord.

Testen op gebruik van testosteron of hCG is moeilijker dan testen op AAS. De afbraak van AAS die via de lever loopt, produceert een aantal metabolieten die makkelijk in de urine zijn terug te vinden. Testosteron wordt niet afgebroken, dus verschijnt het in zijn natuurlijke vorm in de urine, niet te onderscheiden van een oraal of injecteerbaar testosteronpreparaat. De productie van het lichaamseigen testosteron gaat echter gepaard met de productie van een andere lichaamseigen component, epitestosteron. Een normale testosteron : epitestosteron-verhouding (T: E) is 1:1. Het gebruik van orale of injecteerbare testosteronpreparaten heeft geen effect op de epitestosteronspiegels, dus een T: E-verhouding in de urine van 6:1 wordt gebruikt als norm om het gebruik van endogeen testosteron te bepalen. Er zijn allerlei factoren die de T: E-verhouding kunnen beïnvloeden, dus is er meer onderzoek nodig om de verhouding 6:1 als bewijs van dopinggebruik harder te maken.

Mary Slaney, Amerika's grootste hardloopster op de middellange afstand ooit, werd tijdens de Olympische Spelen 1996 positief bevonden op testosteron, en werd geschorst door de internationale atletiekorganisatie. Slaney vocht de beslissing echter aan, en beweerde dat ze nooit testosteron had gebruikt en tevens, dat de T: E-verhouding van vrouwen afhankelijk van hun hormonale status sterk kan variëren.

Een van de redenen dat sporters hCG gebruiken in plaats van testosteron is, dat het waarschijnlijk de aanmaak van zowel testosteron als epitestosteron stimuleert, waardoor de T: E-verhouding normaal blijft. Verder kunnen sporters naast testosteron natuurlijk ook wat epitestosteron gebruiken om de T: E-verhouding op peil te houden. Hoewel deze methoden kunnen worden ingezet om een positieve uitslag op testosteron te vermijden, zijn er andere testen voorgesteld om deze weg af te snijden.

Aanbevelingen

Hoewel testosteron en hCG waarschijnlijk effectieve sportergogene middelen zijn, wordt het gebruik ervan niet aanbevolen omdat het illegaal en ethisch niet verantwoord is. Verder kunnen verhoogde testosteronspiegels het risico op bepaalde ziekten verhogen.

Thiamine (vitamine B_1)

Classificatie en gebruik

Thiamine is een essentiële vitamine die bekend staat als vitamine B_1 en kan worden geclassificeerd als nutritioneel sportergogeen middel. Thiamine is een wateroplosbare vitamine die van nature voorkomt in tal van voedingsmiddelen, met name varkensvlees, vollegranenproducten, peulvruchten, noten, fruit en groenten. De dagelijks aanbevolen hoeveelheid (RDA) voor thiamine is gebaseerd op de calorische inname, maar is voor mannen ongeveer 1.5 milligram en voor vrouwen 1.1 milligram.

Thiaminesupplementen zijn apart of als onderdeel van een multivitamine/mineralencomplex verkrijgbaar. Sommige sportdranken zijn verrijkt met thiamine. In onderzoek naar het ergogene effect van thiaminesuppletie zijn doseringen gebruikt van 5 tot 120 milligram per dag.

Sportprestatiefactor

Fysieke power en mentale kracht. Thiaminesuppletie is bestudeerd voor het vermogen aërobe power en duurvermogen te vergroten voor sporten die voor hun energie voornamelijk op het zuurstofenergiesysteem steunen. Verder kan thiamine gebruikt worden om via een kalmerend effect de mentale kracht te vergroten.

Theorie

Thiamine functioneert als een coënzym voor diverse enzymatische reacties, zoals de koolhydraatstofwisseling voor energie en de aanmaak van hemoglobine voor de rode bloedlichaampjes (RBL). Wanneer thiaminesuppletie er in zou slagen de koolhydraatstofwisseling en de hemoglobine-aanmaak te stimuleren, dan zou in theorie het duursportvermogen kunnen worden verbeterd.

Verder is thiamine betrokken bij de opbouw van de neurotransmitter serotonine, die een gevoel van ontspanning en vermindering van angst kan veroorzaken, factoren die het prestatievermogen kunnen verbeteren in sporten als boogschieten en pistoolschieten.

Effectiviteit

Er is een aantal studies waaruit blijkt dat een tekort aan thiamine het duurvermogen nadelig beïnvloedt, maar thiaminesuppletie bij sporters die een normale vitaminestatus hebben zal het sportprestatievermogen niet verhogen. Er zijn geen goed opgezette onderzoeken die de effectiviteit van thiaminesuppletie als sportergogeen middel bij goed gevoede sporters ondersteunen. In combinatie met de vitamines B_6 en B_{12} blijkt thiamine wel de prestaties in pistoolschieten te verbeteren, mogelijk door het verhogen van de serotoninespiegels in de hersenen.

Veiligheid

Thiaminesupplementen zijn veilig en niet-toxisch, zelfs niet in relatief hoge doseringen. Het overtollige wordt via de urine uitgescheiden.

Juridische en ethische aspecten

Thiaminesuppletie is legaal en in combinatie met sport ethisch verantwoord.

Aanbevelingen

Op basis van de beschikbare wetenschappelijke literatuur, kan niet worden gesteld dat thiaminesuppletie een effectief sportergogeen middel is, en het gebruik ervan wordt dan ook niet aangeraden. De thiaminebehoefte neemt toe bij verhoogde aërobe inspanning en een koolhydraatrijke voeding, hetgeen normale kenmerken zijn voor duursporters. Het kiezen van volwaardige, natuurlijke koolhydraatbevattende voedingsmiddelen, zoals vollegranenproducten, fruit en groenten, garandeert een voldoende inname van thiamine voor duursporters in training. Sporters die in gewichtsklassen uitkomen en op een streng energiebeperkt dieet zitten, kunnen overwegen een doorsnee 1 maal daags vitaminesupplement te nemen met 100 procent van de RDA voor thiamine.

Tryptofaan (L-tryptofaan)

Classificatie en gebruik

Tryptofaan (L-tryptofaan) is een essentieel aminozuur, dat kan worden geclassificeerd als nutritioneel sportergogeen middel. Tryptofaan is een natuurlijk bestanddeel van eiwit, maar komt niet in vrije vorm voor in onze dagelijkse voeding. De dagelijks aanbevolen hoeveelheid (RDA) is iets minder dan 250 milligram, wat via een normale voeding makkelijk te halen is.

Tryptofaansupplementen zijn in diverse landen als L-tryptofaan commercieel verkrijgbaar in tablet- of poedervorm, maar de verkoop van L-tryptofaan is in Amerika en Canada verboden. De in onderzoek gebruikte dosering is ongeveer 1200 milligram over een periode van 24 uur.

Sportprestatiefactor

Mentale kracht en fysieke power. Tryptofaansuppletie is voornamelijk bestudeerd om het vermogen psychologisch ongemak of de moeite en pijn die ervaren wordt bij intensieve conditionele power- of aërobe powerinspanningstaken, die respectievelijk op het melkzuur- en zuurstofenergiesysteem steunen, te verminderen.

Theorie

Tryptofaan is essentieel voor de opbouw van serotonine, een neurotransmitter van de hersenen, waarvan men vermoedt dat het het pijngevoel onderdrukt. Sommige onderzoekers hanteren de stelling, dat sporters die het beste pijn kunnen verdragen mogelijk in staat zijn om tijdens intensieve inspanning vermoeidheidsgevoelens uit te stellen. In theorie kan tryptofaansuppletie de serotonineproductie verhogen, waardoor de pijntolerantie en het prestatievermogen toenemen.

Effectiviteit

Diverse onderzoeken hebben het ergogene potentieel onderzocht van L-tryptofaan op het prestatievermogen bij inspanningstaken die een mix zijn van conditionele power en aërobe power. In een zeer goed opgezet dubbelblind-, placebo- en crossoverexperiment, verbeterde L-tryptofaansuppletie de looptijd op een loopbandtest met bijna 50 procent, een opzienbarende verbetering. De proefpersonen in deze studie werd gevraagd tot uitputting toe hard te lopen op 80 procent van hun VO_2 max (ongeveer 13 km per uur bij een hellingspercentage van 5 procent), maar de loopprestaties verschilden enorm en duurden niet langer dan gemiddeld 6.6 tot 8.6 minuten, waaruit bleek dat het geen getrainde sporters waren. Hoewel het een goed opgezette studie was, kan de ongetraindheid van de proefpersonen de uitslag hebben vertroebeld. Andere onderzoekers hebben de uitkomsten van deze studie in twijfel getrokken, en hebben het onderzoek herhaald, maar dit keer met getrainde hardlopers. Hun proefpersonen liepen tot uitputting toe op 100 procent van hun VO_2 max (15 km per uur), en gingen 7 minuten mee. De onderzoekers namen echter geen positief effect van L-tryptofaansuppletie op het prestatievermogen waar.

L-tryptofaansuppletie lijkt het duursportvermogen niet te verbeteren. Nederlandse onderzoekers voegden matige hoeveelheden L-tryptofaan toe aan een koolhydraatsportdrank en namen geen duidelijke verbetering waar op fietstijd tot uitputting toe op een percentage van 70 tot 75 procent van de maximale power output in vergelijking met een koolhydraatsportdrank alleen. De tijden lagen onder beide omstandigheden op ongeveer 2 uur.

Hoewel de onderzoeksbevindingen beperkt zijn, lijkt L-tryptofaansuppletie geen effectief sportergogeen middel te zijn voor zeer goed getrainde sporters.

Veiligheid

Sommige proefpersonen in deze studies kregen last van maag- en darmklachten of rood worden en jeuken van de huid, waarbij het laatste mogelijk het effect is van de omzetting van L-tryptofaan in niacine, die dit soort verschijnselen kan veroorzaken. L-tryptofaan is ook in de handel gebracht als vermeend slaapmiddel. In 1989-1990, werd het gebruik van L-tryptofaan in verband gebracht met de ontwikkeling van een ernstige spierzenuwaandoening, het eosinophilia-myalgia syndroom (EMS) geheten, bij duizenden mensen, waarbij 20 mensen kwamen te overlijden. Hoewel de EMS-epidemie toegeschreven werd aan een vervuiling in een bepaald merk L-tryptofaan, waren sommige medische experts van mening dat het niet zeker is dat L-tryptofaan de veroorzaker van de epidemie is geweest.

Juridische en ethische aspecten

Gebruik van L-tryptofaan is kennelijk legaal en ethisch verantwoord in de landen waar het wordt verkocht, maar men zou toch op zijn hoede moeten blijven voor de mogelijke gezondheidsrisico's.

Aanbevelingen

L-tryptofaansuppletie is geen effectief sportergogeen middel gebleken en kan zelfs gepaard gaan met mogelijke gezondheidsrisico's. Daarom wordt L-tryptofaansuppletie niet aanbevolen voor sporters.

Vanadium (vanadylsulfaat)

Classificatie en gebruik

Vanadium is een niet-essentieel mineraal, dat kan worden geclassificeerd als nutritioneel sportergogeen middel. Er is geen dagelijks aanbevolen hoeveelheid (RDA) vastgesteld voor vanadium omdat het voor het goed functioneren van de menselijke stofwisseling niet noodzakelijk is.

Vanadiumsupplementen zijn verkrijgbaar als vanadylzouten, met name vanadylsulfaat. De doseringen die gebruikt zijn in humaan onderzoek lopen van 60 tot 100 milligram per dag over een periode tot 12 weken.

Sportprestatiefactor

Mechanisch voordeel en fysieke power. In advertenties voor vanadylzoutsupplementen wordt gesuggereerd dat ze voornamelijk bedoeld zijn om de spiermassa te vergroten voor meer kracht en power of voor een esthetischer verschijning in sporten als bodybuilding.

Theorie

Dierexperimenteel onderzoek suggereert dat vanadylzouten waarschijnlijk betrokken zijn in diverse enzymatische reacties. De voorstanders stellen dat vanadylzoutsuppletie een insuline-achtig effect kan hebben op de suiker- en eiwitstofwisseling, hetgeen een anabool effect heeft op de spieren door spierafbraak tijdens intensieve inspanning te voorkomen.

Effectiviteit

Het anabole effect van vanadylzoutsuppletie op mensen is een extrapolatie van dierexperimenteel onderzoek, en is louter theoretisch van gehalte. Hoewel uit sommige onderzoeken is gebleken dat vanadylsulfaatsuppletie mogelijk de glucosestatus verbetert bij mensen met een niet-insuline-afhankelijke diabetes, zijn er geen wetenschappelijke gegevens die een sportergogeen effect op de lichaamssamenstelling onderschrijven. In een goed opgezette studie vonden wetenschappers uit Nieuw Zeeland, dat vanadylsulfaatsuppletie in een hoeveelheid van 40 milligram per dag bij proefpersonen die 12 weken op een gewichttrainingsprogramma werden gezet geen effect had op het lichaamsvetpercentage of de vetvrije spiermassa. De onderzoekers bestudeerden ook de krachttoename in vier trainingstaken: een 1 en 10 rep maximale beurt voor zowel bankdrukken als leg extension. Er werden geen significante effecten van vanadylsulfaat op drie van de testen gevonden. Hoewel de proefpersonen die vanadylsulfaat kregen wel vooruit gingen op de 1 rep maximale beurt leg extension tijdens de eerste 4 weken van het onderzoek, meenden de onderzoekers dat dit mogelijk kon worden toegeschreven aan de lage scores op de voortest. De onderzoekers concludeerden dat vanadylsulfaatsuppletie niet effectief was in het veranderen van de lichaamssamenstelling, en dat enig bescheiden prestatieverhogend effect verdere studie vereist. Op basis van de beperkte wetenschappelijke gegevens aangaande het ergogene effect van vanadylsulfaatsuppletie, moet worden gesteld dat er meer onderzoek nodig is.

Veiligheid

Mogelijke nadelige bijwerkingen van vanadylsulfaatsuppletie zijn maagdarmklachten, met name diarree, en slaperigheid, zo bleek uit één studie. Suppletie kan echter ook schade aan de lever en nieren veroorzaken.

Juridische en ethische aspecten

Vanadylsulfaatsuppletie is zowel legaal als ethisch verantwoord.

Aanbevelingen

Vanadylsulfaatsuppletie wordt niet aanbevolen als sportergogeen middel omdat er geen wetenschappelijke gegevens beschikbaar zijn die een gunstig effect op prestatievermogen en lichaamssamenstelling onderschrijven. Verder kunnen hoge doseringen toxisch zijn.

Vitamine B_6 (pyridoxine)

Classificatie en gebruik

Vitamine B_6 is een essentiële B-vitamine die bekend staat als pyridoxine, en kan worden geclassificeerd als nutritioneel sportergogeen middel. Vitamine B_6 is een wateroplosbare vitamine die van nature voorkomt in dagelijkse voedingsmiddelen, vooral de eiwitrijke als vlees, vis, gevogelte, peulvruchten, bruine rijst, en vollegranen- en verrijkte broden en ontbijtgranen. De dagelijks aanbevolen hoeveelheid (RDA) voor vitamine B_6 is gebaseerd op de eiwitinname, maar komt voor volwassenen neer op ongeveer 2 milligram.

Vitamine B_6 supplementen zijn apart of als onderdeel van een vitamine/mineralencomplex verkrijgbaar. Sommige sportdranken zijn verrijkt met vitamine B_6. Vitamine B_6 wordt gecombineerd met eiwit of aminozuren, zoals arginine en ornithine, en aangeprezen als anabool middel voor sporters. Onderzoekers die de ergogene effecten van vitamine B_6 suppletie onderzochten gebruikten doseringen tot 50 milligram per dag over een periode van diverse weken.

Sportprestatiefactor

Fysieke power, mentale kracht, mechanisch voordeel. Vitamine B_6 suppletie kan worden gebruikt om spiermassa en spierkracht te vergroten, en conditionele power en aërobe power en duurvermogen te vergroten voor sporten die voor hun energieproductie steunen op het melkzuur- en het zuurstofenergiesysteem. Verder kan vitamine B_6 gebruikt worden om door een kalmerend effect de mentale kracht te vergroten.

Theorie

Vitamine B_6 functioneert als coënzym in meer dan 60 enzymatische reacties. Het is nauw betrokken bij de opbouw van spiereiwit en suppletie kan de afgifte van groeihormoon stimuleren; daarom wordt het vaak als anabolisme stimulerend middel op de markt gebracht.

Vitamine B_6 is ook betrokken bij het verbruik van spierglycogeen voor de energieproductie en de opbouw van hemoglobine voor de rode bloedlichaampjes. Wanneer vitamine B_6 suppletie deze functies positief zou kunnen beïnvloeden, dan zou althans theoretisch zowel het anaërobe als aërobe prestatievermogen worden verbeterd.

Verder is vitamine B_6 betrokken bij de opbouw van de neurotransmitter serotonine, die een gevoel van ontspanning en vermindering van angst kan bewerkstelligen, factoren die het prestatievermogen zouden kunnen verbeteren bij wedstrijdsporten als boogschieten en pistoolschieten.

Effectiviteit

Hoewel een vitamine B_6 tekort het sportprestatievermogen nadelig kan beïnvloeden, is in diverse recente reviews de conclusie getrokken dat vitamine B_6 suppletie geen effectief sportergogeen middel is gebleken bij goed gevoede sporters. Vitamine B_6 suppletie heeft bijvoorbeeld niet de VO_2 max. melkzuurpiek tijdens inspanning of het zwemduurvermogen verbeterd. Echter, in combinatie met thiamine en vitamine B_{12} verbeterde het de prestaties bij pistoolschieten, mogelijk door verhoging van de serotoninespiegels in de hersenen.

Veiligheid

Vitamine B_6 supplementen binnen de RDA lijken veilig te zijn, maar chronisch gebruik of gebruik van hoge doseringen (meer dan 100 milligram per dag) gaat mogelijk gepaard met neurologische storingen in de waarneming en een zwalkende gang.

Juridische en ethische aspecten

Vitamine B_6 suppletie is legaal en in verband met sport ethisch verantwoord.

Aanbevelingen

Op basis van de beschikbare wetenschappelijke literatuur, kan niet worden gesteld dat vitamine B_6 suppletie een effectief sportergogeen middel is, en het gebruik ervan wordt dan ook niet aanbevolen. Het kiezen van volwaardige voedingsmiddelen, zoals mager vlees en vollegranenbroden en (verrijkte) ontbijtgranen, garanderen een voldoende inname voor de meeste sporters. Sporters die uitkomen in gewichtsklassen en een streng dieet volgen kunnen eenmaal daags een vitaminesupplement nemen dat 100 procent van de RDA voor vitamine B_6 bevat.

Vitamine B_{12} (cyanocobalamine)

Classificatie en gebruik

Vitamine B_{12} is een essentiële B-vitamine die cyanocobalamine heet, en kan worden geclassificeerd als nutritioneel sportergogeen middel. Vitamine B_{12} is een wateroplosbare vitamine die alleen in dierlijke voedingsmiddelen wordt gevonden, zoals vlees, vis, gevogelte, kaas, melk en eieren. De dagelijks aanbevolen hoeveelheid (RDA) voor vitamine B_{12} is 2 microgram per dag voor volwassenen.

Vitamine B_{12} supplementen zijn apart of als onderdeel van een multivitamine/mineralencomplex verkrijgbaar. In vloeibare vorm kan het ook geïnjecteerd worden. Sommige sportdranken zijn verrijkt met vitamine B_{12}. Vitamine B_{12} wordt ook verkocht als Dibencobal, een handelsnaam voor de dibencozide coënzym-vorm van vitamine B_{12}. In onderzoek naar het ergogene effect van vitamine B_{12} suppletie zijn doseringen gebruikt tot 50 milligram per dag over een periode van enkele weken, maar insiders uit de atletiekwereld melden dat sommige sporters injecties kregen met 1000 milligram, een dosering die 500.000 keer de RDA is.

Sportprestatiefactor

Mechanisch voordeel, fysieke power, mentale kracht. Vitamine B_{12} suppletie wordt gebruikt om spiermassa en kracht te vergroten, of om aërobe power en duurvermogen op te voeren voor sporten die voor hun energieproductie voornamelijk steunen op het zuurstofenergiesysteem. Verder kan vitamine B_{12} worden gebruikt om door een kalmerend effect de mentale kracht te vergroten.

Theorie

Vitamine B_{12} functioneert als een coënzym dat is betrokken bij de opbouw van DNA, het erfelijke materiaal in de celkern. Omdat DNA de opbouw van lichaamseiwit stuurt, kan vitamine B_{12} in theorie de opbouw van spiereiwit bevorderen, waardoor explosieve kracht en high power toeneemt.

Vitamine B_{12} is ook nodig voor een optimale activiteit van DNA in de heraanmaak van rode bloedlichaampjes (RBL) in het beenmerg. Theoretisch zorgt een verhoogde aanmaak van RBL voor een grotere zuurstoftransportcapaciteit van het bloed, waardoor aërobe power en duurvermogen toenemen.

Verder is vitamine B_{12} betrokken bij de aanmaak van de neurotransmitter serotonine, die een gevoel van ontspanning en verminderde angst kan bewerkstelligen, factoren die de prestaties bij boogschieten en pistoolschieten kunnen verbeteren.

Effectiviteit

Hoewel een tekort aan vitamine B_{12} het sportprestatievermogen nadelig kan beïnvloeden, blijkt uit diverse recente reviews van de wetenschappelijke literatuur dat noch vitamine B_{12} noch Dibencobolsupplementen een effectief sportergogeen middel is voor sporters die een volwaardige voeding eten. Zo gaf bijvoorbeeld B_{12} (a) geen verbetering in fysiologische functies tijdens inspanning, zoals hartslagresponsen en VO_2 max, (b) spierprestatievermogen in gestandaardiseerde kracht- en powertests, of (c) anaëroob en aëroob prestatievermogen op de 800 meter hardlopen en een maximale fietsergometertest. Echter, in combinatie met thiamine en vitamine B_6, verbeterde B_{12} de prestaties in pistoolschieten, mogelijk door verhoging van de serotoninespiegel in de hersenen.

Veiligheid

Vitamine B_{12} wordt gezien als een veilig vitaminesupplement, zelfs in megadoseringen die duizenden malen boven de RDA liggen, hoewel er overigens geen redenen zijn om zulke hoeveelheden in te nemen.

Juridische en ethische aspecten

Vitamine B_{12} suppletie is legaal en in combinatie met sport ethisch verantwoord.

Aanbevelingen

Op basis van de beschikbare wetenschappelijke gegevens, moet worden gesteld dat vitamine B_{12} suppletie geen effectief sportergogeen middel is, en het gebruik ervan wordt dan ook niet aanbevolen.

Ideaal zou zijn als sporters voldoende vitamine B_{12} via hun voeding zouden binnenkrijgen door consumptie van een brede variatie aan dierlijke voedingsmiddelen, zoals mager vlees en melk. Een gewoon 1 maal daags vitaminesupplement met aanvullend B_{12} kan voor sommige sporters voordelig zijn, zoals (a) streng vegetarische sporters (veganisten), die afzien van consumptie van alle dierlijke producten en (b) sporters die uitkomen in gewichtsklassen en op een streng energiebeperkt dieet moeten.

Vitamine B_{15} (dimethylglycine, DMG)

Classificatie en gebruik

Vitamine B_{15} is geen vitamine, maar eerder een voedingssupplement dat kan worden geclassificeerd als nutritioneel sportergogeen middel. De daadwerkelijk samenstelling van commerciële vitamine B_{15} supplementen kan aanzienlijk verschillen per merk, maar de gepatenteerde vorm bevat een mengsel van calciumgluconaat en N, N-dimethylglycine (DMG), een aminozuur. DMG wordt geacht het ergogeen actieve bestanddeel te zijn.

Vitamine B_{15} supplementen zijn verkrijgbaar in pilvorm. Onderzoekers hebben doseringen gebruik van ongeveer 200 milligram per dag over een periode van diverse weken.

Sportprestatiefactor

Fysieke power. Vitamine B_{15} suppletie is bestudeerd voor het vermogen aërobe power en duurvermogen te vergroten voor sporten die voor hun energieproductie voornamelijk afhankelijk zijn van het zuurstofenergiesysteem.

Theorie

Theoretisch bevordert DMG de verbrandingsprocessen in de spiercel, hoewel het achterliggende mechanisme nog niet is opgehelderd. Een reviewer vermoedt dat DMG mogelijk dient als methyldonor om de opbouw van creatine of andere stoffen die van essentieel belang zijn voor de spiercel te ondersteunen tijdens aërobe inspanning.

Effectiviteit

Enkele berichten, niet geverifieerde Russische onderzoeken, en diverse ongepubliceerde Amerikaanse rapporten hebben aangegeven, dat vitamine B_{15} suppletie de energiestofwisseling en het duurvermogen tijdens inspanning kan verbeteren (voornamelijk door vermindering van opbouw van melkzuur). Daarentegen zijn er diverse ongepubliceerde Amerikaanse rapporten en een wetenschappelijke studie waaruit geen positieve effecten van vitamine B_{15} suppletie op cardiovasculaire of stofwisselingsresponsen op inspanning, VO_2 max, of duurvermogen blijken. Deze gegevens zijn duidelijk tegenstrijdig.

Het meest recente overzichtsartikel aangaande de vermeende ergogene eigenschappen van vitamine B_{15} suppletie werd gepubliceerd in 1982, en daarna is er geen onderzoek meer verricht. Op basis van de beschikbare gegevens kunnen we stellen, dat de beter opgezette onderzoeken de effectiviteit van vitamine B_{15} als sportergogeen middel niet ondersteunen, maar voor de veiligheid is er toch meer onderzoek nodig.

Veiligheid

Vitamine B_{15} supplementen bevatten mogelijk verbindingen waarvan de kwaliteit onbekend is. Hoewel aangenomen mag worden dat B_{15} supplementen veilig zijn, bracht één wetenschapper naar voren dat sommige bestanddelen, zoals DMG hydrochloride mogelijk mutageen (kankerverwekkend) zijn.

Juridische en ethische aspecten

Vitamine B_{15} suppletie is legaal en in verband met sport ethisch verantwoord.

Aanbevelingen

Vitamine B_{15} suppletie wordt niet aanbevolen. Hoewel de effectiviteit als sportergogeen middel niet duidelijk is vastgesteld, sluit onbekendheid over mogelijke gezondheidsrisico's van gebruik op de lange termijn een positieve aanbeveling uit.

Vitamine C (ascorbinezuur)

Classificatie en gebruik

Vitamine C is een essentiële vitamine, die kan worden geclassificeerd als nutritioneel sportergogeen middel. Vitamine C is een wateroplosbare vitamine die van nature voorkomt in natuurlijke voedingsmiddelen, met name fruit en groenten als sinaasappelen, grapefruit, broccoli en aardappelen. De dagelijks aanbevolen hoeveelheid (RDA) voor vitamine C is 60 milligram.

Vitamine C supplementen zijn verkrijgbaar in allerlei vormen en doseringen, en worden ook in sommige sportdranken en sportrepen verwerkt. In humaan onderzoek zijn doseringen gebruikt tot 1000 milligram per dag over een periode van enkele weken.

Sportprestatiefactor

Fysieke power. Hoewel vitamine C in principe diverse SPF kan beïnvloeden, wordt het voornamelijk gebruikt voor vergroting van aërobe power en duurvermogen voor sporten die voor hun energieproductie voornamelijk steunen op het zuurstofenergiesysteem. Vitamine C is ook gebruikt om sommige symptomen van overtraining te voorkomen.

Theorie

Vitamine C is betrokken in een aantal stofwisselingsprocessen in het menselijk lichaam, waaronder drie die belangrijk kunnen zijn voor het optimaal functioneren van het zuurstofenergiesysteem. Vitamine C is betrokken bij de opbouw van epinefrine, een hormoon dat glucose en vrije vetzuren helpt mobiliseren voor aërobe energieproductie. Vitamine C helpt ook voedingsijzer op te nemen, dat nodig is voor de opbouw van hemoglobine in de rode bloedlichaampjes. Vitamine C is tevens een krachtige antioxidant, die helpt celschade en onderdrukking van het immuunsysteem te voorkomen door de vrije zuurstofradicalen die bij intensieve aërobe inspanning worden gevormd te neutraliseren.

Effectiviteit

In vroeg onderzoek afkomstig uit de Oostbloklanden werd gesteld dat vitamine C suppletie het fysieke prestatievermogen kan bevorderen. Echter, er zijn wetenschappers die erop wijzen dat die verbetering in prestatievermogen moet worden toegeschreven aan de correctie van een tekort aan vitamine C, aangezien verse groenten en fruit geen vast onderdeel uitmaakten van wat er destijds in die landen op tafel kwam. In twee recente overzichtsartikelen werd de conclusie getrokken, dat in de modernere en goed opgezette wetenschappelijke onderzoeken naar het gebruik van vitamine C supplementen tot 1000 milligram per dag geen duidelijk sportergogeen effect op verschillende aërobe inspanningstaken werd gevonden. Het huidige standpunt is dan ook, dat vitamine C supplementen het sportprestatievermogen niet verbeteren.

Veiligheid

Vitamine C supplementen van 100 tot 200 milligram zijn voldoende om het lichaamsweefsel te verzadigen en lijken voor de meeste mensen veilig te zijn. Hogere doseringen zijn voor de meeste mensen waarschijnlijk ook veilig, maar kunnen de biologische beschikbaarheid van mineralen als koper verminderen, diarree veroorzaken, bij daarvoor gevoelige mensen bijdragen aan de vorming van nierstenen, en kunnen diverse andere nadelige effecten hebben.

Juridische en ethische aspecten

Vitamine C suppletie is legaal en in verband met sport ethisch verantwoord.

Aanbevelingen

Op basis van het beschikbare wetenschappelijke onderzoek moet worden geconcludeerd dat vitamine C suppletie geen effectief sportergogeen middel is, en het gebruik ervan wordt dan ook niet aanbevolen.

Idealiter dienen de meeste sporters voldoende vitamine C via hun voeding binnen te krijgen door voedingsmiddelen te kiezen die rijk zijn aan vitamine C. In een aantal onderzoeken werd gevonden dat een vitamine C supplement van 600 milligram per dag over een periode van 3 weken voorafgaande aan een ultramarathon de symptomen van infecties aan de bovenluchtwegen na de wedstrijd verminderde. Een voeding die rijk is aan fruit en groenten levert makkelijk 100 tot 200 milligram per dag of meer voor volledige verzadiging van het lichaamsweefsel, en zelfs 600 milligram per dag bij ultraduursporters die vanwege het grote aantal kilometers ook beduidend meer calorieën consumeren.

Vitamine E

Classificatie en gebruik

Vitamine E is een essentiële vitamine, die kan worden geclassificeerd als nutritioneel sportergogeen middel. Vitamine E is een vetoplosbare vitamine die wijd verbreid voorkomt in onze dagelijkse voeding, vooral in de meervoudig onverzadigde plantaardige oliën (mais, saffloer) en margarines die ervan worden gemaakt, vollegranenproducten, tarwekiemen en verrijkte ontbijtgranen. Vitamine E bestaat uit een mengsel van tocoferolen, en de dagelijks aanbevolen hoeveelheid (RDA) wordt gegeven in alfa-tocoferol-eenheden (alfa-TE). Een alfa-TE vertegenwoordigt 1 milligram alfa-tocoferol of ongeveer 1.5 International Units (IU). De RDA voor mannen is 10 alfa-TE en voor vrouwen 8 alfa-TE.

Vitamine E supplementen zijn verkrijgbaar in capsules en de inhoud wordt meestal weergegeven in IU. Vitamine E vormt vaak ook een onderdeel van antioxidantsupplementen en sportrepen voor de sportdoelgroep. De doseringen die zijn gebruikt in humaan onderzoek komen op ongeveer 800 tot 1200 IU per dag over een periode tot zes maanden.

Sportprestatiefactor

Fysieke power. Vitamine E suppletie wordt gebruikt om aërobe power en duurvermogen te vergroten voor sporten die voor hun energieproductie voornamelijk steunen op het zuurstofenergiesysteem.

Theorie

Vitamine E functioneert als een antioxidant in de celmembranen. In theorie kan vitamine E suppletie de antioxidante weerbaarheid in het lichaam vergroten, en helpen de peroxidatie en beschadiging van vetten in de rode bloedlichaampjes (RBL) door zuurstofradicalen te voorkomen. Door te helpen de structuur van de RBL-membranen te onderhouden, kan vitamine E suppletie de optimale toevoer van zuurstof aan de spiercel tijdens inspanning bevorderen.

Effectiviteit

Meer dan een dozijn studies hebben het ergogene potentieel van vitamine E suppletie onder zeespiegelhoogte bestudeerd en daarbij is, in het algemeen, geen significant effect op fysiologische responsen op inspanning, zoals VO_2 max en melkzuurproductie, of op verschillende duurtesten, gevonden. Uit een modern, goed opgezet onderzoek bijvoorbeeld, bleek dat hoewel vitamine E suppletie de vitamine E concentraties in het lichaam deed stijgen, er geen effecten waren op VO_2 max of fietsprestatievermogen van wielrenners op nationaal niveau.

Er zijn echter op hoogte diverse studies verricht waarbij vitamine E suppletie wel een positief effect had op de VO_2 max, anaërobe (melkzuur)grens en fietsergometertijd tot uitputting toe. Trainen op hoogte lijkt de peroxidatie van vetten te doen toenemen, zodat vitamine E suppletie mogelijk voor een beschermend effect heeft gezorgd. Deze interessante bevindingen behoeven nog verder aanvullend onderzoek.

Veiligheid

Vitamine E suppletie, zelfs in doseringen van 400 tot 1200 IU, lijkt veilig te zijn, maar sommige mensen krijgen last van hoofdpijn, vermoeidheid en diarree. Vitamine E suppletie kan ook het risico op bloeden verhogen bij mensen met stollingsstoornissen.

Juridische en ethische aspecten

Vitamine E suppletie is legaal en in verband met sport ethisch verantwoord.

Aanbevelingen

Op basis van de beschikbare wetenschappelijke gegevens wordt vitamine E suppletie niet aanbevolen voor sporters die trainen en wedstrijden draaien op zeespiegelniveau, omdat niet is gebleken dat er dan sprake is van een sportergogeen effect.

Vitamine E suppletie kan worden aanbevolen aan sporters die op hoogte of in een smogdichte omgeving trainen en wedstrijden draaien. Nieuwe RBL bouwen op hoogte snel op en de mogelijke bijkomende peroxidatie in ozondichte omgeving op hoogte of door luchtverontreiniging bij smog kan de behoefte aan vitamine E en andere antioxidanten doen toenemen. Hoewel er geen onderzoek met betrekking tot een ergogeen effect van vitamine E suppletie in smoggebieden is gedaan, lijkt suppletie met 400 IU nuttig en voor de meeste mensen veilig te zijn.

Vitamine E wordt ook wel gecombineerd met andere antioxidanten voor een antioxidantencocktail. Raadpleeg tabel 8.3 voor voedingsmiddelen die rijk zijn aan vitamine E.

Yohimbe

Classificatie en gebruik

Yohimbe is een voedingssupplement dat kan worden geclassificeerd als nutritioneel sportergogeen middel. Yohimbe wordt gewonnen uit de bast van verschillende bomen, met name de Pausinystalia yohimbe en Corynanthe yohimbe. Er zijn commerciële yohimbesupplementen verkrijgbaar in tablet-, capsule- en vloeibare vorm, apart of in combinatie met andere plantenextracten of nutriënten. De doseringen kunnen variëren per producent. In onderzoek zijn doseringen gebruikt van ongeveer 15 tot 20 milligram per dag, meestal verdeeld over vier gelijke porties.

Sportprestatiefactor

Mechanisch voordeel en fysieke power. Met yohimbe wordt voornamelijk geadverteerd als middel om de spiermassa te vergroten en het lichaamsvetpercentage te verminderen voor meer kracht en power of voor een esthetischer verschijning in sporten als bodybuilding.

Theorie

Yohimbe kan als een medicijn werken. Zijn belangrijkste activiteit is als antagonist te werken van alfa 2-adrenoreceptoren, met als algemeen effect een verhoogde activiteit van het parasympathische en een verminderde activiteit van het sympathische zenuwstelsel. De blokkering van deze receptoren echter, kan leiden tot verhoogde norepinefrinespiegels in het bloed en een paradoxaal stimulerend effect.

Door zijn effect op het parasympathische zenuwstelsel, is met yohimbe geëxperimenteerd als middel in de behandeling van erectiestoornissen en andere sexuele problemen. Op basis van deze mogelijke toepassingen, hebben ondernemers yohimbe gebracht als middel om de testosteronproductie op te voeren. Verhoogde testosteronsuppletie stimuleert de anabole activiteit en gaat gepaard met een toename in spierweefsel. Het paradoxale stimulatie-effect van yohimbe kan leiden tot een verhoogde stofwisseling, wat een vermindering van lichaamsvetpercentage tot gevolg heeft.

Effectiviteit

Diverse inleidende studies suggereren dat yohimbesuppletie mogelijk een rol speelt in gewichtscontrole. In een studie vond men dat acute yohimbesuppletie de vrije vetzuur- en glycerolspiegel deed stijgen (aanwijzingen voor verhoogde vetafbraak) tijdens inspanning, maar de vetverbranding werd niet gemeten. In een andere studie vond men dat 3 weken yohimbesuppletie een duidelijk gewichtsverlies teweeg bracht bij jonge vrouwen met overgewicht die op een streng energiebeperkt dieet waren gezet, hetgeen waarschijnlijk kan worden toegeschreven aan verhoogde stimulatie van het sympathische zenuwstelsel. De lichaamssamenstelling werd echter niet bekeken om te bepalen of het gewichtsverlies lichaamsvet of spiermassa was. Op dit moment zijn er geen betrouwbare wetenschappelijke gegevens die erop wijzen dat yohimbesuppletie de testosteronspiegel doet stijgen, de spiermassa toenemen, of lichaamsvet verminderen bij gezonde sporters.

Veiligheid

Chronisch gebruik van yohimbesupplementen kan gepaard gaan met verschillende bijwerkingen, zoals duizeligheid, nervositeit, hoofdpijn, licht beven, misselijkheid, of braken. In een geval bleek acute yohimbesuppletie de gemiddelde bloeddruk met 16 procent te laten stijgen, en er zijn mogelijk andere gezondheidsrisico's verbonden aan langdurige inname van alfa-2-adrenoreceptor antagonisten.

Juridische en ethische aspecten

Yohimbesuppletie als sportergogeen middel is legaal en ethisch verantwoord.

Aanbevelingen

Yohimbesuppletie wordt niet aanbevolen als sportergogeen middel omdat er geen wetenschappelijk betrouwbare gegevens zijn die de effectiviteit als prestatiebevorderend middel bevestigen.

Zink

Classificatie en gebruik

Zink is een essentieel mineraal, dat kan worden geclassificeerd als nutritioneel sportergogeen middel. Dierlijke voedingsmiddelen als vlees, gevogelte, zeevis en schelpdieren (vooral oesters) bevatten behoorlijke hoeveelheden zink. Vollegranenproducten zijn ook goede zinkbronnen. De dagelijks aanbevolen hoeveelheid is 15 milligram voor mannen en 12 milligram voor vrouwen.

Zinksupplementen zijn commercieel verkrijgbaar als zinkzouten. Doseringen in onderzoek gebruikt lopen tot 135 milligram per dag.

Sportprestatiefactor

Mechanisch voordeel en fysieke power. Zinksuppletie is voornamelijk bestudeerd om het vermogen spiermassa en fysieke power te vergroten, met name explosieve kracht, high power en conditionele power.

Theorie

Zink speelt een rol in de functie van meer dan 100 enzymen in het lichaam, waaronder ook de enzymen die betrokken zijn bij de eiwitsynthese. Theoretisch zouden zinksupplementen de spiereiwitopbouw kunnen bevorderen voor meer kracht en power. Zink is ook nodig voor de productie van lactosedehydrogenase (LDH), een enzym dat belangrijk is voor het melkzuurenergiesysteem. Een verhoogde LDH-activiteit kan het anaërobe prestatievermogen verbeteren.

Effectiviteit

Hoewel zink een belangrijke rol lijkt te spelen in het sportprestatievermogen, is merkwaardig genoeg zijn ergogene potentieel nauwelijks onderzocht. In een studie met als proefpersonen ongetrainde vrouwen van middelbare leeftijd vond men dat zinksuppletie in sommige testen de spierkracht en het duurvermogen verbeterde, maar in andere testen bleek daarvan weer niets. In een andere studie werden geen significante effecten gevonden van zinksuppletie op de VO_2 max.

Over de hele linie ondersteunen deze beperkte wetenschappelijke gegevens geen ergogeen effect van zinksuppletie bij getrainde sporters.

Veiligheid

Zinksupplementen tot het RDA lijken veilig te zijn. Supplementen van 25 tot 50 milligram kunnen de opname van andere sporenmineralen als ijzer en koper in de dunne darm verstoren, terwijl 100 milligram of meer een nadelig effect heeft op het cholesterolgehalte, waarbij het 'slechte' LDL-cholesterol stijgt en het 'goede' HDL-cholesterol daalt. Hoge doseringen kunnen misselijkheid en braken veroorzaken en het optimaal functioneren van het immuunsysteem in de weg zitten.

Juridische en ethische aspecten

Zinksuppletie is legaal en in verband met sport ethisch verantwoord.

Aanbevelingen

In het algemeen kan zinksuppletie niet worden aanbevolen als sportergogeen middel voor sporters omdat de effectiviteit ervan wetenschappelijk niet is bewezen. Idealiter dienen sporters voldoende zink via hun voeding binnen te krijgen door het kiezen van zinkrijke voedingsmiddelen, zoals vermeld in tabel 8.18. Wanneer een verstandige voedingskeuze niet gemaakt wordt, kan een dagelijks mineraaltablet voor sommige sporters uitkomst bieden, waaronder (a) sporters die geen vlees eten, en (b) sporters die uitkomen in gewichtsklassen. Het is vooral voor jonge sporters in de groei die in gewichtsklassen uitkomen belangrijk voor voldoende zink te zorgen, aangezien sommige wetenschappers menen dat een zinktekort kan leiden tot groeistoornissen en verminderd prestatievermogen bij jonge turners en worstelaars. In zulke gevallen is de aanbevolen procedure de normale zinkinname aan te vullen met ongeveer 10 tot 15 milligram supplementair zink, wat overeenkomt met de hoeveelheid zink die een doorsnee multivitamine/mineralensupplement bevat. Sommige ontbijtgranen zijn verrijkt met 10 tot 15 milligram zink per portie.

TABEL 8.18

ZINKGEHALTE VAN DAGELIJKSE VOEDINGSMIDDELEN EN FAST FOOD

Melk
1 kop halfvolle melk = 9 milligram
1 kop magere yoghurt = 2.3. milligram

Vlees/vis/gevogelte/kaas
30 gram zwitserse kaas = 1.1. milligram
30 gram mager rundvlees = 1.8 milligram
30 gram garnalen = 0.4 milligram

Brood/granen/peulvruchten/zetmeelhoudende groenten
1 snee volle granenbrood = 0.4 milligram
1 kop gekookte bonen = 3.5 milligram
1 kop mais = 0.6 milligram

Groenten
1 kop gekookte broccoli = 0.6 milligram
1 kop gekookte spinazie = 1.4 milligram

Fruit
1 banaan = 0.2 milligram
1/4 kop rozijnen = 0.1 milligram

Fast food
1 Burger King hamburger = 3.2 milligram
1 Wendy quarter pound hamburger = 6.3 milligram

Appendix

Overzicht verboden stoffen en methoden

Met gebruikmaking van de richtlijnen van het Internationaal Olympisch Comité (IOC) voor verboden dopinggeduide middelen en methoden, heeft het United States Olympic Committee (USOC) een National Anti-Doping Program (NADP) ontwikkeld om Olympische sporters te helpen doping en de daaraan verbonden schorsingen en straffen te vermijden. Deze richtlijnen vormen ook de basis voor de meeste andere (buitenlandse) sportorganisaties.

De lijst die hieronder wordt gegeven is slechts een gedeeltelijke lijst van dopinggeduide middelen en methoden. Zelfs al wordt een dopinggeduide stof of methode aangewend in het kader van een medische behandeling, blijft het verbod van kracht. Vrij verkrijgbare medicijnen kunnen dopinggeduide stoffen bevatten. Om zekerheid te krijgen of medicijnen of andere (ergogene) middelen dopinggeduid zijn, kan contact worden opgenomen met het Nederlands Centrum voor Dopingvraagstukken in Rotterdam (www. necedo. nl).

Lijst van verboden middelen en methoden

1. Verboden stoffen

A. Stimulantia en verwante stoffen *

Stofnaam	*Voorbeeld*
Amfepramon	Apisate
Amifenazol	Amphisol
Amfetamine	Benzedrine
Bemegride	Megimide
Benzfetamine	Didrex
Chloorfentermine	Lucofen
Chloorprenaline	Vortel

Cocaïne	Methylbenzoylecgonine
Diethylpropion HCL	Tenuate
Efedrine	Bronkotabs
Etafedrine	Decapryn
Fencamfamine	Phencamine
Isoetharine HCL	Bronkosol
Isoprotenerol	Isuprel
Meclofenoxaat	Lucidril
Mesocarbe	Mesocarb
Metaproterenol	Alupent
Metamfetamine	Desoxyn
Methylfenidaat HCL	Ritalin
Nikethamide	Coramine
Pemoline	Stimul
Fendimetrazin	Preludin
Pipadrol	Meratran
Pyrovalerone	Centroton

1. Vrij verkrijgbare medicijnen die verboden stimulantia bevatten

Stofnaam	*Voorbeeld*
Desoxyefedrine	Vicks inhaler
Pseudo-efedrine	Actifed
	Co-Tylenol
	Sudafed
	Drixoral
Fenylpropanolamine	Allerest
	Alka-Seltzer Plus
	Contac
	Dexatrim
	4-way Formula 44
	Sine-Aid
Propylhexedrine	Benzedrex inhaler
Efedrine	Bronkaid
	Vatronol neusdruppels
	Kruidenthee en Ma Huang preparaten
Ma Huang	in alle producten, theeën, hoestmiddelen, afslankmiddelen, vitaliteitspreparaten

2. Cafeïnehoudende producten – Verbodsnorm (>12 mcg/ml urine) zie tabel 8.5.

B. Narcotica

Stofnaam	*Voorbeeld*
Alfaprodine	Nisentil
Anileridine	Leritine
Buprenorfine	Buprenex
Dextromoramide	Dimorlin
Dextropropoxifen	Darvon
Diamorfine	Heroine
Dipipanone	Pipadone
Levorfanol	Levo-Dromoran
Methadon HCL	Dolopine
Meperidine	Demerol
Morfine	Duromorph
Nalbufine	Nubain
Pentazocine	Talwin
Pethidine	Demerol
Fenazocine	Narphen

C. Anabole middelen

Stofnaam	*Voorbeeld*
Clostebol	Steranabol
Dihydrotestosteron	Stanolone
Fluoxymesteron	Halotestin
Mesterolon	Proviron
Metandienone	Dianabol
Metenolon	Primobolan
Methandrostenolon	Dianabol
Methyltestosteron	Android
Nandrolon	Durabolin
Norethandrolon	Nilevar
Oxandrololon	Anavar
Oxymetholon	Anadrol
Stanozolol	Winstrol/Stromba
Testosteron	Delatestryl
Clenbuterol	
Groeihormoon	
Human Chorionic Gonadotrophin (hCG)	

D. Diuretica

Stofnaam	*Voorbeeld*
Acetazolamide	Diamox
Benzthiazide	Aquatag
Bumetanide	Bumex
Canrenoïnezuur	Aldadiene
Chloortalidon	Thalitone
Diclofenamide	Fenamide
Furosemide	Lasix
Mannitol	Osmitol
Spironolacton	Alatone
Torasemide	Demadex
Triamtereen	Dyrenium

E. Peptidehormonen en analoga
Chorionic gonadotrophine (hCG)
Corticotropine (ACTH)
Groeihormoon (hGH, Somatotropine)
Erythropoietine (EPO)

II. Verboden methoden
A. Bloeddoping
B. Farmacologische, Chemische en Fysieke Manipulatie
Urine-vervanging
Gebruik epitestosteron

III. Klasse middelen met beperkte restrictie
A. Alcohol

B. Marihuana
C. Locale anesthetica
D. Corticosteroïden
E. Beta-blokkers
F. Nader omschreven Beta-2-Agonisten

* Het is belangrijk vooral de stofnamen te controleren. Een stof kan onder diverse merknamen voorkomen. Stanozolol bijvoorbeeld komt zowel onder de merknaam Stromba als Winstrol voor.

Literatuurverwijzingen

Hoofdstuk 1

Anderson, O. 1995. Dad, mom, and you: Do your genes determine your performances? *Running Research News,* 11 (8): 1-4.

Burfoot, A. 1992. White men can't run. *Runners World,* 27:89-95.

Chatterjee, S., and Laudato, M. Gender and performance in athletics. *Sociological Biology,* 42:124-132.

Fagard, R., Bielen, E., and Amery, A. 1991. Heritability of aerobic power and anaerobic energy generation during exercise. *Journal of Applied Physiology,* 70:357-362.

Kearney, J. 1996. Training the Olympic Athlete. *Scientific American,* 274 (6): 44-55.

Matheny, F. 1995. Unlock your genetic potential. *Bicycling,* 36: 51-53.

Smith, R.A. 1992. A historical look at enhancement of performance in sport: Muscular moralists versus muscular scientists. *American Academy of Physical Education Papers,* 25:2-11.

Hoofdstuk 2

Bucci, L. 1993. *Nutrients as ergogenic aids for sports and exercise.* Boca Raton, FL: CRC Press.

Burke, L.M., and Read, R.S. 1993. Dietary supplements in sport. *Sports Medicine,* 15:43-65.

Clarke, K. (Ed.). 1972.*Drugs and the coach.* Washington, DC: American Alliance for Health, Physical Education and Recreation.

Clarkson, P.M. 1996. Nutrition for improved sports performance: Current issues on ergogenic aids. *Sports Medicine,* 21:293-401.

Ghaphery, N.A. 1995. Performance-enhancing drugs. *Sports Medicine,* 26:433-442.

Thein, L.A., Thein, J.M., and Landry, G.L. 1995. Ergogenic aids. Physical Therapy, 75:426-439.

Voy, R. 1991. *Drugs, sports and politics.* Champaign, IL: Human Kinetics.

Wadler, G., and Hainline, B. 1989. *Drugs and the athlete.* Philadelphia: Davis.

Wagner, J.C. 1991. Enhancement of athletic performance with drugs: An overview. *Sports Medicine,* 12:250-265.

Williams, M.H. 1996. Ergogenic aids: A means to citius, altius, fortius, and Olympic gold? *Research Quaterly for Exercise and Sport*, 67 (Supplement): S58-S64.
- 1995. *Nutrition for fitness and sport.* Dubuque, IA: Brown & Benchmark.
- 1995. Nutritional ergogenics in athletics. *Journal of Sports Science.* 13: S63-S74.
- 1994. The use of nutritional ergogenic aids in sports: Is it an ethical issue? *International Journal of Sport Nutrition*, 4:120-131.
- 1992. Ergogenic and ergolytic substances. *Medicine and Science in Sports and Exercise*, 24: S344-S348.
- 1974. *Drugs and athletic performance.* Springfield. IL: C.C. Thomas.

Wolinsky, I., and Hickson, J. 1994. *Nutrition in exercise and sport.* Boca Raton, FL: CRC Press.

Hoofdstuk 3

Cade, R., Packer, D., Zauner, C., Kaufmann, D., Peterson, J., Mars, D., Privette, M., Hommen, N., Fregly, M., and Rogers, J. 1992. Marathon running: Physiological and chemical changes accompanying late-race functional deterioriation. *European Journal of Applied Physiology*, 65:485-491.

Chu, D.A. 1996. *Explosive power and strength.* Champaign, IL: Human Kinetics.

Fitts, R.H., and Metzger, J.M. Mechanics of musculair fatigue. 1993. In J.R. Poortmans (Ed.), *Principles of Exercise Biochemistry* (248-268), Basel: Karger.

Hawley, J.A., and Hopkins, W.G. 1995. Aerobic glycolytic and aerobic lipolytic power systems. *Sports Medicine*, 19:240-250.

Henderson, J. 1996. *Better Runs: 25 years' worth of lessons for running faster and farther.* Champaign. IL: Human Kinetics.

Knuttgen, H.G. 1995. Force, work and power in athletic training. *Sport Science Exchange*, 8 (4): 1-6.

Kraemer, W.J., Fleck, S.J., and Evans, W.J. 1996. Strength and power training: Physiological mechanisms of adaptation. *Exercise and Sport Science Reviews*, 24: 363-398.

Newsholme, E.A. 1993. Basic aspects of metabolic regulation and their application to provision of energy in exercise. In J.R. Poortmans (Ed.). *Principles of Exercise Biochemistry* (230-247). Basel: Karger.

Pavlou, K. 1993. Energy needs of the elite athlete. *World Review of Nutrition and Dietetics*, 71: 9-20.

Peterson, J.A., Bryant, C.X., and Peterson, S.L. 1995. Strength training for women. Champaign, IL: Human Kinetics.

Sargeant, A.J. 1994. Human power output and muscle fatigue. *International Journal of Sports Medicine*, 15:116-121.

Skinner, J. 1992. Application of exercise physiology to the enhancement of human performance. *American Academy of Physical Education Papers*, 25: 122-130.

Terjung, R.L. 1995. Muscle adaptations to aerobic training. *Sports Science Exchange*, 8 (1): 1-4.

Thayer, R.E., Rice, C.L., Pettigrew, F.P., Noble, E.G., and Taylor, A.W. 1993. The fibre composition of skeletal muscle. In J.R. Poortmans (Ed.). *Principles of Exercise Biochemistry* (25-50). Basel: Karger.

Wilson, D.W. 1995. Energy metabolism in muscle approaching maximal rates of oxygen utilization. *Medicine and Science in Sports and Exercise*, 27:54-59.

Zatiorsky, V.M. 1995. *Science and practice of strength training*. Champaign, IL: Human Kinetics.

Hoofdstuk 4

Gould, D., and Udry, E. 1994. Psychological skills for enhancing performance: Arousal regulation strategies. *Medicine and Science in Sports and Exercise*, 26: 478-485.

Greenspan, M. Fitzsimmons, P., and Biddle, S. 1991. Aspects of psychology in sports medicine. *British Journal of Sports Medicine*, 25: 178-180.

Kirschenbaum, D., McCann, S., Meyers, A., and Williams, J. 1995. Roundtable: The use of sport psychology to improve sports performance. *Sports Science Exchange*, 20 (6): 1-4.

Lakie, M., Villagra, F., Bowman, I., and Wilby, R. 1995. Shooting performance is related to forearm temperature and hand tremor size, *Journal of Sports Sciences*, 13:313-320.

Lynch, J. 1994. Think like a champion. *Runner's World. 29 (August): 50-55.*

– 1995. Mind over miles. *Runner's World*, 31 (May): 88-94.

Meyers, A.W., Whelan, J.P., and Murphy, S.M. 1996. Cognitive behavorial strategies in athletic performance enhancement. *Progress in Behavior Modification*, 30:137-164.

Morgan, W., and Brown, D. 1983. Hypnosis. In M. Williams, *Ergogenic Aids in Sport* (223-252). Champaign, IL: Human Kinetics.

Murphy, S. 1994. Imagery interventions in sport. *Medicine and Science in Sports and Exercise,* 26: 486-494.
Nideffer, R.M. 1992. *Psyched to win: How to master mental skills to improve your physical performance.* Champaign, IL. Human Kinetics.
Schmidt, R.A. 1991. *Motor learning and performance,* Champaign, IL. Human Kinetics.
Sheehan, G. 1989. *Personal best.* Emmaus, PA: Rodale Press.
Suinn, R. 1986. *Seven steps to peak performance.* Toronto: Han Huber.
Weinberg, R.S., and Gould, D. 1995. *Foundations of sport and exercise psychology.* Champaign, IL: Human Kinetics.

Hoofdstuk 5

Abbott, A.V., and Wilson, D.G. 1996. *Human-powered vehicles.* Champaign, IL. Human Kinetics.
American College of Sports Medicine, 1996. ACSM. Position stand: Weight loss in wrestlers. *Medicine and Science in Sports and Exercise,* 28 (6): ix-xii.
Brownell, K.D., and Rodin, J. 1994. The dietetic maelstrom: Is it possible and advisable to lose weight? *American Psychologist,* 49:781-791.
Burke, E.R. (Ed.). 1996. *High-tech cycling.* Champaign. IL: Human Kinetics.
Burke, E.R. 1995. *Serious cycling.* Champaign, IL: Human Kinetics.
Chatard, J., Senegas, X., Selles, M., Dreanot, P., and Geyssant, A. 1995. Wet suit effect: A comparison between competitive swimmers and triathletes. *Medicine and Science in Sports and Exercise,* 27: 580-586.
Cordain, L., and Kopriva, R. 1991. Wetsuits, body density, and swimming performance. *British Journal of Sports Medicine,* 25: 31-33.
Enoka, R. 1994. *Neuromechanical basis of kinesiology.* Champaign, IL: Human Kinetics.
Fogelholm, M. 1994. Effects of bodyweight reduction on sports performance. *Sports Medicine,* 18:249-267.
Frederick, E. 1983. Extrinsic biomechanical aids. In M. Williams (Ed.), *Ergogenic Aids in Sport* (323-339). Champaign, IL. Human Kinetics.
Hay, J. 1978. *The biomechanics of sports techniques.* Englewood Cliffs, NJ: Prentice Hall.
Kyle, C.R. 1994. Energy and aerodyanimcs in bicycling. *Clinics in Sports Medicine,* 13: 39-73.
Kyle, C. 1986. Athletic clothing. *Scientific American,* 254:104-110.
Morgan, D.W., Miller, T.A. Mitchell, V.A., and Craib, M.W. 1996. Aerobic

demand of running shoes designed to exploit energy storage and return. *Research Quaterly for Exercise and Sport*, 67: 102-105.

Nattiv, A., and Lynch, L. 1994. The female athlete triad. *Physician and Sportsmedicine*, 22 (January): 60-68.

Nigg, B., and Anton, M. 1995. Energy aspects for elastic and viscous shoe soles and playing surfaces. *Medicines and Science in Sports and Exercise*, 27: 92-97.

Roche, A.F., Heymsfield, S.B., and Lohman, T.G. 1996. *Human Body composition*, Champaign, IL: Human Kinetics.

Schenau, G., de Groot, G., Scheurs, A., Meestger, H., and de Koning, J. 1996. A new skate allowing powerful plantar flexions improves performance. *Medicine and Science in Sports and Exercise*, 28:531-535.

Shorten, M.R. 1993. The energetics of running and running shoes. *Journal of Biomechanics*, 26 (Supplement 1): 41-45.

Starling, R.D., Costill, D.L., Trappe, T.A., Jozsi, A.C., Trappe, S.W., and Goodpaster, B.H. 1995. Effect of swimming suit design on the energy demands of swimming. *Medicine and Science in Sports and Exercise*, 27: 1086-1089.

Sturmi, J.E., and Rutecki, G.W. 1995. When competitive bodybuilders collapse: A result of hyperkalemia. *Physician and Sportsmedicine*, 23 (November): 49-53.

Sundgot-Borgen, J. 1994. Eating disorders in female athletes. *Sports Medicine*, 17:176-188.

Vitasalo, J., Kyrolainen, H., Bosco, C., and Alen, M. 1987. Effects of rapid weight reduction on force production and vertical jumping height. *International Journal of Sports Medicine*, 8:281-285.

Williams, K. 1985. The relationship between mechanical and psychological energy estimates. *Medicine and Science in Sports and Exercise*, 17:317-325.

Hoofdstuk 6

Answorth, B.E., Haskell, W.L., Leon, A.S., Jacobs, D.R., Montoye, H.J., Sallis, J.F., and Paffenbarger, R.S. 1993. Compendium of physical activities: Classification on energy costs of human physical activities. *Medicine and Science in Sports and Exercise*, 25: 71-80.

Kluka, D.A. 1994. Visual skills related to sports performance. *Research Consortium Newsletter*, 16 (2): 3.

Maud, P.J., and Foster, C. 1995. Physiological assessment of human fitness, Champaign, IL: Human Kinetics.

Mitchell, J.H., Haskell, W.L., and Raven, P.B. 1994. Classification of sports. *Medicine and Science in Sports and Exercise*, 26: S242-S245.

Young, W., McLean, B., and Ardagna, J. 1995. Relationship between strength qualities and sprinting performance. *Journal of Sports Medicine and Physical Fitness*, 35: 13-19.

Hoofdstuk 7

Butterfield, G. 1996. Ergogenic aids: Evaluating sport nutrition products. *International Journal of Sport Nutrition*, 6:191-197.

Catlin, D.H., and Murray, T.H. 1996. Performance-enhancing drugs, fair competition, and Olympic sport. *Journal of American Medical Association*, 276:231-237.

Editors, Nutrition Reviews. 1995. Dietary supplements: Recent chronology and legislation. *Nutrition Reviews*, 53 (2): 31-36.

Kleiner, S.M. 1991. Performance-enhancing aids in sport: Health consequences and nutritional alternatives. *Journal of the American College of Nutrition*, 10:163-176.

Lightsey, D.M., and Attaway, J.R. 1992. Deceptive tactics used in marketing purported ergogenic aids. *National Strength and Conditioning Association Journal*, 14 (2): 26-31.

Philen, R.M., Ortiz, D.I., Auerbach, S.B., and Falk, H. 1992. Survey of advertising for nutritional supplements in health and bodybuilding magazines. *Journal of the American Medical Association*, 268: 1008-10011.

Pipe, A.L. 1993. Sport, science, and society: ethics in sports medicine. *Medicine and Science in Sports and Exercise*, 25: 888-900.

Scarpino, V., Arrigo, A., Benzi, G., Garattini, S., LaVecchia, C., Bernardi, L., Silvestrini, G., and Tuccimei, G. 1990. Evalution of prevalence of 'doping' among Italian athletes. *Lancet*, 336: 1048-1050.

Sherman, W.M., and Lamb, D. 1995. Introduction tot the Gatorade Sports Science Institute conference on nutritional ergogenic aids. *International Journal of Sports Nutrition*, 5: Siii-Siv.

Short, S.H., and Marquart, L.F. Sports nutrition fraud. *New York State Journal of Medicine*, 93: 112-116.

Smith, D.A., and Perry, P.J. 1992. The efficacy of ergogenic agents in athletic competition. *Annals of Pharmacotherapy*, 26:653-659.

Wagner, J.C. 1991. Enhancement of athletic performance with drugs: An overview. *Sports Medicine*, 12:250-265.

Williams, M.H. 1994. The use of nutritional ergogenic aids in sports: Is it an ethical issue? *International Journal of Sport Nutrition*, 4:120-131.

Hoofdstuk 8

Alcohol

American College of Sports Medicine. 1982. Position statement on the use of alcohol in sports. *Medicine and Science in Sports and Exercise,* 14 (6): ix-x.

Eichner, E.R. 1989. Ergolytic drugs. *Sports Science Exchange,* 2 (15): 1-4.

Williams, M.H. 1994. Physical acitivity, fitness, and substance misuse and ubuse. In C. Bouchard, R. Shepard, en T. Stephens (Eds.), *Physical Activity, Fitness, and Health.* Champaign, IL. Human Kinetics.

– 1992. Alcohol and sports performance. *Sports Science Exchange,* 4 (40): 1-4.

– M.H. Williams (Eds.), *Ergogenics: Enhancement of Performance in Exercise and Sport* (331-372). Dubuque, IA: Brown & Benchmark.

Amfetamines

Ivy, J. 1983. Amphetamines. In M.H. Williams (Ed.), *Ergogenic Aids in Sport* (101-127). Champaign, IL: Human Kinetics.

Lombardo, J. 1986. Stimulants and athletic performance (part 1 of 2): Amphetamines and caffeine. *The Physician and Sportsmedicine,* 14 (11): 128-141.

Anabolic fytosterols

Pearl, J. 1993. Severe reaction to 'natural testosterones': How safe are the ergogenic aids? *American Journal of Emergency Medicine,* 11:188-189.

Wheeler, K. and Garleb, K. 1991. Gamma oryzanol-plant sterol supplementation, *International Journal of Sport Nutrition,* 1:170-177.

Williams, M.H. 1993. Nutritional supplements for strength trained athletes. *Sports Science Exchange,* 6 (6): 1-6.

Anabole/androgene steroïden (AAS)

Elashoff, J.D., Jacknow, A.D., Shain, S.G., and Braunstein, G.D. 1991. Effects of anabolic-androgenic steroids on muscle strength. *Annals of Internal Medicine,* 115:387-393.

Friedl, K.E. 1993. Effects of anabolic steroids on physical health. In. C.E. Yesalis (Ed.), *Anabolic Steroids in Sport and Exercise* (89-106). Champaign, IL: Human Kinetics.

Kicman, A.T., Cowan, D.A., Myhre, L., Nilsson, S., Tomten, S., and Oftebro, H. 1994. Effect on sports drug tests of ingesting meat from steroid (methenolone) -treated livestock. *Clinical Chemistry*, 40:2084-2087.

Lombardo, J. 1993. The efficacy and mechanisms of action of anabolic steroids. In C.E. Yesalis (Ed.), *Anabolic Steroids in Sport and Exercise* (89-106). Champaign, IL: Human Kinetics.

Melchert, R.B., and Welder, A.A. 1995. Cardiovascular effects of androgenic-anabolic steroids. *Medicine and Science in Sports and Exercise*, 27: 1252-1262.

Middleman, A.M., and DuRant, R.H. 1996. Anabolic steroid use and associated health risk behaviors. *Sports Medicine*, 21:251-255.

Yesalis, C.E. (Ed.) 1993. *Anabolic Steroids in Sport and Exercise*, Champaign, IL: Human Kinetics.

Antioxidanten

Cooper, K.H. 1994. *Dr. Kenneth H. Cooper's antioxidant revolution.* Nashville, TN: Thomas Nelson Publishers.

Dekkers, J.C., van Doornen, L., and Kemper, H. 1996. The role of antioxidant vitamines and enzymes in the prevention of exercise-induced muscle damage. *Sports Medicine*, 21: 213-238.

Goldfarb, A. 1993. Antioxidants: Role of supplementation to prevent exercise-induced muscle oxidative stress. *Medicine and Science in Sports and Exercise*, 25:232-236.

Kanter, M.M. 1994. Free radicals, exercise, and antioxidant supplementation. *International Journal of Sport Nutrition*, 4:205-220.

LeBlanc, K. 1996. Antioxidants as ergogenic aids. *American Medical Athletic Association Quarterly* 1 (1): 6:10.

Arginine, lysine en ornithine

Aldana, S.G., and Jacobson, B.H. 1993. Weight loss and amino acids, *Health Values*, 17:36-40.

Kreider, R.B., Miriel, V., and Bertun, E. 1993. Amino acid supplementation and exercise performance. *Sports Medicine*, 16: 190-209.

Aspartaten

Banister, E.W., and Cameron, B.J. 1990. Exercise-induced hyperammonemia: Periphal and central effects. *International Journal of Sports Medicine*, 11 (Supplement 2): S129-S142.

Wesson, M., McNaughton, L. Davies, P., and Tristam, S. 1988. *Research Quarterly for Exercise and Sport*, 59:234-239.

Williams, M.H. 1995. *Nutrition for Fitness and Sport.* Dubuque, IA: Brown & Benchmark.

Bijenpollen

Geyman, J.P. 1994. Anaphylactic reaction after ingestion of bee pollen. *Journal of the American Board of Family Practitioners,* 7:250-252.

Woodhouse, M.L., Williams, M.H., and Jackson, C.W. 1987. The effects of varying doses of orally ingested bee pollen extract upon selected performance variables. *Athletic Training,* 22:26-28.

Beta-blokkers

Williams, M.H. (1991). Alcohol, marijuana and beta-blockers. In D.R. Lamb and M.H. Williams (Eds.), *Ergogenics: Enhancement of Performance in Exercise and Sport* (331-372). Dubuque, IA: Brown & Benchmark

Bloeddoping

American College of Sports Medicine. 1996. The use of blood doping as an ergogenic aid. *Medicine and Science in Sports and Exercise,* 28 (3): i-viii.

Simon, T.L., 1994. Induced erthrocythemia and athletic performance. *Seminars in Hematology,* 31:128-133.

Spriet, L.L., 1991. Blood doping and oxygen transport. In. D.R. Lamb and M.H. Williams (Eds.) *Ergogenics: Enhancement of Performance in Exercise and Sport* (213-248). Dubuque, IA: Brown & Benchmark.

Boor

Ferrando, A.A., and Green, N.R. 1993. The effect of boron supplementation on lean body mass, plasma testosterone levels, and strength in male bodybuilders. *International Journal of Sport Nutrition,* 3:140-149.

Nielsen, F.H. 1992. Facts and fallacies about boron. *Nutrition Today,* 27 (May/June): 6-12.

Ketenaminozuren (BCAA)

Davis, J.M. 1995. Carbohydrates, branched-chain amino acids, and endurance: The central fatigue hypothesis. *International Journal of Sport Nutrition,* 5: S29-S38.

Madsen, K., Maclean, D.A., Kiens, B., and Christensen, D. 1996. Effects of glucose plus branched-chain amino acids or placebo on bike performance over 100 km. *Journal of Applied Physiology,* 81:2644-2650.

Cafeïne

Cole, K., Costill, D., Starling, R., Goodpaster, B., Trappe, S., and Fink, W. 1996. Effect of caffeine ingestion on perception of effortand subsequent work production. *International Journal of Sport Nutrition*, 6:14-23.

Graham, T.E., Rush, J.W., and van Soeren, M.H. 1994. Caffeine and exercise: Metabolism and performance. *Canadian Journal of Applied Physiology*, 19: 111-138.

Graham, T.E., and Spriet, L.L. 1996. Caffeine and exercise performance. *Sports Science Exchange*, 9 (1): 1-5.

Lamarine, R.J. 1994. Selected health and behavorial effects related to the use of caffeine. *Journal of Community Health*, 19: 449-466.

Nehlig, A., and Debry, G. 1994. Caffeine and sport activity: A review. *International Journal of Sports Medicine*, 15:215-223.

Spriet, L. 1995. Caffeine and performance. *International Journal of Sport Nutrition*, 5: S84-S99.

Calcium

Clarkson, P.M., and Haymes, E.M. 1995. Exercise and mineral status of athletes: Calcium, magnesium, phosphorus, and iron. *Medicine and Science in Sports and Exercise*, 27:831-843.

Koolhydraatsupplementen

Coleman, E. 1994. Update on carbohydrate: Solid versus liquid. *International Journal of Sport Nutrition*, 4:80-88.

Conley, M.S., and Stone, M.H. 1996. Carbohydrate ingestion/supplementation for resistance exercise and training. *Sports Medicine*, 21: 7-17.

Costill, D.L., and Hargreaves, M. 1992. Carbohydrate nutrition and fatigue. *Sports Medicine*, 13: 86-92.

Coyle, E.F. 1994. Fluid and carbohydrate replacement during exercise: How much and why? *Sports Science Exchange*, 7 (3): 1-6.

Guezennec, C.Y. 1995. Oxidation rate, complex carbohydrates, and exercise. *Sports Medicine*, 19:365-372.

Hawley, J.A., Dennis, S.C., and Noakes, T.D. 1994. Carbohydrate, fluid, and electrolyte requirements of the soccer player: A review. *International Journal of Sport Nutrition*, 4: 221-236.

Carnitine (L-Carnitine)

Cerretelli, P., and Marconi, C. 1990. L-Carnitine supplementation in humans. The effects on physical performance. *International Journal of Sports Medicine*, 11: 1-14.

Kanter, M.M., and Williams, M.H. 1995. Antioxidants, carnitine, and choline as putative ergogenic aids. *International Journal of Sports Nutrition*, 5: S120-S131.

Krahenbuhl, S. 1995. Carnitine: Vitamin or doping. *Therapeutische Umschau*, 52:687-692.

Wagenmakers, A. 1991. L-Carnitine supplementation and performance in man. *Medicine and Sport Science*, 32:110-127.

Choline (Lecithine)

Kanter, M.M., and Williams, M.H. 1995. Antioxidants, carnitine, and choline as putative ergogenics aids. *International Journal of Sport Nutrition*, 5: S120-S131.

Spector, S.A., Jackman, M.R., Sabounjian, L.A., Sakkas, C., Landers, D.M., and Willis, W.T. 1995. Effect of choline supplementation in trained cyclists. *Medicine and Science in Sports and Exercise*, 27:668-673.

Chroom

Lefavi, R.G., Anderson, R.A., Keith, R.E., Wilson, G.D., McMillan, J.L., athletes: Emphasis on anabolism. *International Journal of Sport Nutrition*, 2:111-112.

Mertz, W. 1993. Chromium in human nutrition: A review. *Journal of Nutrition*, 123:626-633.

Stearns, D.M., Belbruno, J.J., and Wetterhahn, K.E. 1995. A prediction of chromium (III) accumulation in humans from chromium dietary supplements. *FASEB Journal*, 9:1650-1657.

Clenbuterol

Caruso, J.F., Signorile, J.F., Perry, A.C., Leblanc, B., Williams, R., Clark, M., and Bamman, M. 1995. The effects of albuterol and isokinetic exercise on the quadriceps muscle group. *Medicine and Science in Sports and Exercise*, 27: 1471-1476.

Dodd, S.L., Powers, S.K., Vrabas, I.S., Criswell, D., Stetson, S., and Hussain, R. 1996. Effects of clenbuterol on contractile and biochemical properties of skeletal muscle. *Medicine and Science in Sports and Exercise*, 28:669-676.

Norris, S.R., and Jones, R.L. 1996. The effect of salbutamol on performance in endurance cyclists. *European Journal of Applied Physiology*, 73: 364-368.

Prather, I.D., Brown, D.E. North, P., and Wilson, J.R. 1995. Clenbuterol: A substitute for anabolic steroids? *Medicine and Science in Sports and Exercise*, 27: 1118-1121.

Spann, C., and Winter, M.E. 1995. Effect of clenbuterol on athletic performance. *Annals of Pharmacotherapy*, 29: 75-77.

Cocaïne

Lombardo, J. 1986. Stimulants and athletic performance (part 2 of 2): Cocaine and nicotine. *The Physician and Sportsmedicine*, 14 (12): 85-91.

Nademanee, K. 1992. Cardiovascular effects and toxicities of cocaine. *Journal of Addictive Diseases*, 11 (4): 71-82.

Coënzym Q10

Braun, B., Clarkson, P.M., Freedson, P.S., and Kohl, R.L. 1991. Effects of coenzyme Q_{10} supplementation on exercise performance, VO_2 max, and lipid perioxidation in trained cyclists. *International Journal of Sport Nutrition*, 1: 353-365.

Laaksonen, R., Fogelholm, M., Himberg, J., Laakso, J., and Salorinne, Y. 1995. Ubiquinone supplementation and exercise capacity in trained young and older man. *European Journal of Applied Physiology*, 72: 95-100.

Malm, C., Svensson, M., Sjoberg, B., Ekblom, B. Sjodin, B. 1996. Supplementation with ubiquinone-10 causes cellular damage during intense exercise. *Acta Physiologica Scandinavia* 157:511-512.

Creatine

Balsom, P., Soderlund, K., and Ekblom, B. 1994. Creatine in humans with special reference to creatine supplementation. *Sports Medicine*, 18: 268-280.

Greenhaff, P.L. 1995. Creatine and it's application as an ergogenic aid. *International Journal of Sport Nutrition*, 5: S100-S110.

Hultman, E., Soderlund, K., Timmons, J.A., Cederblad, G., and Greenhaff, P.L. 1996. Muscle creatine loading in man. *Journal of Applied Physiology*, 81:232-237.

Maugham, R.J. 1995. Creatine supplementation and exercise performance. *International Journal of Sport Nutrition*, 5:94-101.

Mujika, I., Chatard, J., Lacoste, L., Barale, F., and Geyssant, A. 1996. Creatine supplementation does not improve sprint performance in competitive swimmers. *Medicine and Science in Sports and Exercise*, 28: 1435-1441.

Dehydro-epiandrosterone (DHEA)

New York Academy of Sciences. 1995. Dehydroepiandrosterone (DHEA) and aging. *Annals of the New York Academy of Sciences*, 774: ix-xiv, 1-350.

Skerrett, P. 1996. Helpful hormone or hype. *Healthnews*, 2 (16): 1-2.

Diuretica

Vitasalo, J., Kyrolainen, H., Bosco, C., and Alen, M. 1987. Effects of rapid weight reduction on force production and vertical jumping height. *International Journal of Sport Medicine*, 8:281-285.

Designvoedingssupplementen

Knuttgen, H.G. (Ed.). 1995. Is it real or is it Met-Rx™? Penn State Sports Medicine Newsletter, 3 (6) 1-2.

Efedrine

Fitch, K. 1986. The use of anti-asthmatic drugs: Do they affect sports performance? *Sports Medicine*, 3: 136-150.

Noakes, T.D., Gilles, H., Smith, P., Evans, A., Gabriels, G., and Derman, E.W. 1995. Pseudoephedrine ingestion is without ergogenic effect during prolonged exercise. *Medicine and Science in Sports and Exercise*, 27: S204.

Sidney, K.H., and Lefcoe, N.M. 1977. The effects of ephedrine on the physiological and psychological responses to submaximal and maximal exercise in man. *Medicine and Science in Sports*, 9:95-99.

Erythropoëtine

American College of Sports Medicine. 1996. The use of blood doping as an ergogenic aid. *Medicine and Science in Sports and Exercise*, 28 (3): i-viii.

Ekblom, B., and Berglund, B. 1991. Effect of erythropoietin administration on maximal aerobic power. *Scandinavian Journal of Medicine and Science in Sports*, 1:88-93.

Ramotar, J. 1990. Cyclists' deaths linked to erythropoeietin? *Physician and Sportsmedicine* 18 (8): 48-49.

Vetsupplementen

Berning, J.R. 1996. The role of medium-chain triglycerides in exercise. *International Journal of Sports Nutrition*, 6: 121-133.

Clarkson, P.M. 1996. Nutrition for improved sports performance: Current issues on ergogenic aids. *Sports Medicine*, 21: 293-401.

Coyle, E.F. 1995. Fat metabolism during exercise. *Sports Science Exchange*, 8 (6): 1-6.

Sherman, W.M., and Leenders, N. 1995. Fat loading: The next magic bullet? *International Journal of Sport Nutrition*, 5: S1-S12.

Vochtsuppletie (sportdranken)

American College of Sports Medicine. 1996. Position stand: Exercise and fluid replacement. *Medicine and Science in Sports and Exercise*, 28 (1): i-vii.

Coyle, E.F., and Montain, S.J. 1992. Benefits of fluid replacement with carbohydrate during exercise. *Medicine and Science in Sports and Exercise*, 24: S324-S330.

Peters, H.P., Akkermans, L.M., Bol, E., and Mosterd, W. 1995. Gastrointestinal symptoms during exercise. *Sports Medicine*, 20:65-76.

Foliumzuur

Herbert, V., and Dos, K.C. 1994. Folic acid and vitamin B_{12}. In M. Shils, J. Olson, and M. Shike (Eds.), *Modern Nutrition in Health and Disease* (402-425). Philadelphia: Lea & Febiger.

Ginseng

Bahrke, M.S., and Morgan, W.P. 1994. Evaluation of the ergogenic properties of ginseng. *Sports Medicine*, 18:229-248.

Carr, C.J. 1986. Natural plant products that enhance performance and endurance. In C.J. Carr and E. Jokl (Eds.), *Enhancers of Performance and Endurance* (139-192). Hillsdale, NJ: Lawrence Erlbaum Associates.

Dowling, E.A., Redondo, D.R., Branch, J.D., Jones, S., McNabb, G., and Williams, M.H. 1996. Effect of Eleutherococcus senticosus on submaximal and maximal exercise performance. *Medicine and Science in Sport and Exercise*, 28:482-489.

Mar, S. 1995. The 'adaptogens' (part I): Can they really help your running? *Running Research News*, 11 (5): 1-5.

– 1995. Can adaptogens help athletes reduce their risk of infections and overtraining? *Running Research News*, 11 (9): 1-7.

Glycerol

American Running and Fitness Association. 1996. Glycerol helps fluid balance. *Running & Fitnews*, 14 (6): 1.

Lamb, D.R., Lightfoot, W.S., and Myhal, M. 1997. Prehydration with glycerol does not improve cycling performance vs 6% CHO-electrolyte drink. *Medicine and Science in Sports and Exercise.* 29: S249.

Legwold, G. 1994. Hydration breakthrough! A sponge called glycerol boosts endurance by super-loading your body with water. *Bicycling*, 35 (7): 72-74.

Lyons, T.P., Riedesel, M.L., Meuli, L.E., and Chick, T.W. 1990. Effects of glycerol-induced hyperhydration prior to exercise in the heat on sweating and core temperature. *Medicine and Science in Sports and Exercise*, 22: 477-483.

Montner, P., Stark, D.M., Riedesel, M.L., Murata, G., Robergs, R., Timms, M., and Chick, T.W. 1996. Pre-exercise glycerol hydration improves cycling endurance time. *International Journal of Sports Medicine* 17:27-33.

HMB (Betahydroxy-betamethylbutiraat)

Nissen, S., Sharp, R., Ray, M., Rathmacher, J., Rice, D., Fuller, J., Connelly, A., and Abumrad, N. 1996. Effect of leucine metabolite B-hydroxy-B-methylbutyrate on muscle metabolism during resistance-exercise training. *Journal of Applied Physiology*, 81: 2095-2104.

Nissen, S., Panton, L., Wilhelm, R., and Fuller, J. 1996. Effect of B-hydroxy-B-methylbutyrate (HMB) supplementation on strength and body composition of trained and untrained males undergoing intense resistance training. *FASEB Journal*, 10: A287.

Humaan groeihormoon (hGH)

Kicman, A.T., and Cowan, D.A. 1992. Peptide hormones and sport: Misuse and detection. *British Medical Bulletin*, 48: 496-517.

Lombardo, J.A., Hickson, R.C., and Lamb, D.R. Lamb and M.H. Williams (Eds.) *Ergogenics: Enhancement of Performance in Exercise and Sport* (249-284). Dubuque, IA: Brown & Benchmark.

Yarasheki, K.E. 1994. Growth hormone: Effects on metabolism, body composition, muscle massa, and strength. *Exercise and Sport Science Reviews*, 22: 285-312.

Inosine

Starling, R.D., Trappe, T.A., Short, K.R., Sheffield-Moore, M., Jozsi, A.C., Fink, W.J., and Costill, D.L. 1996. Effect of inosine supplementation on aerobic and anaerobic cycling performance. *Medicine and Science in Sports and Exercise*, 28: 1193-1198.

Williams, M.H., Kreider, R.B., Hunter, D.W., Somma, C.T., Shall, L.M., Woodhouse, M.L., and Rokitski, L. 1990. Effect of inosine supplementation on 3-mile treadmill run performance and VO_2 peak. *Medicine and Science in Sports and Exercise*, 22:517-522.

IJzer

Clarkson, P.M., and Haymes, E.M. 1995. Exercise and mineral status of athletes: Calcium, magnesium, phosphorus, and iron. *Medicine and Science in Sports and Exercise*, 27:831-843.

Weaver, C.M., and Rajaram, S. 1992. Exercise and iron status. *Journal of Nutrition*, 122: 782-787.

Magnesium

McDonald, R., and Keen, C.L. 1988. Iron, zinc and magnesium nutrition and athletic performance. *Sports Medicine*, 5: 171-184.

Lukaski, H.C. 1995. Micronutrients (magnesium, zinc, and copper): Are mineral supplements needed for athletes? *International Journal of Sport Nutrition*, 5: S74-S83.

Marihuana

Williams, M.H. 1991. Alcohol, marijuana and beta-blockers. In D.R. Lamb and M.H. Williams (Eds.), *Ergogenics: Enhancement of Performance in Exercise and Sport* (331-372). Dubuque, IA: Brown & Benchmark.

Williams, M.H. 1994. Physical activity, fitness, and substance misuse and abuse. In C. Bouchard, R. Shephard, and T. Stephens (Eds.), *Physical Activity, Fitness, and Health*. Champaign, IL: Human Kinetics.

Multivitamine/mineralensupplementen

Keith, R. 1994 Vitamins and physical activity. In I. Wolinsky and J. Hickson (Eds.), *Nutrition in Exercise and Sport* (170-175). Boca Raton, FL: CRC Press.

van der Beek, E.J. 1991. Vitamin supplementation and physical exercise performance. *Journal of Sports Sciences*, 9: 77-89.

Williams, M.H. 1989. Vitamin supplementation and athletic performance. *International Journal of Vitamin and Nutrition Research*, Supplement 30: 163-191.

Narcotische analgetica

Ward, D.S., and Nitti, G.J. 1988. The effects of sufentanin on the hemodynamic and respiratory response to exercise. *Medicine and Science in Sports and Exercise*, 20: 579-586.

Niacine

Murray, R., Bartoli, W.P., Eddy, D.E., and Horn, M.K. 1995. Physiological and performance responses to nicotinic-acid ingestion during exercise. *Medicine and Science in Sports and Exercise*, 27: 1057-1062.

Williams, M.H. 1989. Vitamin supplementation and athletic performance. *International Journal of Vitamin and Nutrition Research*, Supplement 30: 163-191.

Nicotine

Christen, A.G., McDaniel, R.K., and McDonald, J.L. (1990). The smokeless tobacco 'time bomb.' *Postgraduate Medicine*, 87 (7): 69-74.

Edwards, S.W., Glover, E.D., and Schroeder, K.L., 1987. The effects of smokeless tobacco on heart rate and neuromuscular reactivity in athletes and nonathletes. *The Physician and Sportsmedicine*, 15 (7): 141-146.

Krogh, D. 1991. *Smoking: The Artifical Passion*. New York: W.H. Freeman.

Symons, J.D., and Stebbins, C.L. 1996. Hemodynamic and regional blood flow responses to nicotine at rest and during exercise. *Medicine and Science in Sports and Exercise*, 28: 457-467.

Williams, M.H. 1994. Physical activity, fitness, and substance misuse and abuse. In C. Bouchard, R. Shephard, and T. Stephens (Eds.), *Physical Activity, Fitness, and Health*. Champaign, IL: Human Kinetics.

Omega-3 vetzuren

Brilla, L., and Landerholm, T. 1990. Effect of fish oil supplementation and exercise on serum lipids and aerobic fitness. *The Journal of Sports Medicine and Physical Fitness*, 30: 173-180.

Zuurstofsuppletatie en ademhalingsverbetering

Bean, D. (1996). Nose training proves to be financial – but not physiological – succes. *Running Research News*, 12 (6): 10-11.

Papanek, P.E., Young, C.C., Kellner, N.A., Lachacz, J.G., and Sprado, A. 1996. The effects of an external nasal dilator (Breathe Right) on anaerobic sprint performance. *Medicine and Science in Sports and Exercise*, 28: S182.

Welch, H. 1987. Effects of hypoxia and hyperoxia on human performance. *Exercise and Sport Sciences Reviews*, 15:191-221.

Pantotheenzuur

Williams, M.H. 1989. Vitamin supplementation and athletic performance. *International Journal of Vitamin and Nutrition Research*, Supplement 30: 163-191.

Fosfaatzouten

Kreider, R.B. 1992. Phosphate loading and exercise performance. *Journal of Applied Nutrition*, 44: 29-49.

Tremblay, M.S., Galloway, S.D., and Sexsmith, J.R., 1994. Ergogenic effects of phosphate loading: Physiological fact or methodological fiction? *Canadian Journal of Applied Physiology*, 19:1-11.

Proteïne

Chandler, R.M., Byrne, H.K., Patterson, J.G., and Ivy, J.L. 1994. Dietary supplements affect the anabolic hormones after weight-training exercise. *Journal of Applied Physiology*, 76: 839-845.

Lemon, P. 1996. Is increased protein necessary or beneficial for individuals with a physically active lifestyle? *Nutrition Reviews* 54: S169-S175.

Lemon, P.W. 1995. Do athletes need more dietary protein and amino acids? *International Journal of Sport Nutrition*, 5: S39-S61.

Lemon, P.W. 1994. Protein requirement of soccer. *Journal of Sport Sciences*, 12: S17-S22.

Riboflavine (vitamin B_2)

Van der Beek, E.J. 1991. Vitamin supplementation and physical exercise performance. *Journal of Sports Sciences*, 9: 77-89.

Selenium

Clarkson, P.M., and Haymes, E.M. 1994. Trace mineral requirements for athletes. *International Journal of Sport Nutrition*, 4: 104-119.

Tessier, F., Margaritis, I., Richard, M., Moynot, C., and Marconnet, P. 1995. Selenium and training effects on the glutathione system and aerobic performance. *Medicine and Science in Sports and Exercise*, 27: 390-396.

Natriumbicarbonaat

Bird, S.R., Wiles, J., and Robbins, J. 1995. The effect of sodium bicarbonate on 1500-m racing time. *Journal of Sports Sciences,* 13: 399-403.

Horswill, C.A. 1995. Effects of bicarbonate, citrate, and phosphate loading on performance. *International Journal of Sport Nutrition,* 5: S111-S118.

Linderman, J.K., and Gosselink, K.L. 1994. The effects of sodium bicarbonate ingestion on exercise performance. *Sports Medicine,* 18: 75-80.

Matson, L.G., and Tran, Z.V. 1993. Effects of sodium bicarbonate ingestion on anaerobic performance: A meta-analytic review. *International Journal of Sport Nutrition,* 3: 2-28.

Williams, M.H. 1992. Bicarbonate loading. *Sports Science Exchange,* 4 (36): 1-4.

Testosteron en human chorione gonadotrofine (hCG)

Bhasin, S., Storer, T., Berman, N., Callegari, C., Clevenger, B., Phillips, J., Bunnell, T., Tricker, R., Shirazi, A., and Casaburi, R. 1996. The effects of supraphysiologica doses of testosterone on muscle size and strength in normal men. *New England Journal of Medicine,* 335: 1-7.

Forbes, G.B., Porta, C.R., Herr, B.E., and Griggs, R.C. 1992. Sequence of changes after drug is stopped. *Journal of the American Medical Association,* 267: 397-399.

Kicman, A.T., Brooks, R.V., and Cowan, D.A. 1991. Human chorionic gonadotrophin and sport. *British Journal of Sports Medicine,* 25: 73-80.

Starka, L. 1993. Epitestosterone – A hormone or not? *Endocrine Regulation,* 27: 43-48.

Yesalis, C.E. (Ed.) 1993. *Anabolic steroids in sport and exercise.* Champaign, IL: Human Kinetics.

Thiamine (vitamin B_1)

Williams, M.H. 1989. Vitamin supplementation and athletic performance. *International Journal of Vitamin and Nutrition Research.* Supplement 30: 163-191.

Tryptofaan

Herbert, V. 1992. L-tryptophan: A medicolegal case against over-the-counter marketing of supplements of amino acids. *Nutrition Today,* 27 (March): 27-30.

Stensrud, T., Ingjer, F., Holm, H., and Stromme, S. 1992. L-Tryptophan supplementation does not improve running performance. *International Journal of Sports Medicine*, 13: 481-485.

Vanadium

Fawcett, J., Farquhar, S., Walker, R., Thou, T., Lowe, G., and Goulding, A. 1996. The effect of oral vanadyl sulfate on body composition and performance in weight-training athletes. *International Journal of Sport Nutrition*, 6: 382-390.

Nielsen, F. 1994. Ultratrace minerals. In M. Shils, J. Olson, and M. Shike (Eds.). *Modern Nutrition in Health and Disease* (269-286). Philadelphia: Lea & Febiger.

Vitamin B_6 (pyridoxine)

Manore, M.M. 1994. Vitamin B_6 and exercise. *International Journal of Sport Nutrition*, 4: 89-103.

Vitamin B_{12}

Herbert, V., and Dos, K.C. 1994. Folic acid and vitamin B_{12}. In M. Shils, J. OLson, and M. Shike (Eds.) *Modern Nutrition in Health and Disease* (402-425). Philadelphia: Lea & Febiger.

Vitamin B_{15}

Gray, M.E., and Titlow, L.W. 1982. B_{15}: Myth or miracle? *The Physician and Sportsmedicine*, 10 (1): 107-112.

Vitamin C

Gerster, H. 1989. The role of vitamin C in athletic performance. *Journal of the American College of Nutrition*, 8: 636-643.

Hemila, H. 1996. Vitamin C and common cold incidence: A review of studies with subjects under heavy physical stress. *International Journal of Sports Medicine* 17: 379-383.

Vitamin E

Kagan, V.E., Spirichev, V.B., Serbinova, E.A., Witt, E., Erin, A.N., and Packer, L. 1994. In I. Wolinsky and J. Hickson (Eds.), *Nutrition in Exercise and Sport* (170-175). Boca Raton, FL: CRC Press.

Tidius, P.M., and Houston, M.E. 1995. Vitamin E status and response to exercise training. *Sports Medicine*, 20: 12-23.

Yohimbe

Kucio, C., Jonderko, K., and Piskorska, D. 1991. Does yohimbine act as a slimming drug? *Israel Journal of Medical Sciences,* 27: 550-556.

Riley, A.J. 1994. Yohimbine in the treatment of erectile disorder. *British Journal of Clinical Practice,* 48: 133-136.

Zink

Clarkson, P.M., and Haymes, E.M. 1994. Trace mineral requirements for athletes. *International Journal of Sport Nutrition,* 4: 104-119.

Register

OVER DE AUTEUR

Dr. Melvin H. Williams is als hoogleraar verbonden aan de faculteit inspanningsfysiologie en lichamelijke opvoeding van de Old Dominion University (Virginia, USA). Hij doet al meer dan dertig jaar onderzoek en schreef diverse toonaangevende boeken op sportergogeen gebied.